正誤表

	(1) 59ページ　左から7行目
誤	…黒人は、今後何年もの間、政治的権力を行使する能力を…
正	…黒人は、今後何年もの間、政治的権利を行使する能力を…
	(2) 85ページ　右から4行目
誤	が）権力を行使する能力（権能）をまったく一面的に…
正	が）権利を行使する能力（権能）をまったく一面的に…
	(3) 90ページ　右から1行目
誤	…表3－1（八六頁を参照）の五番目の二元論…
正	…表3－1（八四頁を参照）の五番目の二元論…
	(4) 154ページ　右から9行目
誤	キムリカは、一方で公正な社会には集団的権利が…
正	キムリッカは、一方で公正な社会には集団的権利が…
	(5) 256ページ　注（10）の1行から2行目にかけて
誤	…文学・文化評論家リチャード・ホッガードの著書を引用して…
正	…文学・文化評論家リチャード・ホガートの著書を引用して…
	(6) 索引の2ページ　上から19行目
誤	—の定義
正	—の定義　7
	(7) 索引の[ラ行]の上から12行目
誤	ローレンス，S.　84‐6
正	ローレンス，S.　85‐6

CITIZENSHIP
Keith Faulks

シチズンシップ

自治・権利・責任・参加

キース・フォークス 著
中川雄一郎 訳

日本経済評論社

Authorised translation from English language edition published
by Routledge, a member of the Taylor & Francis Group.

Japanese translation published by arrangement with
Taylor & Francis Group through The English Agency (Japan) Ltd.

シチズンシップ

シチズンシップは現代におけるもっとも重要な政治的理念の一つになっている。シチズンシップは、個人にはさまざまな権利を享有する資格があることを承認する理念であり、また個人には安定した統治《ガバナンス》を支える共同の責任があることを承認する理念でもある。キース・フォークスは、この主題の明瞭で包括的な全体像に基づいて、シチズンシップの歴史的および概念的な由来を探り、またシチズンシップの現代的なジレンマを検討し、そして将来に向けてのシチズンシップの解放的な潜在可能性を探究している。著者が取り組む論点は次のものである。すなわち、

- シチズンシップは国民国家なしで存在することができるのか。
- われわれの権利と責任のバランスはどうあるべきか。
- われわれは個人的権利だけでなく集団的権利も享受すべきか。
- シチズンシップはわれわれの公的な生活だけでなく私的な生活にも密接な関係があるのか。
- グローバリゼーションの過程《プロセス》はシチズンシップを不要にしたのか。

私の両親、ロビン・フォークスとパトリシア・フォークスへ

目次

はしがき

第1章　シチズンシップの理念 ………… 1

1　概念的な概観　4

2　歴史的な概観　20

3　シチズンシップとモダニティ　31

第2章　シチズンシップと国民国家 ………… 43

1　フランス革命、モダニティそしてシチズンシップ　45

2　国民国家の問題　52

3　国家メンバーシップの現代的ジレンマ　66

第3章　権利と責任……81
1　自由主義的権利の限界　82
2　シチズンシップの責任論　100
3　誤った二分法を超えて――全体論的な視点からシチズンシップを捉える必要性　107
第4章　多元主義と差異……123
1　集団的権利の論点　124
2　差異化の政治に抗して　134
3　シチズンシップ、平等そして差異　147
第5章　シチズンシップの高まり……157
1　シチズンシップと政治的コミュニティ　158
2　社会的権利を再考する　172
3　親密なシチズンシップ　185

第6章　グローバル時代のシチズンシップ……197
1　グローバリゼーションとシチズンシップ　199
2　人権とシチズンシップ　208
3　国家を超えるシチズンシップとガバナンス　217
第7章　むすび……241
1　シチズンシップの発展——要約　241
2　ポストモダン・シチズンシップとは　246
3　シチズンシップの将来　250
訳者注　255
参考文献
索引

はしがき

私が本書を書き始めたその日に、イギリス政府はシチズンシップ教育を必修科目とする旨を公表した。この政策のメリットとデメリットについてその晩行われたテレビ討論に耳を傾けていた私は、目の前にあるこの仕事を進めていくよう多少励まされたかのようであった。「シチズンシップ」は、素人目には流行の専門用語になってはいるものの、かの曖昧模糊とした栄誉を共有している多くの思想や理念と同じように、しばしば誤って理解される言葉である。パネリストとして有名な政治家が出演していた事実にもかかわらず、私は、シチズンシップについての彼らの理解が混乱していることに驚かされた。そこで私には、われわれの子どもたちにシチズンシップを教え始めるのと同じように、この主題について書物を著すのに適当な機会が到来したようにも思われたのである！

本書で私は、シチズンシップの概念をめぐって現在展開されているいくつかの議論や論争について理論的な概観を示すであろう。とはいえ、私は、「問題解決のための思想」(Key Ideas) シリーズの精神を共有しつつも、読者を「要約の海」に引き込んで溺れさせないようにするつもりである。現在のところ適切な文献は数多くあるが、しかし、なかには「シチズンシップ」という素人目にはもったいぶった難しい専門用語の地位《ステータス》の遺産のような文献があったり、また今日の社会的および政治的な諸問題と関係する思想としてシチズンシップの重要性を映し出しているような文献があったりする。それ故、これらのしばしば洞察力に富む書物や論文のすべてを批評する仕事をやり遂げるのは到底不可能なことである。そこでその代わりに、私は各章ごとにその論点を取り上げて、シチズンシップについての私自身の考えを提示することにした。また私のアプローチは、主に、歴史的アプローチあるいは比較アプローチというよりもむしろ概念的アプローチであるので、私が論議を例証するのに用いる実例は、私がもっともよく知っている社会から引き出されている。しかしながら、特に第六章まで読み進んで来た人たちにとって、シチズンシップこそローカルな問題を解決するだけでなくグローバルな問題もまた解決するのに決定的に重要である、と私が考えていることが明白になってくるであろう。第一章では、シチズンシップの概念的な概観が提示され、また本書の構成と論点のアウトラインが示される――それ故、読者にはまずそこをしっかり読み込んでもらいたい。

私は、本書を書いている間中、幸いにも多くの友人や同僚から助けを得ることができた。特にスティーヴ・ハロウズ、ジョン・ホフマン、ジョー・ラヴェツ、アレックス・トムソンそれにロバート・グレイに感謝申し上げたい。彼らは、ここ数年にわたって、シチズンシップについての私の考えに快く耳を傾けてくれたし、批判もしてくれた。私はまた、スーザン・グレイに謝辞を述べたい。彼女は、このプロジェクトのために私が読むべき数多くの資料・題材を収集してくれただけでなく、有能な校正係を務めてくださった。最後に私は、ラウトレッジ社のすべてのスタッフと、特にまた私を大いに励まし支えてくれたマリー・シュローに感謝申し上げたい。

私は、父と母に本書を捧げることで、父と母が多年にわたって私のために行ってきたことすべてに対する感謝に代えたい。

第1章

シチズンシップの理念

シチズンシップには誰にでもどこにでも訴える魅力がある。急進主義者も保守主義者も同じように、自分たちの政策処方箋を擁護するためにシチズンシップという言葉を巧みに用いている。というのも、シチズンシップには個人主義的な要素と共同的な要素の双方が含まれているからである。自由主義者がシチズンシップを尊重するのは、シチズンシップによって与えられる諸権利がまったく干渉されることなく個人一人ひとりに自らの利益を追求する余地を与えるからである。権利は、その政治的形態に基づいて、個人が共通の統治制度を形づくることに関与できるようにするのである。それ故、シチズンシップにはまた、個々人は生活を営むのに協力し協同することがどうしても必要である、という人間の本来的な関係を表す理念として人びとに訴えるところが大いにあるのだ。実際のところ、「一市民《プライベイト・シチズン》」という概念は自家撞着なのである（Oldfield 1990: 159）。このことは、シチズンシップは権利だけでなく義務（duties）や責務（obligations）も伴う、とのことを意味している。責任（responsibilities）にあまり大きな意義を置こうとしない——としばしば言われている——アメリカ合衆国のような国においてでさえも、憲法を擁護し、兵役に就くといった義務を伴う忠誠の誓いがなされるし、さらには——法が求めるのであれば——「国家的重要性を有する仕事さえ果たす」ために忠誠の誓いがなされるのである。すべての政治的コミュニティは、政治的信念に関係なく、市民の負担を必要とするのだから、シチズンシップが保守主義者、コミュニタリアンそれにエコロジストに訴えかけるや、彼らはすべてこう応えるのである——われわれの政治的コミュニティと自然環境を維持することはわれわれすべての責任である。何故なら、この共同の脈絡《コンテクスト》においてはじめて人間的関係が持続可能となり、したがってまた、権利の行使が可能となるからである、と。

一九八〇年代末以降、左派の思想家もシチズンシップを潜在的に急進的な理想だとみなしてきた。社会主義者は常にシチズンシップがその内に包み持っている民主主義の潜在能力を追い求めてきたのであるが、しかし、かつてはシチズンシップを疑いの目で見ていたのが左派の人たちの一般的な立場であった。シチズンシップは、資本主義の不公正を矯正していくというよりもむしろ、資本主義の問題の一部だとみなされていたのである。実際のところ、シチズンシップが内包する諸権利には資本主義の論理《ロジック》が染み込んでいるように思われたのである。すなわち、シチズンシップの諸権利は私有財産の正当化に手を貸し、また階級社会における諸々の不平等を抽象的な「平等のレトリック」によって背後に隠してしまったのだ、と。しかし、共産主義の失敗、階級組織の衰退、そしてますます異質的になっていく社会においては不平等のすべてが経済学の問題になり得ないとの認識等々によって、多くの社会主義者はシチズンシップを拒絶することを考え直すようになった。フェミニストもまた、シチズンシップが女性抑圧のルーツを概念化するのに有用であることに気づいた。シチズンシップのジェンダー的本性についてのフェミニスト的分析は、われわれの注意を単なる権利と義務に関わる問題から引き離し、シチズンシップが行使される「コミュニティの本質」の問題に向かわせるのに役立ったのである。これによって、貧困、差別そして排除のすべてがシチズンシップの利益や利点を蚕食《さんしょく》していることが明らかにされた。こうして、シチズンシップの考察を通じて、シチズンシップを有意味なものにする諸条件の吟味もまたなされるようになったのである。

シチズンシップは望ましいものである、という意見は大方の一致したところではあるが、しかし、その地位《ステータス》が含意するものは何であるのか、どんな性質のコミュニティがもっともよくシチズンシップを促進するのか、またそのステータスは本来的に排他的であるのかどうか、ということについてはほとんど意見の一致が見られない。

本書はこのような論点を検討し、それらの論点のいくつかに対する答えを示唆する。シチズンシップについての私の主要な関心が自由主義シチズンシップの本質と限界とに置かれているのは、シチズンシップについての大多数の現代的な説明が自由主義についての議論を通じて展開されてきたからである。したがって、このような観点から、私は――初期のシチズンシップの理念と比較しない限り――シチズンシップを議論する際には、「自由主義的」あるいは「近・現代的」という用語を付け加えないようにする。この冒頭の章で私はシチズンシップの概念的および歴史的な概観を示すのであるが、それは、第二章から第七章にわたって論じられる自由主義シチズンシップのジレンマについての分析を準備するためである。

1　概念的な概観

近代シチズンシップは本来的に平等主義的である。だが、これが常に真実であるとは限らない。シチズンシップは、私が「近代的なもの《モダニティ》」と同義であると理解している自由主義的伝統の展開と軌を一にしてはじめてそのような普遍性を推し進めるのである。シチズンシップは、その自由主義的形態においては、不平等な処遇を人びとの尊厳を支える基本的権利の侵害だと指摘する少数者の主張に大きなウエイトを置いてきた。シチズンシップを伸張させていくためのキャンペーンは、十八世紀のイギリスにおける奴隷制度反対運動、二十世紀初期における女性参政権獲得運動、一九六〇年代におけるアフリカ系アメリカ人による基本的市民権《シヴィル・ライト》（公民権）を求めるキャンペーンから、（結婚・性交が法律的に認められる）承諾年齢を異性愛者と同等にすべきだと主張する一九九〇年代における同性愛者の活動にまで及んでいる。このようなキャンペーンはすべて、ジョン・ホフマン（1997）が「弾みの概念」と呼んでいるものに従って行動する「シチズンシップの能力」に依拠しているのである。シチズンシップは、その利益や利点が必然的にますます普遍的で平等主義的になっていくことを要求する内在的な論理を内包しているのである。シチズンシップが近・現代の政治に浸透してきて以来この方、その力にエリート集団でも抵抗することが困難であることがはっき

り示されてきた。その理由を、ターナー（1986：xii, 135）は次のように主張した。シチズンシップの近・現代史は、

対立と闘争の弾みによって推し進められる、一連の拡大する環《サークル》として理解され得る。……シチズンシップの運動は特定の運動から普遍的な運動になっていく。というのは、人びとを排除するためにことさら人びとに制限を加えることは、ますます理性を失っていくように思えるし、また現代の政治形態の基礎とますます矛盾するように思えるからである。

その身分が階層制《ヒエラルキー》や支配を意味する奴隷、封建家臣あるいは臣民と違って、市民は社会の正当かつ対等平等な「構成員の資格」（membership：以下、メンバーシップと表記）を正式に享受する。それ故、もしそうであるならば、シチズンシップは恣意的な処遇を許さないだろうし、市民は客観的で平明な基準によって判断されなければならない。シチズンシップはまた、個人は一人ひとり「人種・民族」、宗教、階級、ジェンダーあるいは他の独自のアイデンティティによってあらかじめ決定されることなく、自分自身の生活について判断を下す能力のあることを承認する。シチズンシップは、そういうものとして、他のどんなアイデンティティよりも人間の基本的な政治的欲求を充足させることができるのである。ヘーゲルはこれを「承認の必要性」と呼んだ（Williams 1997: 59–64を参照）。市民という地位《ステータス》はより広いコミュニティに包含される「包摂の意識」を示唆するので

ある。それ故、それは、ある特定の個人がそのコミュニティに貢献することを承認すると同時に、市民である彼と彼女に「個人の自治」を与えるのである。そしてこの自治が――時間と空間を超えてその内容を大きく変えていくとはいえ――権利を行使する人たちによる政治的行動《エイジェンシィ》の承認を常に意味する一連の諸権利に反映されるのである。このように、シチズンシップの主要な際立った特徴、すなわち、シチズンシップと上意下達の承認受諾関係《サブジェクトフッド》とを明確に区別するもの、それこそが「参加の論理」なのである。言い換えれば、シチズンシップは受動的なステータスではなく能動的なステータスなのである。要するに、支配の根源が国家であろうと、家族、夫であろうと、教会、民族集団《エスニック・グループ》であろうと、あるいはわれわれを、自治権を有する個人、統治能力のある自律的な個人として認めようとしないどんな他の力《フォース》であろうと、シチズンシップは支配と相容れないのである。

しかしながら、シチズンシップの魅力は、シチズンシップが個人に与える利益や恩恵だけにあるのではない。シチズンシップは、常に互恵的な理念であり、それ故にまた、社会的な理念でもあるのだ。シチズンシップは、他者に対する責務と義務的拘束から個人を解き放つ一連の権利ではまったくない。権利は常にその承認とメカニズムのための枠組みを必要とするのであって、その枠組みを通じて権利は行使され、実現されるのである。裁判所、学校、病院それに議会を含むそのような社会的枠組みは、市民のすべてがその枠組みを維持する役割を果たすよう求める。このことは、シチズンシップが権利だけでなく義務や責任も包含していることを意味する。実際、権利が公式に表現されなくても、社会が公正にその機能を果たすことは十分考えられる。しかしながら、コミュニティのメンバーが義務や責務の意識を持たないとすれば、安定した人間的なコミュニティを想像することは難しい。それ故、シチズンシップは人間的統治《ヒューマン・ガバナンス》のための優れた基礎となるのである。

統治《ガバナンス》は、社会秩序を創り出し、それを維持し、また物質的資源を分配し、文化的資源を活かしていく、という人間本来の要求に関係する。シチズンシップと密接に関連する政治活動は熟議、歩み寄り、駆け引き、それに権力分有《パワーシェアリング》といった一連の政治的な方法やテクニックを伴うのであるが、そのような方法やテクニックによってガバナンスの問題が非暴力主義的に解決されることができる。人間的な関係や結びつきで暴力を用いることは――その関係や結びつきが私的領域で生起しようと公的領域で生起しようと――政治生活に内在する要素というよりもむしろ政治の失敗を言い表している。それ故、政治活動は、合意形成によるガバナンスを成し遂げ、またそれを持続させることに関心を置くことになる。シチズンシップはまさにこの目標を達成するための旋回軸となるのである。何故なら、シチズンシップは強固な正当性を有するアイデンティティを提供するからである。シチズンシップは、われわれが個人一人ひとりを平等に処遇せよと要求することによって、社会秩序を脅かす可能性のある社会的な緊張関係の原因を打ち消すことができる。シチズンシップは、権利、義務および責務を包括する一連の政策を通じて、また社会生活の利益と負担を共有することによって、諸資源を公正に分配し、有効に管理運営する方法を提示するのである。

シチズンシップはまた説得力のある理念である。シチズンシップは、個人の尊厳を認めると同時に、個人がその下で行動する社会的な文脈を再確認する。それ故、シチズンシップは、アンソニー・ギデンズ（1984：25）が「構造の二重性」と呼んでいるものの優れた実例である。ギデンズにとって、個人とコミュニティは、厳密に言えば、対立し反目するような理念だとは思われないのである。それどころか、個人的な行為と社会的な実践とは相互に依存し合うのであって、個々人は、権利を行使し義務や責務を遂行することを通じて、シチズンシップに必要な諸条件を再生産するのである。

　シチズンシップは、それ故、動態的《ダイナミック》なアイデンティティである。市民は、創意に富んだ行為者《エイジェント》として、自らのシチズンシップを表現する新たな方法を常に見いだそうとするので、市民とコミュニティの変化するニーズと願望に具体的に応えるための新たな権利、義務それに制度が組み立てられ、構成される必要がある。すなわち、シチズンシップは、人と人との実際の諸関係なのであるから、すべての社会に常に適用されるような簡単明瞭でほとんど変わることのない定義を受け入れようとしないであろう。それどころか、シチズンシップの理念は本来的に異議申し立て的であり、また不確かなものでもある。というのは、シチズンシップは所与の社会に見いだされる特定な傾向の人間関係やガバナンスの形態を常に反映するからである。このことが意味することは、シチズンシップを理解しようとする際にわれわれが問わなければならない本質的な問題の一つこそ、シチズンシップが実践される社会的な文脈はどのような社会的、政治的な取り決めによって形づくられるのか、ということである。実際のところ、シチズンシップに関する既存の多くの文献や論文に対する私の主要な批判の一つは、それらの文献や論文がこの文脈の問題に十分注意を払っていないのではないか、ということである。

自由主義的伝統の立場をとる多くの思想家は、（多くの他の社会的分裂のなかでも際立っている）階級、ジェンダーそれに民族差別によって個々の市民が被る束縛や抑圧を十分に深く考察することなしに、権利と義務について市民が何を予想したり期待したりするかを説明するのに規範となる理論を提言してきた。シチズンシップのすべての権利は諸資源の分配をも含むのであるから、また義務や責務は所与の社会状況の下で遂行されるのであるから、シチズンシップについての議論には権力についての考察が必ず伴うのである。もし社会が権利を持続するのに必要な諸資源を提供できないのであれば、しばしば社会主義者が危ぶむように、権利はまがい物になってしまうだろう。同じように、もし義務や責務を遂行するための制度がある集団よりも他の集団に恩恵を与えるようになっているのだとすれば、逆に、シチズンシップは傷つけられてしまうだろう。この点で、自由主義者は、抽象的な個人的権利を擁護するとの強迫観念にとりつかれて、市民がその権利をいとも容易に行使できるようにしたり、また市民が責任を果たすのを促すことができるようにしたり、あるいは反対に市民が権利を行使するのを抑制したり、責任を果たすよう強いたりする権力構造をしばしば看過してきたのである。

シチズンシップは、自由主義者によって、より合理的に、より公正に、そしてより適切に統治される社会に向かって歩む社会進化的過程《プロセス》の一部として描かれる（Marshall 1992）。だが、それは、なぜシチズンシップは時を経るにつれて変化するのか、という理由を無視しているし、またシチズンシップの意味するところの重点が変わっていく利害関係も無視しているのである。実際、シチズンシップはその価値を高められることもあれば、薄められることもあるのだ。シチズンシップがどのようにして定義されるのか、その方法を決めるプロセスは利己心、権力それに対立といった問題と結びついているのである。例えば、市民の諸権利は市場と国家システムの優先順位や不合理性と密接に繋がっている。すなわち、経済危機は、産業上の競争や競合という大義名分によって社会的なエンタイトルメント[1]（社会保障費などの受給権）を後退させることから、いともたやすく権利の縮小に導いてしまう可能性がある。また国家間の戦争あるいは国内における社会的な対立や衝突もシチズンシップの意味を根本的に変えてしまうかもしれない。というのも、例えば、戦争に関わった者たちがより広い諸権利を与えられたり、あるいはある特別の社会運動がそのメンバーのエンタイトルメントの拡大を促すよう効果的に動員されたりするからである。

　このことはさらに、シチズンシップの理念を検討する際に——社会的な文脈の問題に加えて——われわれが取り組まなければならない三つの問題を提起する。第一は、社会的な争いはしばしばシチズンシップの範囲と関係がある、という問題である。誰が市民とみなされるべきか、そして——もしあるとすれば——シチズンシップの利益や恩恵から誰を排除するかを正当化する基準は何か、という問題である。第二は、権利、義務や責務の観点からすると、シチズンシップはどのような内容でなければならないのか、という問題である。第三は、われわれが考えるシチズンシップの概念はどれほど深くあるいは厚くなければならないのか、という問題である。この問題を通じて私が言わんとすることは、市民としてのわれわれのアイデンティティはどれほど多くの注意を必要とするのだろうか、あるいはどれほど広い範囲にわたる知識を必要とするのだろうか、ということであり、またそのことは、家庭内のなすべき用事や暮らしむきといったような、社会的アイデンティティ(以下、ソーシャル・アイデンティティと表記)の他の起点やわれわれが現代に対して発するいくつもの相拮抗する要求にどの程度まで優先するのか、ということである。

シチズンシップの範囲に関して言えば、「市民として誰が包摂されるのか」を問うことは「市民のステータスから誰が排除されるのか」を問うことでもある。すべての国家は、移民法がどんなに自由主義的であっても、自国の領土内に居住するようになる者たちをその管理下に置いて威圧するし、また彼らがその下で居住者として留まることができる諸条件を規制し調整するのである。このように、シチズンシップは国籍《ナショナリティ》、すなわち、国際法によってしばしば互換的に用いられる二つの用語(国民と国家)と密接に結びついているのである。その結果、歴史的には、シチズンシップの範囲は常に限定されてきたのである。したがって、個人にとって、また特に難民や移民にとって、解決すべき主たるシチズンシップの問題はしばしば社会構成員の資格(以下、ソーシャル・メンバーシップと表記)の問題なのである。現代の世界においては、これは国家のメンバーシップを意味する。国家が社会的資源の主たる分配者である場合、国家のシチズンシップを奪われることは他の諸権利の基礎を奪われることでもある。これこそ「国連世界人権宣言」(2)(一五条一項)が基本的人権としてシチズンシップの権利をそれに含めた理由であり、この基本的人権に基づいて他のエンタイトルメントが保護されるのである。

シチズンシップの理念にとっての国民国家（nation-state）の重要性に鑑みて、第二章は専《もっぱ》ら国民国家の考察に紙幅を割いている。政治的コミュニティの性質が変容させられるたびに、政治的な論議で浮き彫りにされるのがシチズンシップの理念であることは決して偶然ではない。例えば、古代ギリシアにおけるポリスの形成あるいは古代ローマ帝国の拡張はともに——政治家にも理論家にも一様に——シチズンシップの意義や意味について再考するよう求めた。近代シチズンシップにつ いて言えば、主要な事象は「フランス革命」であるのだが、シチズンシップを国民国家と融合させたのもまさにフランス革命であった。第二章ではまずこの融合の持つ意味が議論される。次に私は、シチズンシップに意義を与えるためにシチズンシップは国籍を求められるのかどうか、という問題を扱うだろう。そして最後に、国民国家のメンバーシップとして規定されているシチズンシップについてのいくつかの論争点や対立点を論証するために、ヨーロッパで現在論議されているいくつかの実例が取り扱われるだろう。私はそこで、シチズンシップが人びとを包摂する可能性を解き明かすためには、シチズンシップの概念が国民国家との結びつきから解き放されなければならないことを主張するであろう。

シチズンシップの範囲は、公式《フォーマル》あるいは非公式《インフォーマル》にシチズンシップから排除されかねない国家のなかの集団に関わる問題から移民や政治亡命者保護の問題に至るまで幅広い。すぐ前で述べたシチズンシップを広げるキャンペーンの好例は、国家の内部において社会の周辺的な境遇に追いやれた集団が、シチズンシップの実践を妨げる不当な制約や制限を取り除くために、特権的なエリート集団に対して圧力をかける方法である。このように、シチズンシップの範囲と内容は人びとが置かれているステータスの状況と密接に関係するのである。例えば、女性はなるほど公式に男性と平等な市民だとみなされるかもしれないが、しかし、もし女性がシチズンシップを家父長制の拘束の下で行使するというのであれば、シチズンシップの本質的な観点からすれば、彼女たちのシチズンシップは男性のシチズンシップと同じ価値ではないだろう。

私は、第三章で、シチズンシップの適切な内容に関わる議論のいくつかを分析する。とりわけ、性質を異にする諸権利間に現れる緊張関係並びに権利と責任との間に現れる緊張関係が分析される。これらの論点に関わる最新の議論は、もっとも有力な自由主義的アプローチとマルクス主義、コミュニタリアニズム（共同体主義）それにフェミニズムのような批判的視点からのアプローチとの対話形式で行われている。したがって、私の論拠はこれらの批評から引き出されることになるだろう。そこで私が強く主張したいことは、自由主義は――主に国家と市場についてのその仮説のために――シチズンシップの抽象的で薄弱な概念を採り入れている、ということである。しかしながら、われわれは、諸権利についての自由主義の主眼点を簡単に置き換えることができないし、またその代わりに――多くの保守主義者やコミュニタリアンが主唱しているように――「責任の倫理」を簡単に主張することもできないのである。その代わりに、シチズンシップが意義や価値を持つためには、権利と責任は相互に支え合うのだとみなすことがわれわれには肝要なのである。

第四章は差異の問題を取り扱う。そこでは私は、自由主義と結びつけて考えられている普遍的シチズンシップが現代社会の多元的現実と矛盾せずに共存できるかどうかを問うことになる。シチズンシップの内容は集団が異なれば違って当然なのであろうか、また少数者や少数集団は特別な権利を与えられることによって多数者や多数を占める集団から保護されて然るべきなのであろうか。ヤング（1990）やキムリッカ（1995）のような多元主義者によって提起されたこの問題に対する回答を批判的に評価するならば、私の結論は、いわゆる「集団的権利」は問題を解決するよりもむしろ問題を生み出してしまう、ということである。したがって、重要なことは自由主義シチズンシップを見限ったり、断念したりしないことである。すなわち、自由主義シチズンシップがその下で実践される社会的な状況や脈絡を変えていくことによって自由主義シチズンシップの約束事を完遂することである。シチズンシップをより社会包摂的にしていく鍵は、国家には本来的に人種や民族、家父長制それに階級に基礎を置く性質があることを認識することと自由市場が権利や責任に対して及ぼす腐食性の影響とを認識すること、これである。

私が吟味することになるシチズンシップの決定的な特質は「深み」あるいは「厚み」のそれである。クラーク（1996: 4）は「深い」シチズンシップをこう定義する。それは、

さまざまな場所や空間で活動する市民自身の活動である。そしてその活動は、政治の中心を国家から離れたところに移していくことによって、分担し共有する共同活動への個人の参加とし

て政治の可能性を取り戻すのである。

またティリー（1995: 8）はシチズンシップの「稀薄な・濃厚な」の概念を次のように対照させている。シチズンシップは、

ほとんど何らの契約《トランザクション》も権利も義務や責務も伴わない場合は稀薄であり、国家の代行者《エイジェント》とその管轄権の範囲内で生活している人たちとによって維持されるすべての契約、権利それに義務や責務についてそれが重要な役割を果たす場合には濃厚である。

ティリーの定義はシチズンシップと国家とを同列に置いている点で紋切り型である。他方、クラークは、シチズンシップは国境を越えて広がっていかなければならない、と主張している。それにもかかわらず、両者は次のような問題を提起しているのである。すなわち、一つは、シチズンシップには純粋に公的な重要性があるのか、あるいはシチズンシップは私的な生活にも浸透することができるのか、という問題提起であり、もう一つは、われわれの時間と熱意が強く求められる他の諸要求に応えるシチズンシップの重要性とはどのようなものなのか、という問題提起である。そのために、ブベック（1995）は——議論を進める手順として——「濃厚な」シチズンシップという概念と「稀薄な」シチズンシップという概念を対照した便利な類型を示してくれた（私はそれを表1-1の

表 1-1　「稀薄な」シチズンシップと「濃厚な」シチズンシップの概念

「稀薄な」シチズンシップ	「濃厚な」シチズンシップ
特権的な権利	相互に支え合うものとしての権利と責任
受動的，消極的	能動的，積極的
必要悪としての国家	望ましい生活の基礎としての政治的コミュニティ（必ずしも国家ではない）
純粋に公的なステータス	公的なステータスと私的なステータスに浸透
独立独歩	相互依存
選択に基づく自由	市民的徳行に基づく自由
法律的	道徳的

ように書き直してみた）。

私は——自由主義に対する他の批判者と同じように——自由主義者が唱道するシチズンシップはあまりにも薄く、市場原理や政治的、経済的なエリート集団の利益に追従的であると考えているので、第五章において、権利と責任との間のバランスや市場と民主主義との間のバランスを変えるための政策を通じて、シチズンシップが人びとを解放する可能性がどのように創り出されるのかを詳しく検討する。

第六章で私は、グローバリゼーションはどうしてシチズンシップの文脈を変えようとするのか、したがってまた、どうしてシチズンシップの内容と広がりと奥行きを再考するようわれわれに要求するのか、その理由について詳しく検討する。現代の社会的変化がシチズンシップを時代遅れにしている、というようなことはあり得るのだろうか。確かに、ポストナショナル・シチズンシップ論のいくつかは、シチズンシップは国籍に関わりなくすべての人たちに及ぶ人権のより包括的な理念にますます取って代えられていくだろう、とのことをほのめかしている（Soysal 1994）。グローバリゼーションもまたシチズンシップの内容と深さに関わる議論に影響を与えている。例えば、エコロジストは、自然と将来の世代に対するより大きな責務と人権とを釣り合わせる必要性を指摘している。シチズンシップは、その普遍的可能性を実現するために、国家を超えた先を読み取らなければならない、という意見に私は賛成である。エコロジストが示唆するように、これには人権だけでなく国際的な義務や責務も伴わなければならないのである。しかしながら、シチズンシップはまた有意味な政治的コミュニティを必要とするので、私は、ヒーター（1990: 314）が複合的シチズンシップとして言及しているものに関して、例えばヨーロッパ連合（EU）のような展開が新たな文脈をどの程度提供してくれているのか、その範囲を考察するであろう。

実は私は、第二章から第六章にかけて、「ポストモダンのシチズンシップ論」とでも呼ぶべきものを言わず語らずに展開しているのだが、この理論の主要な構成要素については、本書の主張を結論という形をとってまとめた第七章で要約的に述べている。非常に簡潔に言えば、このような考察方法は、私がアンチ自由主義的ではなくポスト自由主義的と称している、示唆に富みかつ円熟したシチズンシップ論の構築のために、シチズンシップ論のさまざまな伝統がその内に包み持っている眼識を束ねようとする試みなのである。したがって、私の理論は、現代主義《モダニスト》イデオロギーに対する有力な批判を提供してくれてはいるけれども、ガバナンスの本質を再構成するために用いられる、概念形成のための別の論法を展開できないでいる多くのポストモダニズムの擁護者からは遠く隔たっているのである。

自由主義シチズンシップに対する社会主義的見地からの批判は、自由主義者が（権利を行使する能力としての）「権能の不平等」問題に相対的に無関心であることを際立たせるという点でかなりの影響力を依然として持ち続けている。実際のところ、「権能の不平等」問題に対して自由主義者が相対的に無関心であることから、シチズンシップの積極的な効果が打ち消されてしまうのである。しかしながら、皮肉なことに、多くの社会主義者も政治的なものを犠牲にして経済的なものを強調するという点で自由主義者と同じ誤りを犯している。社会主義は、あまりにしばしば、シチズンシップがなぜガバナンスになくてはならない要素なのか、その理由を正しく認識してこなかった。社会主義は、その代わり、革命に期待をかけたり、あるいは国家による社会工学に期待をかけたりすることを選んだのであるが、しかし、その戦略は健全なシチズンシップが本来具備している特性をかえって弱めてしまうのである（Selbourne 1994）。他方、共和主義は、それだけでは、人びとを納得させるシチズンシップ論を生みだすことができない。何故なら、共和主義はかなり抽象的な政治的アプローチを自由主義と共有しているからである。しかしながら、共和主義にはその哲学の中心にシチズンシップを置くという長所がある。したがって、共和主義にあってはもっとも重要だとみなされるのは経済ではなく政治である。共和主義はまた自由主義以上に市民に義務や責務を求めようとする（Pettit 1997）。それ故、エコロジー思想やフェミニズム思想について洞察することもまた私のシチズンシップ論にとって重要であることが明らかになるであろう。また地球的規模での生態系破壊のリスクがその度を増してきているので、シチズンシップは環境のニーズにも敏感に反応しなければならないし、実際、環境のニーズは市民のニーズと不可分なのである。さらに、フェミニズムは、どんな種類のものであっても、シチズンシップの行使に対して差別を助長するさまざまな障壁《バリアー》を認識し、それらを排除する「人間の解放」の願望を社会主義と共有している。あるフェミニストたちによって推進されている「ケアの倫理」は再定式化されたシチズンシップ論に貢献しているのである。ケアは、すべての市民の社会的本性と相互依存性の認識を含意しているので、「自立した市民」についての抽象的な自由主義的観念の妥当性を問題にし、吟味するのに役立つであろう。

とはいえ、私は、私の理論が――注目するに値する――自由主義の長所を基礎にしていることを強調しておきたい。この自由主義の長所は本書を通じて明らかにされるであろう。自由主義は、本当のところは、保守主義あるいはいくつかの形態の共和主義と違って、われわれの統治システムを創りかつ向上させる――人間としての――われわれの能力を強調する完全主義の理論なのである。人間本性についてのこのような見解は民主主義的シチズンシップと両立できる唯一のものだと私には思われる。したがって、「実在する不平等」は、シチズンシップを行使することによって自分の運命を――他の人たちと協力・協同して――望ましいものに変えていこうとする人びとの能力をもってしても克服し難いバリアーなのだと断言することは、従属関係、圧制支配、エリート集団によるガバナンスあるいはその他同じような階層制的ガバナンス・システムを擁護する者たちに理論的な余地を与えることになるのだ。

さて、これまでの議論を要約すると次のようになる。すなわち、シチズンシップは、一連の権利、義務および責務をそのなかに包み込み、そして平等、正義（公正）および自治を含意するメンバーシップのステータスである。ある所与の時代におけるシチズンシップの発展と本質は、社会状況、シチズンシップの範囲、内容および深さの相互連関的な諸要因を考察することによって理解されるだろう。シチズンシップの豊かな意識は、シチズンシップを遂行する際に現れる社会文脈的なバリアーが認識されかつ取り除かれてはじめて得られる。本書で展開されるポストモダンのシチズンシップ論は、そのことがどうすれば達成されるのか、その見通しを示してくれるだろうし、また本章の残りの部分で概観されるシチズンシップの歴史は、近代シチズンシップについての議論や論争が現れ出てきた文脈をわれわれが理解するのに必要な背景を示唆してくれるであろう。

2　歴史的な概観

シチズンシップの理念は、社会科学の多くの重要な概念と同じように、その起源を古代ギリシアに見いだす。アリストテレス（1992）の著作はシチズンシップ論の展開の最初の体系的な試みを代表しているし、またシチズンシップの実践は紀元前五世紀から四世紀にかけての古代ギリシアの都市国家《ポリス》、特にアテネにその最初の制度的表現を見いだす。しかしながら、古代ギリシアのシチズンシップは近・現代のシチズンシップとはその形態と機能において非常に異なっている。それ故、シチズンシップの歴史を研究している人たちの間では、古代世界におけるシチズンシップの起源から近代以降現在まで――シチズンシップの概念の変化する意味に光を当てるために――シチズンシップの発展を明確ないくつかの段階に区分することが共通して見られる（Heater 1990; Riesenberg 1992)。例えば、リーゼンバーグは、シチズンシップの第一段階を、ポリスにおける古代ギリシア人をもって始まり、一七八九年のフランス革命によってまず刻印される近代《モダニティ》の開始をもって終わる、としている。しかし、リーゼンバーグの二段階アプローチはあまりに大まかすぎて、古代ギリシア、古代ローマそれに中世都市に存在したシチズンシップの多様な理念を合成してしまうことになる。例えば、中世フィレンツェにおける秩序の確保を主たる目的としたマキャヴェリの共和主義的シチズンシップのインストゥルメンタリズム（道具主義）(3)は、アリストテレスに見ることのできる人間本性の政治的表現としてのシチズンシップとは大きく異なっている。ヘルド（1996: 36-69）は、この点で、マキャヴェリの「保護的共和主義」と、アリストテレスと結びつけて考えられている「啓発的共和主義」とをはっきり区別している。マキャヴェリはシチズンシップを市民の利益を主張するための方法とみなしたのに対して、アリストテレスは、シチズンシップの遂行はきわめて大きな意義を持つ、と考えていた。何故なら、シチズンシップは人間的であることを意味する一つの中心的な要素だからである。このような差異は、シチズンシップの前近代的概念がただの一つしかないかのように論じてはならない、との警告である。だが、シチズンシップについての近代主義的な見解が社会的文脈から切り離されて論じられている、と想定することもまた誤りを犯すことになる。実際には、近代シチズンシップは古代的理念と前近代的理念の上に築かれているのであり、したがって、差異性《コントラスト》だけでなく連続性もまたシチズンシップの歴史のなかに見ることができるのである。また、近代シチズンシップにとってきわめて重要な普遍性の価値と平等の価値は、その理論的なルーツの一部を、人間の道徳的平等を擁護する古代ギリシアのストア学派哲学者たちの著作に見いだせる。さらには、自然権についての自由主義的な論説は古代ローマの自然法の普遍的伝統からインスピレーションを引き出していたのである。

先に概観したシチズンシップの四つの特質という観点から、近代シチズンシップとその歴史的先達との間の差異を引き出すことは大いに有益であろう。シチズンシップの概念的な文脈、シチズンシップの範囲、内容および深さという観点から議論するならば、近代のシチズンシップとその歴史的先達との間には明確な差異が見られる。このような差異については後に検討されるが、近代国家におけるシチズンシップと――その反対側にある――古代アテネのポリスにおけるシチズンシップを比較すると、表1-2のようになる。

最近の学問《スカラーシップ》は、古代ギリシアにおけるシチズンシップの本質を分析する際に近代主義を当然のように前提にすることの危険性を認識している。マンヴィル（1994）は、古代アテネのシチズンシップの新しいパラダイム――と彼が呼んでいるもの――を提示する際に、国家と社会との、公的と私的との、あるいは法と道徳との分裂といったような、近代政治を形づくっている二元論は古代アテネではまったく適用されなかった、と主張している。それどころか、古代ギリシアのシチズンシ

表1-2　古代ギリシアのポリスにおけるシチズンシップと現代国家におけるシチズンシップ

	ポリス	近代国家
コミュニティの類型	有機体的	合法的/差異化されたアソシエーション
規模	小規模	大規模
シチズンシップの深さ	深い（濃厚な）	浅い（稀薄な）
シチズンシップの範囲	排他的であり，不平等が当然の前提とされる	次第に包摂的となり，理論的には平等主義的であるが，国家統制的な文脈により制限を受ける
シチズンシップの内容	広い範囲に及ぶ義務・責務	権利と限られた義務
シチズンシップの背景	奴隷社会，農業生産	家父長的，民族的および資本主義的な国家システム，工業生産

ップの文脈からすれば、ポリスのコミュニティは小規模で有機体的であったのであるから、市民は、立法者と執行者の両方の役をこなし、自分たち自身の仕事や業務を管理し運営したのであり、また先進的で高い意識を求められる軍事的義務を通じて自分たち自身を守ったのである。ウェーバー（1958: 220）がポリスを「戦士のギルド」（warriors' guild）として言及しているのは、シチズンシップにおける戦争行為の重要性の故であった。その他の学者は、ポリスにおける軍事作戦の性質の変化がシチズンシップの実践にどのように影響を及ぼしたかに注目している。リーゼンバーグ（1992: 9）は、紀元前八世紀以後の重装歩兵密集隊形《ファランクス》[4]として知られる戦闘隊形の重要性に光を当てている。この戦法は兵士と兵士の密接な協力を頼みとすることから、少なくとも男たちにとっては、シチズンシップに関わる概念に接近する重要な一歩であった、とリーゼンバーグは論じている。こうして、古代ギリシアにおいて、戦争とシチズンシップと男性

（男らしさ）との間に一つの関係が定着した。そしてこの関係はその後のシチズンシップの歴史に繰り返し再現されるのである。

ポリスの有機体的本性の故に、シチズンシップは個人の私生活から切り離された、純粋に公的な事柄だけに関係すると考えるのは、いかにも不十分な理解である。シチズンシップの義務や責務はポリスにおけるすべての生活面に行きわたっていたからである。「シチズンシップとポリスは同一のものだったのである」（Manville 1994: 24）。したがって、古代ギリシアにおいては市民のイデオロギーが政治を左右し、社会に大きな影響を及ぼしたのである。そしてこのイデオロギーは教育、（仕事から離れた）余暇それに施政についてのすべての制度を下から支えたのであり、またそれらの各制度が自発的で積極的なシチズンシップの行使と促進とに関係していたのである。すなわち、「あらゆる市民制度は、古代から存在した変わることのない価値の原型を教え、したがって、その起源は神聖なのだと教えたのである」（Riesenberg 1992: 35）。このことは、市民は生まれながらにしてシチズンシップの実践の内容と深さに大きな影響を与える、積極的で自発的なシチズンシップの価値を内面化していることを意味したのである。

ポリスは個人に優先するが、しかし個人によって構成されるとみなされた。アリストテレス（1992）が、次のように主張して、この理念を表現したことは有名な話である。すなわち、コミュニティに関する諸事の運営にまったく参加しないのは動物か神かいずれかである！と。人は、真に人間的であるためには、市民しかも積極的な市民でなければならないのである（Clarke 1994: 3-

う)。かくして、シチズンシップは権利に基礎を置いていたというよりもむしろ義務や責務に基礎を置いていたのである。何故なら、個々の人たちが自分たち自身の共同の運命について感じる親密な一体感やコミュニティへの帰属意識は、より広い範囲に及ぶコミュニティの利害に反して自己の権利を主張しようとすることなどまったく思いもつかなくさせてしまうからである。したがって、義務や責務は法定による義務や責務という形態を取らないのが一般的であった。市民は、義務や責務は自らを有徳にしていく機会を用意し、コミュニティに寄与する機会を用意する、と理解したのである。そこで市民にはその徳行を遂行する機会が数多く用意されることになり、すべての市民は支配者と被支配者の両者を兼ね備えるべきだという行動原理《マキシム》に基づいた施政の諸制度が創られたのである。特にアテネでは、重要な政治的な任務と司法・裁判の任務が籤《くじ》引きによる輪番制で遂行され、すべての市民は政治集会において意見を述べる権利と投票し議決する権利とを有した。確かに、紀元前五九四—五九三年にソロン(5)は、社会不安の広がりに応じて、またそれまで排除されていた階級が意見を開陳する権利と投票・議決する権利とを要求してきたことに応えて、アテネ市民の多様なカテゴリーを分類し直したが、それでもある集団は依然として他の集団よりも大きな政治的影響力を及ぼすことができた。しかしながら、マンヴィル(1994)は、一般に論じられているように、シチズンシップは富裕であるか否かによって決められなかった、と主張している。それどころか、各集団に与えられた参加のレベルは、最終的に、コミュニティが政治的に決定したのである。

その上、紀元前四〇〇年におけるアテネの政体の改正に伴って、集会に参加した市民に公的に積み立てられた資金が支払われたことから、政治的参加の重要性が認識されるようになった。そして間もなく、アテネの人たちは、ポリス内のエリート集団の抵抗にもかかわらず、シチズンシップの物質的な基礎の重要性を認識するようになる。これは決定的に重要なことであった。貧困はシチズンシップに対するバリアーであると考えられるようになり、したがって、シチズンシップの行使に対する報酬はポリスの共通する優先事項のなかで経済よりも政治が優位を占める重要なシンボルとみなされるようになったのである。

こうしてシチズンシップは全体論的《ホリスティック》な性質を帯びることになった。現代のわれわれにはこの性質はおそらく理解し難いだろう。現代では政治は疑念をもって見られており、また義務や責務は良くても必要悪とみなされ、悪くすると自由の侵害とみなされてしまうからである。ポリスの市民にとって、市民的徳行は自由《フリーダム》であったし、名誉と尊敬のもっとも主要な源泉であった。市民的徳行は個人の自尊心の意識や個人の目的意識の中心をなしていたのであるから、シチズンシップは、「生活とアイデンティティがほとんど専らポリスによって提供され、またその範囲をポリスに制限されていたので、名門の一族でさえ請求権や贈与権の総数を競い合うことはほとんどなかった」という意味で、深くかつ濃厚であった（Riesenberg 1992: 25）。それどころか、道徳性と善についてのギリシア人の概念もわれわれ自身の概念とは非常に違っていた。ジョーダン（1989: 67）が論じているように、「シチズンシップの責務と私的、個人的な道徳性に基づく義務との間には何らの不一致もなかった。私的、個人的な道徳性というようなものは存在しなかったからである」。同じように、

「善」の理念も私的、個人的な倫理規範を通じて表現されるとは思われなかった。その代わりに、軍事的義務と政治的参加を通じてコミュニティに寄与することで善は見いだされ得たのである。要するに、道徳性と善的生活の双方は市民的徳行の遂行を通じて公的に表現されたのである。

ポリスにおけるシチズンシップのステータスは、しかしながら、きわめて排他的、非開放的であった。事実、前近代シチズンシップと近代シチズンシップとのもっとも主要な相違は、中世にシチズンシップを実践したいくつかの都市においてだけでなく、古代ギリシアや古代ローマにおいてもまた、ステータスの不平等が異議を挟むことなく受け入れられた、ということである。実際のところ、シチズンシップは、その排他的な本性の故に――女性であろうと、奴隷であろうと、あるいは「異邦人《バーバリアン》」であろうと――市民でない人たちに対する優越性の印として、ある程度評価されたのである。例えば、ギリシア人は奴隷制度と帝国制度をシチズンシップとまったく矛盾しないとみなした。ある学者は、特権階級の人たちのためにシチズンシップの範囲が広げられたことや特に税金から市民に給付金が付与されたことは、これらの不公平な制度にコミュニティが依存したことによって可能となった、と主張している。しかし、この解釈は少々割り切りすぎていないか。事実、アテネ帝国の敗北後もなお、市民の問題に関わる集会への参加報酬だけでなく、シチズンシップの民主主義的な諸要素もかなりの間存続したのである（Arblaster 1994: 23）。それにもかかわらず、古代ギリシアでは階層制と排他性は自明の理だと考えられたし、奴隷（男性）はシチズンシップから排除された唯一の人たちであった。女性もまた政治参加に必要とされる理性や良識を欠いている存在とみなされたのである。その上、アテネのポリスは、それぞれの時代ごとに、いかなる居住者がシチズンシップ・ステータス（市民たる身分）に相応しいか、という問題に厳格な基準を設けていた。そして紀元前四五一―四五〇年にペリクレス(6)のリーダーシップの下で、シチズンシップは、両親がともにポリスで生まれた居住者だけに限定された。

古代ローマにおけるシチズンシップの概念は、古代ギリシアの排他性と対照的に、ローマ帝国の領土が拡大されていくにつれて、各領土の勢力範囲のなかに次第に包摂されるようになっていった。しかし、共和制の時代になると、古代ギリシアと同じように、シチズンシップは政治的参加と強く結びついた特権的なステータスとなった。しかしながら、ローマ帝国時代にシチズンシップは、政治参加との関連を次第に失っていき、その代わりに社会的な統制や融和の手段になっていった。そしてローマは、ローマ帝国の国民にシチズンシップ（公民権）を付与する――それは西暦二一二年のカラカラ帝(7)の勅令を通じて最終的に達成される――ことによって、ローマの支配が被征服者の立場からもある程度まで正当化されることに気づいた。このことは、税が比較的容易に徴収されることと費用がかかる割には当てにならない不確実な軍事力への要求が少なくなることとを意味した。そしてシチズンシップ・ステータスは――現代のシチズンシップの実例に当てはまるかどうかは議論の余地があるとはいえ、例えば、ＥＵと結びついた事例のように――社会的な不満の原因を減らしていこうとの意図を伴いながら政治的参加の倫理から切り離されて、次第にローマ人の意識を稀薄にしていく法規主義的な概念となっていった。ニコレット（1980: 19）が強調したように、ローマ帝国においてシチズンシップは「何よりもまず、そしてほとんど専ら、人身保護令状（habeas corpus）と呼ばれていたものの恩恵にあずかること」を意味したのである。すなわち、大多数のローマ市民にとってシチズンシップは、政治的な手段を意味するよりもむしろ、裁判上の安全装置を意味するものに変わってしまったのである。事実、この観念が行き着く所まで行くや、シチズンシップはもはや「法の支配」の表現にすぎなくなってしまった。ローマ帝国のシチズンシップは、先に概説した定義からすると、名ばかりのシチズンシップであったのである。まさにデリク・ヒーター（1990: 16）が述べているように、「ローマ人はシチズンシップの申請用紙の書式を［開発し］、申請の際に実用的で幅のあるものにしたのである」。だが、まさにその融通性が、結局のところ、シチズンシップの高潔な書式の理想を堕落させていく原因となったのである。

古代ローマにおけるシチズンシップの経験は少なくとも二つの理由でなお関心をそそる。第一の理由は、シチズンシップの経験は、マイケル・マン（1996）が異なる文脈から社会秩序の問題に対する支配階級の戦略だとみなした初期の実例を象徴している、ということである。すなわち、共通する利害関係、政治的行動、そして人間の能力の発揮を表現するものとしてのシチズンシップの理念が社会支配の手段としてのシチズンシップになる、との多少皮肉な考えに取って代わられることである。第二の理由は、シチズンシップの「深い意識」は古代ギリシアのポリスにかつて存在したような相対的に小規模で同質的なコミュニティにおいてはじめて可能であるのかどうか、という問題をローマ帝国におけるシチズンシップが提起していることである。

西ローマ帝国が崩壊すると、シチズンシップの重要性はさらに減じていく。中世になると、シチズンシップの行使を通じて名誉を求めるという行為は、個人による救済を通じて名誉を求める行為に置き換えられるようになった。聖アウグスティヌスは、その時代を映し出す聖句を用いて、個々の人たちは現世の生活に口出しせず、その代わりに自己観想と祈りとを心のなかに注ぎ込まなければならない、と『神の都』のなかで主張した（Clarke 1994: 62-5）。その結果、忠誠心と道徳的指針のための中心として、教会が政治的コミュニティに取って代わったのである。

シチズンシップの実践はまさに、中世の時代を通して、フローレンス（フィレンツェ）やヴェニス（ヴェネツィア）のようないくつかのヨーロッパ的イタリアの都市共和国の文脈に現れていた。そのような都市は古代ギリシアの、特にまた古代ローマの共和制モデルからインスピレーションを引き出したのである。重要なことは、それらの都市が「参加の倫理」（ethic of participation）をその内に含んでいたことである。この参加の倫理はこの時代における他の形態の政治的コミュニティには欠けていたものであった。マックス・ウェーバー（1958: 72）によれば、これらの都市は近代シチズンシップがやがて出現するための基礎を築くのに決定的な役割を果たしたのである。確かに、ウェーバーがこれらの都市に付けたレッテルは――彼はこれらの都市を「要塞と市場」の融合だと定義した――近代のシチズンシップが出現した文脈と類似している。十二世紀以後の中世におけるシチズンシップは、十八世紀および十九世紀におけるシチズンシップと同じように、税の基盤を準備した貨幣経済と産業活動の発展によって実行可能となったのであり、その税の基盤の上にシチズンシップ・コミュニティを組み立てることができたのである。そしてこれらの都市の市民軍《ミリシャ》は、数世紀後の「アメリカ独立戦争」の市民軍あるいは「フランス革命」の市民軍と同じように、市民としての義務や責務と市民のアイデンティティという重要な意識もまた準備した。さらに、例えばマルシリオダ・パドヴァ（Marsilius of Padua）[8]のように政治的コミュニティの自治を擁護する人たちは、政治的コミュニティの権威に基づく政治的本性は政治的コミュニティの権威に基づく宗教的本性に対立する、と主張することによってシチズンシップの本来的に現世的な本質を強調した（Clarke 1994: 70–3; Heater 1990: 23–4）。

しかしながら、これらの都市は「圧倒的に君主的かつ階層制的な」封建システムの文脈において は例外的な存在であった（Riesenberg 1992: 187）。とはいえ、これらの都市ではシチズンシップが公にされてはいたものの、そのシチズンシップは普遍的でなく、階層制的なそれであった。したがって、当然のこととして大多数の個人は排除されていたのである。それだけでなく、市民の諸権利でさえも財産の所有に応じて異なっていたのである。シチズンシップは、自由主義の発展があってはじめて平等主義的なロジックを備えるようになるのである。

3 シチズンシップとモダニティ

シチズンシップの近代的な観念は、その基礎が十六世紀末に築かれた自由主義的国家の発展と密接に結びついている（Skinner 1978）。この新しい文脈の下で、個人と政治的コミュニティの間の関係を考察したもっとも初期の政治理論家の一人がトマス・ホッブズであった。ホッブズが彼の主題となる仕事《タスク》を「国家の諸権利と臣民の諸義務の奇妙な探求」と定義したのは、近代政治理論の最初の労作においてである（cit. in Skinner 1978a: 349）。このような言葉から明らかなことは、ホッブズの関心が主として安全と秩序の問題にあった、ということである。というのは、彼は、個人の諸権利ではなく、主権者《ソヴェリン》の諸権利に焦点を当てていたからである。ホッブズは、参加型シチズンシップ論にきわめて懐疑的であった。それどころか、絶対主義権力に対して主権者の権利を擁護する彼の理論のロジックは「シチズンシップの意識」のための概念的余地をほとんど残していない。その代わりに、シチズンシップと結びついた、コミュニティの共通の利害に対する責務が国家への全体的な服従に置き代えられるのである。すなわち、平時の人間的な触れ合いの基礎が無政府状態によって破壊されないよう保障し得るのはただ主権者だけなのである。ホッブズは、個人にとっての唯一の「権利」は自己保存の権利である、と述べているが、その権利は、結局のところ、いかなる有意義な意味においても権利でないことが分かる。何故なら、主権者は生殺与奪権を有する、とのことをホッブズは容認しているからである。それ故、クラーク（1996: 53）はホッブズの理論では「政治とシチズンシップは終焉する」と主張し、他方、ワイラー（1997: 52）はホッブズを「近代反政治学の父」と名づけている。個人と国家との関係についてのホッブズのモデルは、精々のところ、従属的シチズンシップと称されてもかまわないものである。というのは、このモデルは、市民的徳行の遂行、すなわち、個人的諸権利の保護というよりもむしろ秩序の確保を意図していたからである。

それにもかかわらず、ホッブズはシチズンシップの歴史における重要な過渡的人物であった。彼の思想の多くがやがてロックのような古典的自由主義者たちに見られる、シチズンシップのより進んだ意識へと人びとを導いていくからである。第一に、ホッブズの個人は、「権利と自由が個々の臣民というよりもむしろ集団《グループ》、自治組織、社会階級《エステイト》にまで広がっていく」中世の個人と違って、実際には、シチズンシップのより進んだ意識を次第に求めるようになってくる国家との直接的な関係を享受するのであって、この国家との直接的な関係がシチズンシップのより進んだ意識によって媒介されることになるのである（Bendix 1996: 66）。第二に、ホッブズは、社会秩序の基礎をひっくり返す個々人の実行力という点だけでなく、才能という点からもまた、個々人は次のように本質的に平等である、と確信していた。

自然は、人間を、肉体と精神の諸能力において平等にさせた。すなわち、明らかに他人よりも肉体的に強く、また精神的に鋭い人が時にはいるとしても、すべてのことを考慮に入れるならば、人と人との差異は、ある人がそれについて自分だけのものとして要求することのできる利益はどんなものでも、他人が彼と同じように主張してはならないというほど大きくはないのである。（Hobbes 1973: 63）(9)

決定的なことは、このように洞察することによって、自由主義的思想家が平等とシチズンシップを概念的に結びつけることを可能にしたことである。第三に――そしてホッブズ自身は君主政体による統治を選好するにもかかわらず――ホッブズの理論は、支配者と国家は不離一体である、との想定を捨てている。このことは、近代においては、君主ではなく国家それ自体が「市民の忠誠の義務に相応しい唯一の対象」となったことを意味した（Skinner 1978: x）。第四に、ホッブズは、主権者は絶対的な権力を享受すべきだと主張することによって、暴力的手段の集中を擁護した。このことはシチズンシップにとって重要なことである。何故なら、暴力的手段の集中は、暴力が多数の行為者によって行使され、権力《パワー》が分裂して存在していた封建制の観念を捨て去ることを意味したからである。このように、国家のみが暴力を行使できるようにすることによって、「合意に基づく統治」という方法が出現する機会を生み出すのである。と同時に、ホッブズの国家統治権論は、同意としてのシチズンシップと秩序の強制者としての国家という相矛盾する関係を浮き立たせる。この相矛盾する関係は、後の章で見るように、シチズンシップの文脈と範囲について重要な意味を持つことになる。

ホッブズがその基礎をうち立てた自由主義的伝統を発展させた人物は、権利に基礎を置くシチズンシップ論を組み立てるために、国家と個人の平等主義的な直接的関係という理念を展開したロックであった。ロック（1924）の理論は、安全についてのホッブズの関心事と、大多数の自由主義者にとって利己心を満たすための基礎である「生命、自由および財産の権利」の保護とのバランスを保とうとしたものである。第三章では、このような自由主義的概念の限界について検討がなされる。しかしながら、自由主義者によるシチズンシップの哲学的な再定義を取り上げるだけでは、近代シチズンシップの出現を説明することはできない。したがって、政治的コミュニティの形態変化と主に結びついた具体的な社会的変化を読み取ることが重要であって、それは、絶えず拡大し続ける国家権力の支配下に置かれる人たちにとってシチズンシップのステータスがより重要になり始めた、ということなのである。ギデンズ（1985: 210）はそのことを次のように述べている。

国家統治権の拡大が意味することは、その支配下に置かれる人びとがある意味で――初めは漠然としているが、次第に明確、明瞭になっていく――政治的コミュニティにおける彼らのメンバーシップに気づき、したがってまた、かかるメンバーシップが付与する権利と義務・責務を知るようになることである。

特に十八世紀以降、国家間の境界線がより明確になっていくにつれて、境界線内にいる人たちはメンバーシップの諸条件にますます関心を払うようになった。マンはこの過程を「社会的拘束《ソーシャル・ゲージング》」と名づけている。十八世紀以前においては、

国家エリート集団あるいは国家機関にまとう性質は社会にとってほとんど重要ではなかった。

それが今や大いに重要なものだとみなされるようになった。シチズンシップの高まりが政治権力を目指す近代諸階級の高まりとして一般に語られるようになったからである。しかし、近代諸階級は「生まれながらにして政治的」ではないのである。ほぼ歴史貫通的なことであるが、従属的諸階級は国家にほとんど無関心であったかあるいは国家を忌避しようとしたか、いずれかであった。だが今や従属的諸階級は二人の主要な動物園の飼育係、すなわち、徴税吏と新兵補充官によって国民的機構に、すなわち、政治に拘束されてしまったのである。(Mann 1993: 25)

シチズンシップの政治的ステータスは、軍事力とますます世間ずれしていく国家官僚制度とによって権力を競い合う場が削り取られていくにつれて、より一層重要になってきた。そしてこれに応える鍵が教会と国家の分離であった。宗教改革が引き起こした流血の惨事とそれに続く社会不安のために、ボーダンやホッブズのような政治理論家が政治と宗教を切り離すよう導いたのである。政治的エリート集団もそのような見解を共有したので、ヨーロッパにおける「宗教戦争」の終結後に起こった国家の世俗化により、現世的なシチズンシップが出現するための重要な機会が創り出された。その意味で、宗教改革はシチズンシップに一つの大きなインパクトを与えたのである。すなわち、神と個人との関係がプロテスタンティズムによって直接的関係に委ねられるようになったことの重要性を、ロックは市民と国家との関係に置き換えることで効果的に世俗化したのである。それ故、近代思想家たちのなかでも特にホッブズ、マルクスおよびヘーゲルが神と国家とを比べたのは、おそらく偶然の一致ではなかったのである。国家が人びとの願いや望みの中心として「神聖な存在」たる神に取って代わったのである。

国家にとってこの非常に大きくなった支配力の一つの結果は、国家こそ市民がますます諸権利の拡大を求める中心部となっていく、ということである。ギデンズ（1985: 201）はこの過程を統制・管理の弁証法的矛盾と呼ぶ。これによってギデンズが言わんとしていることは、国家が市民を監視する能力が公教育、裁判制度、それに議会の発展を通じてきわめて大きくなったとはいえ、統制・管理のこのプロセスは国家と市民の双方の道を徐々に進んでいくということ、換言すれば、国家権力が大きくなればなるほど、さまざまな社会運動は、権利を求めて活動するようになるので、国家によって創り出されたコミュニケーションのチャンネルを利用することができるようになる、との結果をもたらすのである。したがって、ギデンズからすれば、国家はガバナンスを強制力に委ねるのではなく、合意に基づく手段に委ねるようになるのである。こうして、シチズンシップが拡大していくのに応じて、潜在的に国家の分裂を指向する集団を（国家を構成する）市民に組み入れていく努力がある程度なされるようになることから、シチズンシップは合意に基づく政府という新しいシステムの重要な部分になっていくのである。それ故、近代シチズンシップの歴史は、ある程度まで、エリート集団が社会変革の効力を巧みに制御することによって、また権利と引き換えに社会運動の諸要求を抑制することによって、自らの権力を維持しようとする一連の協定や契約あるいはトレードオフであると理解されても差し支えないであろう。多くのヨーロッパ諸国にあっては、このような展開を通して、結果的に――福祉国家体制に基づいて――二十世紀中頃まで社会的権利が促進されてきたのである。

マン（1996）やバーバレット（1988）のような著述家は、権利は主にエリート集団による意思決定の産物であると主張し、他方、ターナー（1986）やギデンズ（1985）のような著述家は社会的闘争の役割を強調する。しかしながら、シチズンシップの歴史において、闘争か政治的便宜かのどちらかを特別扱いしようとするのは間違いである、と私には思われる。どこにもまたいつの時代にも適用され得る一般論を用意するのには、あまりに多くの変数がありすぎるのである。それでも明白なことは、社会勢力のバランスは、十五世紀から十八世紀にかけて政治生活を支配した絶対主義国家における社会勢力と比べると、近代国家では大いに変化した、ということである。絶対主義国家は、諸権利の要求を首尾よく抑えて、自国の人びとの定められたステータスとして――シチズンシップではなく――従属関係を維持してきたが、しかしやがて、人びとのアイデンティティ意識や物質的欲求への国家の対応がますます重要になっていくとの考えと結びついた――自由主義がシチズンシップに注入した――平等主義のロジックにより、リーゼンバーグ（1992: 1）の言うところの「第二のシチズンシップ」の創出が導かれることになったのである。近代シチズンシップの到来は、したがって、階級対立という観点から単純に説明することができない。ギデンズ（1985: 208）が「階級対立はシチズンシップの諸権利を拡大する媒介項となってきた」と言うのは正しいけれど、しかし、それもまた説明の一部にすぎないのである。十八世紀以降のシチズンシップの発展は国家内での対立と国家間の対立とを伴っていたのであり、また特に次の四つの要因がシチズンシップの方向性を説明するのに決定的であったように思われる。ただし、これらの要因の相対的な重要性が歴史的状況に応じて変化したことは言うまでもない。

第一に、社会運動による闘争がシチズンシップの拡大に重要な役割を果たしてきたことは疑問の余地がない。これらの社会運動の闘争には、階級闘争に加えて、女性、少数民族《エスニック・マイノリティ》集団、それに障害者や性的少数者の闘争が含まれる。第二に、イデオロギーの重要性である。排除された集団によって創造的に練り上げられた平等主義の潜在可能性をシチズンシップにもたらしたものこそ自由主義に内在する普遍主義であった。ターナー（1986: 63）が述べているように、「現に存在する諸権利を実現するための社会運動の結果として、シチズンシップの波が外に向かって進んでいくにつれて、個人の範囲を定めている特定の基準が公的な領域に次第に適合しなくなっていくのである」。社会主義——それを私は、何よりも自由主義の約束事を履行するためのイデオロギーとみなしている——はこの点で欠くことができない。ドイツやスウェーデンのような——そしてイギリスでさえも——社会主義が影響力を持っている国々においては、社会的権利は——公的基金によるサービス形態で——アメリカ合衆国のように社会主義の影響力が最小限しかない国々に比べればずっと広い範囲に及んでいる。ナショナリズムもまた、シチズンシップの歴史において——その影響力は、ある場合は積極的であり、だが他の場合は限られていたが——諸権利の拡大を援護し活気づけるのに非常に大きな役割を果たした。ナショナリズムがシチズンシップに及ぼした両義的な影響力については第二章で検討される。

第三に、経済的要因、特に資本主義の勝利がシチズンシップを理解するのに決定的に重要である。マルクス主義的な分析を採り入れるまでもなく、政治的エリート集団が資本主義経済の実績を大いに当てにしていることは誰もが認めるところである。それ故、そのようなエリート集団は、資本家が繁栄するための諸条件を維持することに特大の個人的な関心を払うのである。こうして、シチズンシップが具体化されるのに市場経済のニーズが非常に大きな役割を果たしてきたのである。したがって、シチズンシップの文献に見られる主要な問題は、シチズンシップは資本主義に対立するのか、それとも資本主義に協力的なのか、ということである。(10) この問題についてマーシャル（1992）は、彼の影響力のある考察に基づいて、シチズンシップの平等主義的な価値と資本主義に固有の経済的不平等との間の緊張関係を明らかにしている。マーシャルは、そのような不平等が社会秩序に、したがってまた、シチズンシップの実践に及ぼしてきた大きな影響力にある程度気づいている社会自由《ソーシャル・リベラル》主義者として、不平等がもたらす最悪の側面を相殺するための財政支援による社会的権利の享受を擁護する。しかしながら、マーシャルのこの擁護論の主たる問題は、彼が考察していた時期の社会的権利を支えた諸条件や利害関係に十分な考慮が払われていないことである。マーシャルの論評は、社会的権利の後戻りが許されなくなるイギリス福祉国家の揺籃期である一九五〇年に出版されている。私は、第三章と第五章とで社会的権利に関わるこの問題を考察するが、ここで簡単に言及しておけば、資本主義が第二次大戦後の初期に到達した発展段階は、高利潤が実現され、労働者階級の組織化も促進されたフォード方式の拡大による大量生産の段階であって、社会協約としてのシチズンシップの古典的な実例では、社会的権利は主に職場において労働組合の権限を行使する労働者の実力を認めた、労働者へのある種の譲歩であった、ということである（Faulks 1998: 103-7）。だが、一九八〇年代には労働と資本の間の力のバランスは後者に有利にシフトし、その時以来、政治的エリート集団は煩雑な官僚的形式主義や税制を簡素化して資本の要求に応え、費用を要する福祉厚生的な諸権利を最小限度にとどめる方策を捜し求めてきたのである。新自由主義の政府による諸権利の制限から学ぶべき基本的な教訓は、市場は個人の自由を促進するのに重要な役割を果たすことができるにもかかわらず、経済的命令はコミュニティの政治的決定に優先することができない、ということである。われわれは、シチズンシップが短期の、そして絶えず変化する「市場の力」の命令によって決定されるようなことを許してはならないのである。このことこそ、私が第五章で「市民所得」（citizens' income）の論拠を示す理由なのである。われわれも、古代ギリシア人と同じように、物質的資源や資力とシチズンシップの行使との関連を認識しなければならないであろう。

結局のところ、現代のシチズンシップを理解するためには自由主義国家それ自体の本性を理解することが絶対に必要である、ということである。私は、表1-2で、国家という用語《ターム》の前に家父長的、民族的、それに資本主義的という言葉を置いた。私は既に、政治的エリート集団はあまりにしばしばシチズンシップよりも資本の利益を優先させてきた、と論じておいたが、国家も生まれながらにして民族的であり、性差的である、と私は主張したい。何故なら、自由主義者が確信しているように、近代国家は本質的に中立的な政治制度ではないからである。それどころか、国家は「民族的」と「性差的」という二つの用語によって特徴づけられてきた国民《ネイション》という文化的概念と融合させられてきたのである。それ故、近代シチズンシップを創り出す分水嶺は一七八九年のフランス革命だったのである。何故なら、この大事件は国家と国民を融合させて一つにしたからである。そこで第二章では、この革命が遺したシチズンシップにとっての遺産を国民国家《ネイション・ステイト》の分析という形で論究がなされるであろう。

第2章
シチズンシップと国民国家

近・現代のシチズンシップは両義的である。一方では自由主義が、シチズンシップのもっとも有力なイデオロギーとして、シチズンシップの地位《ステータス》の本質的に平等主義的で普遍的な本性を強調してきたし、他方では十八世紀以降シチズンシップが、国民国家の制度にしっかり結びつけられてきたために、実際に「社会的な討論終結の強力な手段」としての役割を果たしてきた（Brubaker 1992: 23）。したがって、シチズンシップの範囲は、国家と国家の間の境界線――形状的には物理的境界線と文化的境界線の双方――によって決定されてきたのである。シチズンシップは、それ故、人びとを「国家を構成する市民」として受け入れることを目的とするだけでなく、国家から排除することにも関わるのである。国家が国家主権の重要な一部とみなしている入国管理や在住要件は、排除の物質的側面でもある。文化的排除もまた、国民という概念の形をとってその役割を果たしている。このことは、国境の外側にいる外国人だけでなく、国境の内側にいる個々の人たち、合法的在住者、出稼ぎ外国人労働者あるいは難民もまた、国家を構成する市民の主要な文化によって「部外者」あるいは二級市民とみなされることを意味する。こうして、シチズンシップの排他的側面の根拠である国家と国民という二つの理念が国民国家という観念に収斂《しゅうれん》される。この融合は、何よりも、シチズンシップの将来に対する責任を甘受することになった一七八九年のフランス革命の一つの遺産である。

私はフランス革命によってその輪郭が明らかにされた国民国家の概念を検討することから本章を始める。そして次に私は、国民とシチズンシップとの適切な関係についての二つの対照的な視点を考察する。例えば、デイヴィッド・ミラー（1995）は、シチズンシップは国民との結びつきがなければ空虚な理念となる、と主張する。だが私は、ミラーの国籍擁護論は首尾一貫していないし、国民はシチズンシップにとって適切な基盤ではない、と強調したい。またオウムメン（1997）は、ミラーのような国民擁護論者とは反対に、シチズンシップは、もしそれがますます多元化していく社会にあって多様な集団《グループ》を結びつけることができる「包摂の概念」として役に立つのであれば、国民という文化的な理念から引き離されなければならない、との趣旨の興味ある命題を提言している。しかしながら、オウムメン自身の論拠の弱点は、彼としてはシチズンシップを国民から引き離すだけでなく、国家からも引き離さなければならないのに、なかなか引き離そうとしないことにある。何故そうなのかと言えば、オウムメンは、概念的に国家を国民から切り離そうとする際に、国家は、実際のところ、本来的に民族的、家父長的であることを過小評価してしまうからである。そういうことで、国民だけでなく国家それ自体もシチズンシップの一つのバリアーなのである。本章の最後の部分で私は、ソーシャル・メンバーシップの現代的なジレンマは近代主義の研究課題――すなわち、排他的コミュニティとしての国家と普遍的なステータスとしてのシチズンシップとの間の緊張関係——の中心に存在する矛盾を浮き彫りにすることを示唆するであろう。

1　フランス革命、モダニティそしてシチズンシップ

一七八九年以前のフランスにおいては、ソーシャル・メンバーシップは従属関係、階層制それに支配という前近代的な概念によって決定されていた。ソーシャル・メンバーシップの決定要素としての主権は王の人格に帰属し、また王の権威は、王がこの世の神であることを主張する権利によって支えられた。したがって、最初に革命が行ったことは、進歩的かつ世俗的な方法で国民の概念を利用することであった。すなわち、主権者としての人民が主権者としての君主制に取って代わることであった。シェイエスの有名な小冊子『第三身分とは何か』(*What is the Third Estate?*)のなかで、シェイエスは、貴族制と君主制のシステムによって権利を否定されていた民衆(第三身分)こそ国民である、と定義づけた(Forsyth 1987 を参照)。こうして、シェイエスの思想を遂行しようとしたフランス革命はモダニティを形成していく旋回軸の働きをしたのである。権利はもはや特権階級集団には与えられず、代わって人民の意志を代表する——国民という文脈において——個々の市民に存するのだとされた。そして権利の求心性が一七八九年の「人間および市民の権利の宣言」(いわゆる「人権宣言」*Declaration of the Rights of Man and the Citizen in 1789*)(1)の公布によって

確立されるのである。この文書《ドキュメント》は、男性の無知、忘却あるいは軽蔑が公共の不幸と統治の腐敗の唯一の原因である、と断言している（Waldron 1987: 26–8）。この文書に正式に記されている言論の自由、礼拝の自由それに司法の自由といった諸権利はヨーロッパ中の急進主義者に大きな影響を及ぼした。彼らは、平等と自由に関わる自由主義的理念の可能性を実現させるために、特権に反対する闘いを続けていたのである。

この革命の中心にシチズンシップの新たな概念が芽生えた。それはシチズンシップのステータスの普遍的で平等主義的な潜在可能性を強調する概念であった。しかしながら、この革命のより急進的な段階では、シチズンシップにもまた市民的徳行の遂行や軍事的義務の履行を通じて国民に奉仕することが課せられた。すなわち、自由と平等には友愛が伴ったのである。ハーバーマス（1974）が言及しているように、フランス革命は、それ故、そのシチズンシップ概念においては一七七六年のアメリカ独立革命(2)の初期よりも急進的であったのである。アメリカ独立革命でアメリカ人が注視した関心事は、植民地支配者であるイギリスの慣習法を通じてアメリカ人が以前から恩恵を得ていた諸権利を要求することであった。あの有名な保守主義者のエドマンド・バーク（1968）がアメリカの革命家に心からの支持を送ったのに、フランスの革命家を支持しなかった理由は、まさにこのためである。バークは、フランス革命を、貴族政体を破壊するもの、またこれまでまったく経験したことのない抽象的なシチズンシップが貴族政体に取って代わるものだとみなしたのである。その上、バークが危険な共和主義的要素とみなしたものを――アメリカ独立革命にはなかったのに――

フランス革命は内包していたのである。シュクラー（1991: 65）はこう述べている。「この新しいアメリカ市民は、しかしながら、徳行に基礎を置く古典的共和主義者ではなく……独立した行為の主体として自らの利害について自由に活動することに基礎を置いた近代的共和主義者であった」。このように個人主義を強調するのはアメリカという移民国家を構成する市民の本性に主に起因している。アメリカ人はまさにその画一性を押しつけるかもしれない抑制的なコミュニティを創り出す可能性のある急進的な政治に疑念的であった。多くのアメリカ人はヨーロッパにおけるそのようなコミュニティから逃れてきたのである。

それとは対照的に、コミュニティは社会対立を超越する「一般意志」によって一体化される、とするルソー（1968）の思想の影響下にあったフランスの革命家の多くは、革命を、諸権利を通して個人的独立を主張する以上のことだとみなしたのであって、それ故にまた、シチズンシップの共同主義的な側面を大いに強調したのである。彼らは個人と国民との間に対称性《シンメトリー》を見ていたのであり、そこではシチズンシップは、諸権利を通してだけでなく義務や責務をも通して、個人を解放するのである。ハーバーマス（1974）が、シチズンシップは財産と契約の純粋に個人的権利に次ぐ二次的なものだと革命家によって考えられていた、とのマルクスの主張を認めなかったのは、このためである。ハーバーマス（1974: 112）は、革命が内包する急進主義はその「政治的社会の理念のなかに国家と社会の双方を受け入れる組織を見いだす」と考える。確かに、フランス革命はブルジョア的自由を単純に主張したのではなかった。シュヴァーツマンテル（1998: 53）が論じているように、商業は革命家たちに疑念をもって見られたのであるが、それは、市場の潜在力が「人民の意志よりも経済を上位に置くよう強調することによってシチズンシップの公共的骨組み《コモン・ファブリック》」を侵食してしまう、とのことを革命家たちが察知していたからである。

その上、少なくともフランス革命の初期段階には、普遍的諸権利と国民との調和は非常に視野の広い、人びとを包摂するような観点から解釈された。政治的権利は外国人にも広げられたし、トマス・ペインやアナーヴィシス・クロウツのような革命支持者にも名誉シチズンシップが授与された。このような包摂性は彼らのような著名人にだけ向けられたのではなかった。他国の出身の男性であっても、彼がフランスで生まれたのであれば、また彼がフランス領内に財産を所有しているのであれば、あるいはフランス人女性と結婚しているのであれば、彼はフランス市民になることができたのである。ブルーベイカー（1992: 7）は、この革命で宣言された諸権利が国境を越えて広く及ぶようになり、また国籍に関係なくすべての男性に適用されるようになるその実例として、「フランスに居る外国人だけが不適当な市民であった」、という一七九五年のタリアンのコメントを引き合いに出している。シルヴァーマン（1992: 27）は、この説明を擁護して、初めは国と国の境界線の確定が不完全なままにしておかれたのに、革命家たちによって作成された革命初期の文書類には外からの移民という考えが記されていない理由に特に言及している。他方、前近代におけるシチズンシップと同じように、ここでもソーシャル・メンバーシップに男女差別があったことはよく知られている。それ故、女性を排除したことによってフランス革命の普遍性も実質的に侵害された訳である。にもかかわらず、この点を考慮してもなお、この革命は人間解放一般に向けて一歩前進を印したのである。ハント（1992: 213）がコメントしているように、「しばしば中傷される一七八九年の男性の普遍主義なしには、新しい集団の包摂という要求は存在しなかったであろう」。

しかしながら、フランス革命の最中に言い表されたシチズンシップのより包摂的な側面は、その側面を引き起こしたまさにその事実によって侵食されることになる。バーリバー（1994）は政治のより排他的定義にこの革命を向かわせた内部要因と外部要因の双方を確認している。外部的には、革命家たちは、この革命を達成させまいと抑え込もうとした、あるいは革命の成果を破壊さえしようとしたプロシア、イギリスそれにスペインといった反動的国家と一連の戦争を戦っていたのであるから、この暴力的闘争の経験を通じて、国民の理念が、したがってまた、シチズンシップが軍隊化されるようになる。例えば、プロイセン軍と戦った一七九二年のヴァルミーの戦い[3]で、フランス軍は「フランス国民万歳」（Vive La Nation）と叫んだのである。そこでバーリバー（*ibid.*: 53）は、このような出来事によって「友愛のシステムが国民的友愛と――そして間もなく――国家中心的友愛との二役を演じるようになっていった」その意味するところが何であるかに注目する。フランス革命戦争は、より長い目で見ると、まったく別の異なる国民という観点から次第に自分たち自身を特徴づけるようになったヨーロッパの諸国民とフランス国民とを区別する境界線を打ち固めるという結果をもたらしたのである。

内部的には、外国勢力の脅威が、革命と結びついて必ず引き起こされる経済問題と連動して、国家内部の革命家たちの相競合する党派への疑念を煽《あお》り、党派間に嫌疑を生み出してしまった。ロベスピエールと彼の政治集団であるモンターニュ派（山岳党）に率いられた急進主義者たちは、比較的初期の自由主義的な革命家たちが望んだよりもはるかに社会包摂的なシチズンシップを求めた。彼らは特に、市民を能動的市民と受動的市民とに分けた一七九一年の憲法[4]によって引き起こされた分裂に反対した。受動的市民は、少なくとも三日分の賃金に相当する市民税を支払うことができない労働者で、意思決定過程に参加する機会を与えられなかった。確かに、この制定法が革命の理念を裏切るものだとのロベスピエールや彼の仲間の革命家たちの反対論や異議はもっともなことであった。第一章で私が主張したように、受動的市民という観念は言葉の上で矛盾している。問題は、外国主導の反革命が緊張状態を強めていくなかで、私が「共和主義の神話」と名づけることになる古典的な実例の場面が準備されたことであった。これによって私が言わんとすることは、この場合、「一般意志」というルソーの忌まわしい概念をロベスピエールが採り入れたことにより、政治に対する要求が意志の強制によって、すなわち、避けることのできない歴史の進展によって事実上終焉する、ということである。一七九三年のニールウィンデンの戦いでオーストリアに敗れたフランスはその年の四月に公安委員会を設置する。そしてこれが一七九三—九四年にわたって「真の民主主義的意志」の名のもとで多くの人たちがその生命を絶たれた「大恐怖政治」として知られる迫害の主要な手段となった。このエピソードの歪んだロジックはロベスピエールによって使われたのであるが、彼は「徳行のないテロは破滅を招き、テロのない徳行は無力である」と宣言したのである

(Heater 1990: 51)。
ヒーター（1990: 57）は、フランス革命は「国籍の文化的概念を政治的に扱った」と主張するが、そのことが当てはまるのはフランス革命の初期段階である。しかしながら、革命後期の数年にわたる暴力が国民と国家との融合に導いたのであり、そしてこの融合がシチズンシップの理念を文化的に扱い、したがってまた、シチズンシップと国籍との間の境界線を混乱させたのである。

大恐怖政治もまたシチズンシップと国家との関係を問題化させたが、そのことは、「人民の意志」だと言われてきたシチズンシップでさえ、国家権力の暴力と結びつくや、容易に否定的なものに突然変異して差異を破壊しようと試みるようになる、という教訓を与えているのである。この近代主義の謬見、すなわち、最終真理の名において政治は不要とされ得る、とするこの認識こそ人びとを引きつける「ポストモダンのシチズンシップ」の主たる魅力の一つであるが、その場合、権利と責任は、社会に固有の、しばしば社会を創造していくための対立を超克する手段とはみなされずに、そのような社会対立を巧みに操るための方法だとみなされるのである。

フランス革命は大きな災難をもって終結し、また革命のより急進的な功績の多くは数年にわたるナポレオンの反動期に失われてしまった。それにもかかわらず、十九世紀と二十世紀が——世界的《コスモポリタン》視野を包み持ったフランス的伝統を犠牲にして国民《ナショナル》アイデンティティを擁護するエリート集団の慎重な試みを通じて——シチズンシップの漸進と国境管理の強化との双方を目撃しているように、あの混乱し矛盾した革命の遺産は生き続けたのであり、実際には大いに増強されたのである。

シルヴァーマン（1992: 6）が述べているように、フランスは「すべての近代国家のなかでも国家の形成においてその矛盾がもっとも明瞭に顕現した」国家なのである。シチズンシップが国民国家と密接に結び合っているこのような歴史的遺産を考慮するならば、われわれが検討すべき問題は、この接合がどうして必要なのか、あるいは望まれさえするのか、ということである。

2　国民国家の問題

ナショナル・アイデンティティの擁護者にとって、シチズンシップは国民の理念に接合してはじめて意味のあるステータスになり得る。アンソニー・スミス（1995）にとって、国民は、近代よりもずっと以前に定着した民衆の共同性にそのルーツを持っているが故に、近代の主要な政治的形態となり得たのである。シチズンシップは、それ故、その能力を、「民族的要素と市民的要素との――時として不安定になるが――不可欠な共生関係」を象徴する国民国家から引き出すのである（Smith 1995: 100）。スミスは二つの点で正しい、と私には思われる。第一に、彼は二つの種類のアイデンティティ間の、近代国家内部において避けることのできない緊張関係を正しく確認している。すなわち、一方は国籍という民族的で政治以前のアイデンティティであり、他方はシチズンシップの市民的で政治的なステータスである。第二に、彼は、国家という文脈においては二つの種類のアイデンティティは別々に存在することができる、との主張を拒否したことで正しい。ある特定の国《カントリー》が独立国家のステータスとして専ら市民的側面だけを受け入れるよう求めても、市民的ナショナリズムはある程度まで民族的ナショナリズムをどうしても必要とするのである、と彼は論じている。この指摘は非常に重要である。というのは、シチズンシップの普遍性と国民国家の排他性との矛盾（スミスはそれを完全に認めており、理解もしている）が克服され得るならば、シチズンシップは国民および国家の双方から解き放されるにちがいない、ということをそれは意味しているからである。本節の残りの部分で私は主に国民とシチズンシップとの関係に論及することになるが、そこでの私の主張は、国籍についての議論を大いに喚起するミラーの著作（1995）の論評を通じて展開される。私はまた、本節の末尾において、何故、シチズンシップは人びとを包摂するステータスとして機能するだけでなく、議論を終結させてしまう手段としても機能してしまうのか、その理由を理解する鍵として国家とシチズンシップとの関係を議論することから始める。そしてこのような議論や主張は本書の他の部分でも続行されることになる。

ミラー（1995）は、なぜ、国籍が重要であるのかについてこう主張する。すなわち、国籍が重要であるのは、国籍が重要であると人びとが確信するからである。それ故、シチズンシップのどんな理論もこの事実を認識しなければならない。というのは、わが同胞たる市民の義務意識をわれわれに与えてくれるものこそ、歴史と政治文化の共有と、共通の運命意識として定義される国籍とであるからだ。この紐帯がなければ、われわれには利己的な個人と個人との間の「厳格な相互依存関係」しか残らないのである、と。ミラーにとって、このことは非常に脆弱なシチズンシップと最小の国家《ミニマル・ステイト》とを備えているにすぎない、ということなのである。すなわち、「私的保険の可能性を前提とすれば、われわれは国籍というようなコミュニタリアン的（共同主義的）背景を欠いた国家を予期するだろうが、そのような国家はその国家を構成している人びとに基本的な安全しか用意しない最小の国家にすぎないのである」(*ibid.*: 72)。

だが、この論点についてはいくつか問題がある。第一は、市場は私的保険の形態を取ることによって、民主的な市民の意思決定に基づいて政治的に実行される資源分配よりも人びとの福祉厚生の適切な供給者となる、とミラーが主張しているように思えることである。しかしながら、ミラーが自分の論拠としている利己的な観点から言ってもなお、われわれのニーズを満たすには共同供給がより効率的であるとみなされるのも当然であろう。確かに、ミラーはそれに反論するための根拠を何ら示していないのである。その上、国籍は、一方では個々人がしばしば利己心に特権を与えようとするための一つの重要なアイデンティティとなってきたのに、他方では人びとを献身的行為や利他主義に向かわせてきた唯一のアイデンティティにはなっていないのである。歴史は、宗教、階級、ジェンダーそれに環境保護といったさまざまな大義の名において個々の人たちが最終的に自ら進んで犠牲を払ってきたことを証明している。あまり目立たないけれど、タム（1998: 226）の指摘は、都市、地域、組合組織、職業それにクラブを含め、義務や責務がそのために生じるかもしれないさまざまな文脈を示唆していて有益である。このような組織や団体は、近年ヨーロッパの至る所で労働組合間の協同が強化され拡大されてきていることに見られるように、よく似た同じような集団としばしば国境を越えて協同しているのである。さらに歴史的に見ると、多くのコミュニティが国籍の観念なしにそのメンバー同士の間で高いレベルの責務を生み出してきた。例えば、アメリカ平原インディアンのような国家のないコミュニティは相互に責務の意識を知覚するのに国民という概念を必要としなかった。それ故、われわれは国籍を選択するのか、それとも原子論《アトミズム》を選択するのかを迫られる結果、稀薄なシチズンシップ意識に直面することになるのだと考えるのは、あまりにも単純である。

第二は、ミラー（1995: 59）は、「純粋な国民国家」について論じる場合、明らかに世界のどこにも存在しない均質度を国民国家が保持している、と想定していることである。キムリッカ（1995: 1）が言及しているように、世界には現在でもおよそ六〇〇〇の言語と五〇〇〇ものエスニック・グループが存在しているのに、国家は約一八〇にすぎない。このことは、実際にはすべての国家は、多くのいずれもひけを取らない文化的伝統と民族的伝統がその内に存在している事実上の多国籍《マルティナショナル》である、ということを意味している。ミラーは、彼の著書のいくつかの箇所で、国家は例外なく多文化的であることを認めているのに、そのことが彼の議論の主要な教義とどう折り合うかについて気づいていないように思われる。

しかしながら、「ミラーの問題」の難点は、国籍は政治的理念でありかつ政治以前の理念でもある、とミラーが想定しているように思えることである。彼は、一方で、国籍は「既存の諸制度を擁護する必要もないし、またそれらの諸制度を維持する根拠のない作り話も必要としない」のであるから、新しいメンバーに対し包摂的であり、また意見の相違を容認することができる、と主張する(Miller 1995: 129-30)。このことは、ナショナル・アイデンティティの形式と内容は、誰が取ろうと早い者勝ちだ、すなわち、対話と民主的な意思決定を通じて定義あるいは再定義され得る、とのことを暗示している。すなわち、ミラー(*ibid*.: 181)は、後に次のように主張して、国籍というこのきわめて変わりやすい観念を確認しようとするのである。「国籍を蘇生させる主たる要素はどこでも同じである。すなわち、文化的および地域的な少数者の願いを採り入れるための、ナショナル・アイデンティティとその再定義についての開かれた議論である」。しかし、もし国籍が政治的に簡単に決められるものだとすれば、国籍とシチズンシップは何によって区別されるのか。ミラーはすぐ前の引用文で述べた彼の論拠と矛盾するかのようにしてこの問いかけに答える。「言うなれば、過去は常に現在を束縛するのであって、現在のアイデンティティは、ゼロから始まったのではなく、それ以前の時代から伝えられ遺されてきた有形の諸要素の上に築かれるのではないのか」と。さらに彼は続けてこう断言する。国籍という形式を選択の事柄にしようとする人たちとは対照的に、「民族主義者《ナショナリスト》は、国内のコミュニティのメンバーシップは誰にでも開かれている選択権ではないし、……そのコミュニティが具体的に表現される公共の文化は選択の余地のない背景を形づくるのであるが、その選択の余地のない背景に寄りかかって特定の私的な文化的選択がなされる、と主張しようとするだろう」(Miller 1995: 175, 194)。ミラーはまた、イギリスのナショナル・アイデンティティは何世紀にもわたって確立されてきた政治的文化にどのように深く根を張っているか、そのあり様について指摘する。しかし、確かにこの指摘は、そのような政治的文化を組み立てている君主制、上院それに階級制度といった主要な制度の多くが——ナショナル・アイデンティティについて「開かれた議論」が行われるべきとの——「ミラーの必要条件」とまったく矛盾するし、実際、「ミラーの必要条件」の原則に対立するのである。国籍についての包括的な対話こそイギリス人という国籍がその基礎を置いているまさにその制度を解体させることになるのだ！ということが事実であるならば、国籍について何が残されるというのであろうか。実は、ミラーは二股をかけているのである。われわれは、ナショナル・アイデンティティの側面にあえて制限をつけ、そのアイデンティティを民主的に吟味させないことによって保守的で排他的なさまざまな制度や慣行を保持していくか、それとも、文化よりもむしろ政治に特権や特典を与えるアイデンティティとしてシチズンシップを甘受していくか、いずれかであるという訳である。

ミラーの議論に関連する一つの問題は、個々人はその国籍をまったく違った経験から知るようになる、ということである。ミラーは、民族差別、階級それにジェンダーといった問題にはまったく言及しないので、これらの問題は国民というもっとも重要なアイデンティティによって超えられてしまうアイデンティティの二次的資料にすぎない、と考えているように思える。だが、そう考えることは、国民はジェンダー、階級それに民族と本来的に密接な関係があるという事実を無視することになる。私が言わんとすることの一つの実例は、ユーヴァル-デイヴィス（Yuval-Davis 1997）によるジェンダーと国民についての優れた分析によって提示されている。彼女は、国民論について女性は男性とまったく異なる関係に置かれている、と主張する。しかしながら、国民と女性の関係は国民と男性の関係と異なるだけでなく、不平等でもある。例えば、男性は、軍事的義務を負うという責務によって説明されるように、国民の防衛者とみなされるのに対し、女性は母親やケアラー（介護者）としての役割を通して国民を再生産する者とみなされる。こうして女性は、国民のために一定の割合で（国民を）再生産するよう要求する国家（民族）主義的な論説によって、自らの肉体を健全に維持する権利に対する攻撃をしばしば受けるのである。例えば、一九三〇年代の日本において、日本女性は日本帝国のために子を産むよう圧力をかけられたし、またイギリスでは、福祉国家を基本とすることを提示した「ベヴァリッジ報告」（一九四二年）がまとめられたのであるが、その時にベヴァリッジは、女性は「男性とは異なる義務」を負うのであるから、既婚女性は男性と同じように失業手当にアクセスする必要がない、と主張することによってジェンダー的で不平等な福祉の形態を擁護したのである（Lowe 1993: 33）。女性はまた積極的な当事者というよりもむしろ守られるべき国民のシンボルとみなされてきた。すなわち、「ジェンダー化された肉体と性は国民の物語の版図、里程標それに再生産者として中軸的な役割を果たし、……そして女性は、その『相応しい』振る舞いによって、その『好ましい』衣服によって、共同体の境界を知らせる線条を表現するのである」（Yuval-Davis 1997: 38）。ミラーは、このような不平等を無視するが故に、いつも決まって男性、白人そして特権的エリート集団のために定義される国民感情という名の病理によってその価値が損なわれてしまうシチズンシップを擁護するのである。

イギリスにおける一八六七年の「選挙法改正法」の成立――この選挙法改正法によって成人男子労働者の三五％から四〇％へと選挙権が拡大された――についてのホール（1994）による興味深い研究は、議会での議論や政治的エリート集団における議論の関心が専らシチズンシップを拡大することによって「国民」の枠組みがどの範囲まで掘り崩されるのかに向けられていたことを確認している。下院のある改正法提案者は、家長の諸権利が拡大したからといって、「われわれが現在よりもイギリス人的でなくなるわけでもないし、ましてや国民的でなくなるわけでもないだろう」との結論を下している（Hall 1994: 19）。それにもかかわらず、女性への諸権利の拡大は女性に相応しい役割を転倒させて国の土台を掘り崩してしまうだろう、と思われたのである。議会でのこのような議論とほぼ時を同じくして、ジャマイカにおける政治的自治の課題もまた話し合われた。自由主義者であったグレイ卿にしても次のような感想を持っていた。「私は、私が収集することのできたすべての証拠資料から、黒人は、今後何年もの間、政治的権力を行使する能力を欠いたままでいるだろう、との結論に至った」、と（*ibid.*: 22）。ジョン・スチュアート・ミルのような進歩的な議員たちでさえもこのような見解を支持したのである。実際のところ、ミル（1974）は、彼の有名な論文『自由論』のなかで、自由は「文明化した」諸国民だけに相応しいものであり、したがって、国内ではシチズンシップを擁護して外国では専制政治を擁護する、というよく知られる「自由の特性」を反映するのであって、これにはどんな矛盾も感じない、と言明しているのである。ホール（1994: 29）が結論づけているように、ヴィクトリア期における「国民の理念」は「その特定かつ具体的な意味を帝王の統治から引き出したのである」。とはいえ、数回にわたるイギリスの選挙法改正法[5]によって公式のシチズンシップと階級との結びつきは次第に弱まっていったし、また、ホール（*ibid*.: 29）がコメントしているように、「財産はもはや選挙権の基礎ではなくなり、今では、誰が政治的国民に組み入れられ、誰が政治的国民から排除されるのかを決定するのは『人種』、ジェンダー、労働それに文明化のレベルだということになったのである」。要するに、まさにこの国民の構成は深刻な社会的分裂と密接な関係があるのだが、その社会的分裂を今日でもなお存続させているものこそ国民を限定する定義なのである。

結局のところ、ミラー（1995: 80）はシチズンシップの排他的で国家統制的な概念を抱かざるを得なくなるのである。例えば、「われわれは、大抵の場合、外国人の人権を守るために公正に介在する必要があるとは思わない」、と彼は論じている。ミラーは、そう論じることによって、秩序と正義（公正）は相互に排除し合う目標である、という国際関係の実在論学派のなかで長期にわたって定着してきた主張を支持する（Bull 1977）。ミラーは、われわれの義務や責務をわれわれ自身の国民を超えて広げることは、その義務や責務が国家主権の原則に基づいて展開されるのであれば、義務や責務そのものの存在を危うくすることになる、と論じているのである。だが、これは、第六章で私が詳しく述べるように、シチズンシップのダイナミックな性格に関わる三つの事実を否定することになる。

第一に、シチズンシップは真に安全であるべき国家を超えて拡大されなければならない「弾みの概念」である、ということである。これによってわたしが言わんとしていることは、われわれが享受している基本的諸権利を——文化的な差異を理由に——他者に与えることを拒むのはわれわれ自身の諸権利と社会秩序の基礎とを危うくすることだということである。第二の、そしてグローバリゼーションの強まりと密接に関係する論点は、各々のコミュニティにおける社会秩序の基礎を各コミュニティが単独で守り切ることなど到底できない、ということである。世界的規模のリスクの発生によって国家間の境界線が不明確になってきたのであるから、シチズンシップの利益や恩恵を脅かす問題の多くはグローバルなガバナンス・アプローチによってはじめて取り組めることが可能となるのである。国籍はしばしば運命共同体として語られるが、しかし、今日ではわれわれの運命はますます他のコミュニティの運命と密接に結びつくようになるのである。第三に、シチズンシップの義務や責務は、他のコミュニティに対するわれわれの責任を真剣に受けとめるよう要求する、ということである。世界的規模で生起している債務危機や貧困と環境破壊といった今日のグローバルな諸問題の根源の多くは西側諸国の利己的な活動に見いだすことができよう。こうして、シチズンシップについてのわれわれの意識は、西側諸国の利益のために組み立てられた不平等な新自由主義の秩序によって競争に敗れた人びとにわれわれがなすべき義務や責務を明らかにするよう要請するのである。

これらの理由から、私はミラーのようなナショナリストたちの主張や議論には説得力がないと見ている。フランス革命の時代には、「国民」は、特権の基部を削り取ってより平等主義的なシチズンシップを展開する有用な手段であったのかもしれないが、しかし、ハーバーマス(1994: 22)が述べているように、国民という言葉のまさにその起源は、「政治的連合になお組織されなかった地方の住民や部族」に言及する際に使われた古代ローマの言葉 *natio* である。今日では、国民の理念はシチズンシップの支柱というよりもむしろバリアーになりつつあることが次第に明白になってきている。オウムメン(1997)が、鋭い分析に基づいて、国民とシチズンシップとの関係を褒め称えるのではなく、両者を引き離そうとしたのはこのためである。

オウムメンは、シチズンシップを理解するためにはわれわれはまず国民を国家から切り離さなければならないと主張する。国民は領土と言語の融合である、とオウムメンは定義するのであるが、それ故にこそ私は、国民とは文化的ステータスであり、したがってまた国民とは政治以前のステータスではなかろうか、と思うのである。「政治以前の」という言葉をもって私が言わんとすることは、国民の形態とメンバーシップは民主的な討議によって決定されるのではなく、地理と歴史によって決定される、ということなのである。他方、国家は本質的に法的概念なのである。オウムメン(1997: 136)は――国民国家という形態で――西ヨーロッパですら一度も実現されたことのない国民と国家という二つの理念の融合を「不幸な熱望」とみなしている。既に言及したように、国家と国民の合体によって、シチズンシップと国籍とがますます混同されるようになり、またそうなることでますますシチズンシップが政治的ステータスだけでなく文化的ステータスをも得るようになったのである。そうなると、シチズンシップは、異なる文化的背景を持つ人びとを束ねることのできる包摂的な概念の役割を果たすのではなく、人種差別的になり、したがってまた、国籍の場合と同じように排他的になるのである。

オウムメン（*ibid.*: 21-2）は、「国籍と民族意識に基づいたアイデンティティは現代化によっても光彩を失わないであろう。何故なら、現代の政治組織体は移住のためにますます異質なものになっていくからである」、と主張する。そしてもしわれわれが秩序ある公正な社会を多元的複合体としての現代国家から創り出し得るとすれば、それこそわれわれは、シチズンシップがそのうちに包み込んでいる平等主義への人びとの切望を利用してでも、「シチズンシップの概念」を「国民の概念」から引き離すことがどうしても必要になる、とオウムメンは説くのである。そうであるならば、「同質的な国民国家というまさにその理念が放棄されるべきなのである」（Oommen 1997: 202）。したがって、マイノリティの人たちが国民になることや文化的に同化することを期待するのはまったく道理のないことなのである。それ故、国籍とシチズンシップは分離されなければならないのであり、市民のステータスは、文化的な融合や帰化することによってではなく、在住期間に応じて与えられるべきなのである。そうすることで「マイノリティのステータス」という烙印が徐々に消されていく効果がもたらされるし、またそのような人たちの集団がより広い範囲の社会に参加する機会も増えていくのである。こうして、マイノリティの人たちが提起した政治問題に新しいアプローチが流れ込むことによってコミュニティ全体が豊かになるのである。しかしながら、オウムメンは、多数者の憤慨という問題を避けるために、権利を享受するだけでなく義務や責務も履行するよう少数者に要求することが必要である、と主張する。国籍ではなく在住期間がシチズンシップを決定しなければならない、とのオウムメンの主張は確かに正しい。近年、ヨーロッパやその他の地域において国民とシチズンシップとの関係について混乱が見られるが、その混乱の故に、ミラーのようなナショナリストたちの主張に抗してオウムメンの主張が支持されているのである。私は、このような問題のいくつかを詳しく考察する前に、この段階で、オウムメンの分析から一つの問題を提起してみたい。オウムメンの分析については特に第六章で再び取り上げられる。

オウムメン（*ibid.*: 228）は、シチズンシップは国家という文脈の外では意味がない、と主張する。すなわち、「シチズンシップをまさにその根源である国家から切り離すことはシチズンシップの観念を不適切で意味のないものにしてしまう」のである。オウムメンが国家と国民を明確に区別したために難問に出会うのはまさにこの主張にある。彼のこの主張が国家と国民との間の歴史的に密接な関係を無視してしまったからである。実際のところ、国の境界線がひとたび強化され始めるや、国家による力《フォース》の独占化要求はますます説得力を持つようになる。フランス革命の世界的視野を持った側面が退いていったのは国境の強化の影響によるものであったのだから、国家権力を正当化する文化的方法の展開も避けられないことだと思われたのである。国民の理念は、このようなアイデンティティを提供したのであって、オウムメンが示唆するような独立変数として理解されることはないのである。

スミス（1995）が主張しているように、国民の理念は、ある程度まで、前近代的なアイデンティティにルーツがある。だが、もっと重要なことは、国民の理念が近代国家の発展と結びついた官僚革命と経済革命とに深く関係している、ということである（Calhoun 1997）。第一に、国家の監視が強まり、行政管理能力が向上していくにつれて、国家は、例えば納税義務と兵役義務の方策を決定するために部内者《インサイダー》と部外者《アウトサイダー》という点から居住者を分類するようになり、その結果、（自国籍の）国民と外国人との間に線を引き、両者をはっきり区別する。第二に、国籍は国家主導の産業政策を支える文脈を用意するのであるが、その産業政策によって政治的エリート集団に経済的な支配力が与えられ、そしてその経済的な支配力を通じて海外の市場や資源が獲得されることになる。換言すれば、産業資本主義と階級関係が国家という文脈において展開されるのである（Mann 1993）。産業資本は、まずは安定した消費市場と労働市場の基本型を設けるためにある程度の文化的同質性を要求し、そして次に奨励したのである。第三に、国家への忠誠心を育むために、公教育、儀式、賛美歌、旗やその他の統一シンボルを通じて国籍がエリート集団によって積極的に奨励された。このような忠誠が必要とされたのは、社会を潜在的に不安定にさせる階級対立といった社会的分裂を相殺するためであり、また戦争のような危機の時代に市民同士の統一を確かなものにするためであった。

こうして見ると、シチズンシップが束縛や支配から人びとを解放する可能性を妨げるバリアーは国民だけでないことが分かる。国家もまたそのバリアーなのである。オウムメンが試みているように、国民と国家を切り離すのであれば、実際には、国民と国家の相互依存の関係が見失われることになってしまうだろう。加えて、もしシチズンシップが単に国家統制的な観点からのみ定義されるのであれば、オウムメンが主張しているように、エスニック・マイノリティ――あるいは不利な条件の下に置かれている他の恵まれない人びとの集団――の問題は依然として解決されないままであろう。何故なら、国家の強制力は常に文化的に支配的な集団のために行使されるからであり、またそれは、シチズンシップが文化的マイノリティの集団に広げられた結果生じる――と、オウムメンが考えるような――対立を解決していくことを妨げるからである。

3 国家メンバーシップの現代的ジレンマ

オウムメンが強調しているように、現代世界においてはまさに国家が国籍を与えるのである。実際的な観点からすれば、国家こそ卓越したガバナンスの制度なのであるから、市民の権利と義務を認めるのも国家なのである。国籍の決定は通常は二つの仕方で、すなわち、その国家の領土内での出生およびその人の両親の家系に基づいてなされる。大多数の国家は、この二つの制度《システム》を混成することで、国籍の変更を望んでいる居住者が帰化しやすいように――程度はさまざまであるが――融通を効かせている。そこでここでは、この二つのシステムの実例としてドイツとフランスを対比して、国籍の決定について見ていくことにしよう。この論証の最良の実例はブルーベイカーである(1992: x)。彼はこう主張する。フランスでは国籍は「領土のコミュニティ」であると「幅広く定義されている」のに対し、ドイツではそれは「家系のコミュニティ」である。この見解に従えば、フランスは文化的アプローチ以上に政治アプローチである、ソーシャル・メンバーシップの進歩的近代主義アプローチを代表しているのである。換言すれば、フランスにおけるメンバーシップの鍵は、市民であることを望む人たちが世俗的な共和主義の価値を受け入れることにある。このような価値は人種・民族あるいは宗教といった特殊事情を超越すると言われている。これとは対照的に、ドイツは、国民の正当なメンバーシップを定義する場合には、政治的な義務や責任というよりも血統の結びつきを強調する。すなわち、シチズンシップは民族的起源と密接に結びつけられているのである。だが、この点が多くの論争を呼び起こした。というのは、東ヨーロッパ諸国の共産主義政府の崩壊を受けて、実際にドイツ語を話すことができず、したがってまたドイツの文化についてほとんど知識のない多くの「少数民族《エスニック》の」ドイツ人が、本国に帰る市民としてドイツに迎え入れられたことにより奇怪な境遇に引き入れられてしまったからである。例えば、一九九四年だけでも二二万二五九一人の東ヨーロッパの人びとが市民としてドイツに「戻ってくる」ことを歓迎されたのとは対照的に、数年にわたってしばしばドイツで生活し、税金を支払い、あるいは事業を経営して繁栄する多文化ドイツの一翼を担っている二〇〇万人ものトルコ人出稼ぎ労働者は、シチズンシップを拒否されているのである（Migration News 1998）。出稼ぎ労働者の体験に関わるこの実例はまさに、シチズンシップ、国家そして国民の融合という矛盾を照らし出している多くの現代的なジレンマの一つである。移民の問題が複雑化して分かりづらくなるのも、絶えざるコスト削減と規制緩和を要求し、したがって、福祉の諸権利の基礎を攻撃するように思われる経済のグローバリゼーシヨンを危惧することによるのである。こうして、外国人出稼ぎ労働者の問題は、彼らがアフリカ、アジアあるいはユーゴスラヴィアにおける抑圧から逃避する難民であろうと、一時的な出稼ぎ労働者であろうと、経済の問題と密接に関連するようになってきた。換言すれば、多くの費用を必要とする権利の要求がこのように増大するのであれば、シチズンシップ・コミュニティの基礎はどうすれば維持されるのか、ということになるのである。しかしながら、このように筋の通った、冷静な仕方でこの問題が問われることはまずないだろう。その代わりに、産業社会におけるソーシャル・メンバーシップの問題が感情に訴えるような観点から提起されることになるだろう。そうなるのは、一方の「進歩的な」フランスのシステムと他方の民族の違いに基礎を置くドイツのシステムとの間に明白な一線を引かせまいとするためである。ブルーベイカーがこの二つのシステムの間に線引きして示した鮮明な対比は、それ故、大げさに見えるのである。そこで、フランスとドイツの事例はシチズンシップの近代主義的矛盾の別々の表現である、とシルヴァーマンが主張するのであれば、シルヴァーマン（1992）の分析は現実により接近することになる。シルヴァーマンが強調するように、現今の状況を理解する鍵は、一九世紀に国民国家がシチズンシップの概念を効果的にハイジャックしたことを認めることである。これが意味していることは、シチズンシップと国民は——国家の文脈からすれば——人種、民族意識、したがってまた民族的優越感と排除の論説から概念的にも実際にも切り離されることはない、ということである。シルヴァーマン（1992: 26）がコメントしているように、「民族的優越感は政治的統一体《ボディ・ポリティック》を周期的に悩ます外面的な悪弊ではない。それは近代国民国家のまさにその体質の不可欠な一部なのである」。政治的エリート集団は、ナショナリスト的な感情を養うことによって、またその感情をシチズンシップの定義に結びつけて考えることによって、シチズンシップの解放的な潜在能力よりもむしろシチズンシップの排他的な側面をしばしば引き寄せてきたのである。

シチズンシップと民族意識の間の不幸な関係を際立たせ、またミラーのようなナショナリストの議論に異論を唱える最近の一つの実例は、一九八九年に起こったフランスにおける「ヘッドスカーフ問題」である。シルヴァーマン（1992: 1）は、この問題は「国民国家の危機」を言い表していると正しく認識している。というのも、この問題は、お互いに交わることのない文化的アイデンティティを超越する「政治の思いやり」を自慢する国においてさえ、「正当なメンバーシップ」を支持するという当然のことがどうして深刻な民族的偏見を生み出すのか、その理由を明らかにするからである。この問題の発端は、ヘッドスカーフを身につけてクレーイの町の学校に通っていた三人のイスラム教徒の女生徒に対して、学校側が、彼女たちの行動はフランス国民にとってきわめて重要な、卓越した共和主義的価値と交わることのない特定のアイデンティティをこれ見よがしに表現しているものだと決めつけ、その三人の女生徒を帰宅させてしまったことにあった。そして一見どうでもよいように思えるこの出来事が驚くべき——幾分病理的な——反応をフランスの至る所で誘発したのである。この出来事を受けて、フランスにおけるソーシャル・メンバーシップの本性を詳細に分析する公開の議論が起こった。だが、イスラム原理主義が流れ込んできているのではないのか、という潜在的な恐怖感が人びとの間に浮かび上がってきたために、主要な共和主義者たちは、少女たちが学校でヘッドスカーフを身につける権利を最初に擁護した反人種差別グループの「SOS《エソエス》 Racisme《ラシスム》」(「SOS人種差別」)のような異文化共存主義者からの参加の要請を断わった。それでも、共和主義者たちのうちレジス・デブレイやアラン・フィンキールクラウのような秀でた知識人たちは、フランス政府がその共和主義的価値に妥協したとすれば、この問題が「共和主義の屈辱的宥和政策」になるのかどうかを問う公開状を『ヌゥヴェル・オブセルヴァトゥル』(『新観察者』)に書き送っている。この問題は、移民に対するさまざまな懸念や不安の一部であり、共和主義に対する移民の脅威の兆しだと思われたのであり、またフランスの国政選挙で一五%の得票率を獲得し、いくつかの地方自治体で権限を掌握している極右政党であるルペンの「国民戦線」への支持が増えていることを背景にしたものであった。一九九三年の選挙で保守政権が成立し、その結果、フランス政府は帰化に対してその態度を硬化させ、また「一九九三年パスクワ法」が外国人在住者あるいは移民希望者にフランスのシチズンシップを許可する基準をかなり厳しくした。そしてその際に、いわゆる人びとの包摂を意味する共和主義という言葉が部外者を排外的に締め出すことを正当化するのに使われたのはなんともまったく皮肉なことである。シルヴァーマン(1992: 15)はこのような矛盾を次のような記憶すべき一節をもってみごとに攻め落としている。

移民は自由主義的共和制と自由主義的共和制への脅威との双方を表現する。すなわち、移民はフランスの同化受容能力の具現化であると同時に同化が行き詰まることの証拠でもある。移民は多元主義の具現化であると同時に多元主義が不可能であることの証拠でもある。

共和主義の伝統が擁護する中立という言葉の背後には、共和主義的シチズンシップが要求するまさにその同化を——不可能にさせないまでも——困難にさせるようなあらゆる種類の文化的な前提が潜んでいる。例えば、民族的素性はフランスでは公式にはどうでもよいことであるにもかかわらず、フランス人ムスリムといった言葉が頻繁に公務員によって使われて、しばしば住宅割当ての基準となったり、さらにはその他の地方サービスを取り扱う際にも使われたりしている。当局はこのような区分を公式には否定しているが、それは、結果的に移民問題は政治化されることはないし、また政治化されないということであり、したがって、移民問題は民主的な方法によってではなく官僚制度によって「解決される」のだということなのである。宗教の特殊性を認めない世俗的フランスという理念もまた多分に架空的なそれである。納税者は、事実上、カトリック系の学校や教会の管理・運営に寄与しているのである。加えて、ヘッドスカーフ問題で外面化したイスラム教への関心も、生徒たちは制裁を恐れる意識もなかったし、キリスト受難の十字架像のシャツや“I love Jesus”と書かれているシャツを着ることもある、との事実に目を向けなかったのである。

このように、シチズンシップが民族に基づく国籍と密接に関連していることを明示する証拠が数多くあるにもかかわらず、共和主義の主張は、フランスにいるエスニック・マイノリティを含む少数者が痛切に感じている疎外の根本原因を誤解しているのである。バーリバー（1991: 16）は、現代シチズンシップの矛盾を解決する手がかりは国家のなかに見いだすことができると確信して、国家を次のように定義する。すなわち、国家は、

行政、警察および司法の装置《アパラタス》によって人口の一部を保護する一方で、人口の他の一部に対しては危機を増幅させるよう目論むのであるが、そうしなくても二つの「集団」あるいは二つの「人口階層」の間に境界線を――必要な場所で――明確に引くことが常に可能なのである。

国家は、市民の間に統一や調和をなんとか創り出そうとして、必ずと言ってよいほど差異を否定したり、抑制したりする。逆説的に言えば、国家は、国家が否定したいと思っているまさにその差異を口汚く罵《ののし》ることによって同質性を確保しようと試みるのである。バーリバー（1991: 15）は、「少数者は、彼らが法律上分類されて管理されるその時から漸《よう》く実在することになる」、と述べている。多くの社会科学の文献に見られる想定された国家の中立性は、「(異なる) 他のもの」を除外することによって国家の起源を覆い隠すのである。言い換えると、国家の境界線は、その境界線の「外部にいる」人たちが異なっていることを決して止《や》めようとしない場合にはじめて意味をなすのである。その上、フランスと同じような国々の植民政策史の文脈においては、差異の思想はしばしば優越の思想と組み合わされてきた。例えば、「民族学」の発展が十九世紀の帝国主義の絶頂期に

見られたことは偶然の一致ではないのであって、しかもこれにより、例えばフランスンによるアルジェリア植民地支配が民族的優越という、実にいい加減なロジックによって正当化されてしまったのである。前に論及したユーヴァル-デイヴィス（1997）のようなフェミニストの研究もまた、想定上の「国家の中立性」が男と女とでは国家に対する関係がまったく違ってしまう家父長制的な諸前提を包み隠してしまうことを明らかにしている。

フランスにおけるマイノリティの「問題」に巧く対処するための議論や検討からは、シチズンシップの国家中心的な定義とマイノリティの排除との間の脈絡が消えてしまっている。イスラム原理主義の「脅威」に対するフランスのヒステリックな反応は、国民国家内部のより深刻な危機意識の徴候なのである。フェイヴェル（1997: 10）が主張しているように、恐怖感とは、移民が「国民全体をひとまとめにしている別の社会的、政治的な紐帯の脆弱さを暴露するかもしれない」ということである。このような問題を解決するためにしばしば提案される政策の多くは、移民が国家を構成する国民となるための管理を厳重にすることであるのだが、同時に「部外者」に対しては支配的な文化に完全に融和しなければならない、とのことを要求する。この戦略の問題点は、第一に、限定された移民アプローチが移民の市民権《シヴィル・ライト》を脅かすことである。彼ら移民は、その国に留まることは許されるのに、彼らの肌の色あるいは彼らの文化的な慣行や習慣のために支配的な文化の外に居る者と簡単にみなされてしまうのである。それ故、合法的な在住者はその限定された移民政策を実施しようとする政府当局の監視を受けざるを得なくなる。これによってマイノリティの人たちは、今度は自分たちが一体化していくと想定されている文化のほんの一部分しか知覚しなくなるのである。第二に、このような政策は、移住してきた人たち（移民）が自分たちを受け入れてくれる文化に与えることのできる積極的な効果を否定してしまう、ということである。移住してきた人たちは支配的な文化には見られない新しい芸術的な才知、未知の嗜好、それに新しいいろいろな資源などをもたらし、それによってコミュニティ全体を豊かにしてくれるにもかかわらず、である。

第三に、シチズンシップについての先進的な高い意識は、各市民が他者の文化への共感と理解それに他者の利益やニーズへの思いやりを発現させることを求める、ということである。同質的な国民ではなく多様な国民こそ共感や同感のスキルが重要となる機会を大いに生み出してくれるだろう (Clarke 1996: 59)。多様性はまた国家を構成する国民にその諸制度について建設的な批判を提示してくれる。したがって、それらの制度がかかる批判に直ちに反応してその機能を発揮してくれるのであれば、まさに批判はきわめて重要であるということになろう。コスタコポーロー (1998: 898) はこう主張している。

> 立憲的な原理が十分定着したことを認めるのは……別の解釈を求める共同組織《コミュニティ》による批判のやり取りにその原理を晒す十分な理由になるのだから、その原理がより普遍的な文脈において効果を発揮するまさにその力《フォース》や対応すべき課題からその原理を遮断してはならない。批判のやり取りや意見の対立は、たった一つしかないような政治的文化の限界と相対性を明らかにするこ

とによってはじめて、思慮深く自己を認識する可能性を高めてくれるのである。そのような政治的文化の限界を暴くことこそ、近い将来において全体をより適切に理解することに繋がっていくのである。強力な民主主義は強力な批判を必要とするのである。

移民によってなされる貢献を肯定的に承認すること、そしてそのような肯定的なアプローチを通じて生み出される共感、これらのこともまた、市民がその直接的な生活範囲を超え出る義務や責務にも快く応じる必要性と繋がっていく。ダウエンハウアー（1996: 185）はこう主張している。民主主義に基礎を置くシチズンシップの普及を世界的な規模で促進しようとするのであれば、非民主的な社会からの移民が民主的統治システムに基づいて優先されなければならない、と。

第四に、危険なことは、国民国家の将来の不安や懸念を移民や少数者に集中させることによって、貧困、差別それに民族的優越感といった社会分裂の根本原因に真剣に取り組まずにすませてしまうことである。「移民問題」が自由主義的民主制の経済-政治的な組織構造に関わるより根本的な問題に取り組むことを極力避けようとする政治家たちによって利用される便利な陽動戦術であることはまったく疑いない。フランスにおけるシチズンシップの抽象的な共和主義的アプローチの危険性は、少数者のシチズンシップのステータスを有意味なものにするために、シチズンシップの文脈を改善すべきだとの要求を斥《しりぞ》け、その代わりに、実際にしばしば（少数者に対し）敵対的であり、また民族主義的《レイシスト》でもある（国家を構成する多数者の）国民に少数者は統合されるべきだという単純な要求に置き換えてしまうことである。ということは――ミラー（1995）のようなナショナリストの要求には反するが――本来的に文化的で政治以前的な「国民の理念」はそもそもシチズンシップに相応しくない、ということなのである。したがって、多数者としての国民の観点からのシチズンシップの論説は、それが国家の強制力と結びつくと、差異を抑えにかかったり、移民と他の人たちとがお互いに共有するべき義務や責務の意識の高まりを妨げたりすることに役立つだけである。その意味で、フランスの抽象的な共和主義的シチズンシップにこだわると、一見進歩的に思える国家でさえ、シチズンシップは文化的本質主義と結びつくことによってその土台を侵食される、という事実が浮き彫りにされるのである。要するに、私が言いたいことは、文化的アイデンティティを一方的に正当化することは少数者を締め出すことになるし、また多数者が少数者に反感を抱くことにもなる、ということなのである。

という訳で、ハーバーマス（1994）はシチズンシップに相応しい別の基本原理を提言する。彼はそれを「立憲的愛国主義《パトリオティズム》」と呼んでいる。それは何かと言えば、文化的実体ではなく、厳密に政治的実体である――国家を構成するメンバーとしての――市民の間に義務や責務の意識を育み、広めていくものである。国境線《ボーダー》は、行政目的のためだけにあるのであって、義務や責務がそこで終わってしまい、そして疑念がそこから始まる境界点を印すために用いられるのではない。その意味で、立憲的愛国主義の挑戦課題は、擬似的文化の単一性に頼る必要がまったくなく、市民が自ら行政の制度に参加し、係わり合うようになることである。そのことが示唆しているのは、国家を構成する市民にあっては、境界線は固定されるものではなく、いつでも変化するものだということである。コスタコポーロー（1998: 897）が言及しているように、境界線についてのわれわれの受けとめ方、換言すれば、人びと相互の働きかけに境界線が果たす役割は、シチズンシップの本質にとって決定的に重要である。すなわち、「国民国家の観点からコミュニティを理解しようとすれば、境界線は浸透膜（出会いの場）としてではなく、障壁《バリアー》（遮断の場）として人びとの心に「投影される」のである」。

立憲的愛国主義にとって民主主義は決定的に重要である。コミュニティは、国民として運命を共有するという、過去のそして幾分神話的な意識に言及することによってではなく、熟議することによって自らの未来を創作するのである。すなわち、運命ではなく構想こそが立憲的愛国主義の指導原理なのである。実際のところ、私が第五章で主張するように、諸制度を改革して政治的参加を容易にし、促進することによってはじめて、個人と集団との間の対立や支配的な文化と傍流の文化との間の対立が巧く処理されることができるのである。その点で、立憲的愛国主義もまた、少数者あるいは部外者のアイデンティティを拒否して自らのアイデンティティに一本化させるよう求めたりしないコミュニティをもたらしてくれるのである。それこそが敵愾心や嫌悪感を持つことのないシチズンシップなのである。

それ故、立憲的愛国主義という原理原則に基づいて運営される国家のソーシャル・メンバーシップにとって唯一適切な基準は、在住期間という基準である。この基準は行政の実用性に応じてメンバーシップを制限するのに適切であるとはいえ、その鍵は――シチズンシップが国民国家の「排除の論理」から切り離されているのであれば――市民の義務や責務は市民の身近な生活圏を必ず超え出ることを市民自身が理解する機会がいくらでもある、ということである。このことは、ほとんど疑いなく、転変する政治的な境界線を意味するだけでなく、ヒーター（1990）が複合的シチズンシップとして非常に有効的に言及しているものの拡大をもまた意味する。個々の人たちは義務や責務を遂行し、権利を行使する多様な場とますます接するようになるのであって、それらの場には近隣地域《ネイバーフッド》、市民社会のアソシエーション、地方政府、広域地方政府それに連邦政府、さらには、例えば、改革されて機能を高めた国連（UN）のようなグローバルな団体や組織も含まれるだろう(6)(Held 1995)。シチズンシップが個人とコミュニティとの相互依存に関係しているとすれば、われわれは、グローバリゼーションがその相互依存の性質と中心点を変えてしまったことを認識しなければならない。ウォルドロン（1992: 771）が強調しているように、「今や、人間の相互依存のまさにその範囲はグローバルであって、一国に収まらないのである」。

本章の主要な論点は、シチズンシップにとってフランス革命の遺産は混乱と矛盾を来した遺産であった、ということである。革命の初期段階で展開されたシチズンシップの理念は、全体として、進歩的で、包摂的で、政治的であり、また世界的視野をもったものであった。しかし、戦争の経験と過激な共和主義者――彼らは、実際には、シチズンシップの達成ではなく、一般意志という架空のそして抑圧的な観念によるシチズンシップの否定や取り替えを追い求めた――の暴力的急進主義とが、民族やジェンダーに基づいた「国民の観念」と「シチズンシップ」との融合を助長してしまった。それ故、私は、一方でミラーが国籍をシチズンシップの礎石だと称賛していることに反対する議論を展開し、他方でシチズンシップは、その人間解放的な潜在可能性を実現することができるのであれば、その退行的な概念から切り離されなければならない、とのオウムメンの考えに賛意を示した。近代的《モダニティ》なもののなかにあるその矛盾した遺産は、多元的かつ分裂している社会の現実に闘いを挑んでいる共和主義的シチズンシップに重点を置いてみると、今日のフランスにおいておそらくもっとも明瞭に認識できるであろう。フランスの経験がはっきりと浮き立たせているソーシャル・メンバーシップの現代的なジレンマは、これまで国家が頼みとしてきた境界線をグローバリゼーションがますます当てにならないものにさせていく、ということである。このことこそ、ますます異質化していく国民あるいは市民の問題に巧く対処していくための重要な方法は、シチズンシップを、文化や民族意識あるいは国民と混同させず、曖昧にさせないためにも、厳密に政治的な概念とすることである、とハーバーマスが正しくも主張した理由なのである。

しかしながら、私は、引き続き第六章で、グローバリゼーションはシチズンシップと国家との結びつきを、シチズンシップと国籍との関係と同じようには擁護できないことを示唆する。私が主張してきたように、歴史的および概念的な観点からすれば、国家の理念と国民の理念はお互いに結びついてきた。すなわち、前者が成立するためには後者が普及され促進されなければならなかったのである。したがって、グローバリゼーションがシチズンシップの本質をどのように変形させていくのか、という問題に取り組む前にまずシチズンシップの内容が詳しく検討されなければならないのである。オウムメンが示唆しているように、すべての市民が、自分の国籍あるいは民族意識に関係なく、確実に権利を付与されて、自らの責任を遂行することは、強い社会的結びつきを持続していくのに決定的に重要なのである。シチズンシップは、それが遂行される政治的な文脈が何であれ、権利と責任に直接関わる一連の要素《パッケージ》から成り立つことになろう。そこで、私は、次の三つの章で、シチズンシップの内容の論点をシチズンシップの文脈、広がりそれに深まりの論点と結びつけて検討する。第四章で私は、男性と女性の間の社会的な差異とさまざまなエスニック・グループの間の社会的な差異は、普遍的かつ共通のシチズンシップの達成を妨げるのか否かについて考察する。第五章では、権利と責任そして両者の関係はどのようにすれば高められ強化されるのか、その方法について詳しい検討がなされる。だが、何よりも私は、自由主義が異なる種類の権利を同一視したり、また権利と責任を同一視したりする緊張関係がシチズンシップの実践に内在する固有のものなのかどうかについて検討を加えるであろう。

第3章

権利と責任

シチズンシップ論で論争の的となる議論は、その中心的な「権利と責任」という観点からすると、シチズンシップの地位《ステータス》に相応しい内容とは何か、ということである。例えば、異なる種類の権利、特に市民権と社会的権利の原理は相矛盾するのか、また権利と責任は相互に依存し合うのか、あるいは一方を強調することは他方を侵食することになるのか、といったことである。そしてわれわれはこれらの論点について考える際に「自由主義の伝統」の影響を強く受けることになるのであるが、この「自由主義の伝統」が西側社会におけるシチズンシップの実践にイデオロギー的に非常に大きな影響力を持ってきたことは疑いのないところである。理論的には、急進的な考えと保守的な考えのいずれを選択すべきかが、自由主義との対話を通して練り上げられてきたのである。

それ故、本章は自由主義を詳しく検討することから取りかかることになる。本章で私は、自由主義は人びとを説得する少なからざる力を擁しているし、特にシチズンシップを「平等な権利の集合」として重視するにもかかわらず、その人間解放の潜在能力は個人とコミュニティの関係、市場と政治の関係についての想定や前提によって徐々に掘り崩される、と論じるであろう。最初の節で私は、シチズンシップの自由主義的概念を支える一連の中心的な価値について論じ、また自由主義を個人とコミュニティとの間の緊張関係を前提とする二元論だとみなす自由主義シチズンシップ論を批判するために、フェミニズムやマルクス主義のような伝統的理論に論及する。そしてこの「最初の二元論」から一連の関連する諸問題が引き出される。このような自由主義的二元論の一つが権利と責任との外見的な対立である。多くの批判的見地からすると、自由主義が個人的権利を重視してきたために、シチズンシップの本質が大きく傷つけられてしまったのだということになる。またそういう批判とは異なるが、人びとはより大きな義務や責務を強く要求しなければならない、とのことが保守主義者やコミュニタリアンによって主張されるので、次の二節で、私はこれらの論拠のいくつかを考察する。しかしながら、最初の節で論じるように、首尾一貫したシチズンシップ論にとって必要なことは、権利と責任との誤った対立は解消されなければならない、ということである。

1　自由主義的権利の限界

自由主義の伝統にあっては、シチズンシップは何よりも「一連の個人的権利」だと定義される。これらの権利は、言ってみれば、いくつかの役割や機能を果たすためである。もっとも重要なことは、権利を有することは個人の自治（自律）を意味する、ということである。権利は、個人の利益を生み出し、他の個人あるいはコミュニティ全体による干渉を受けずに個人の潜在能力を引き出す生活空間を個人に与える。ロックやペインのような、権利に重要な役割を与えた最初の自由主義理論家は、市民は次第に大きくなっていく国家権力から守られなければならない、と考えた。「生命・自由・財産」という市民的自由なしには、個人は常に専制的な政治権力のなすがままにされてしまうからである。十七世紀から十八世紀にかけての古典的自由主義者は、秩序を維持するために国家が必要とされた、と考えたのだが、ペインの言葉を借りて言えば、国家は必要悪なのであった。また古典的自由主義者は、個々人は国家が形成される以前に合理的存在であったし、自己決定的な存在であった、と主張していた。したがって、国家の権威の基礎は自治的な行為者《アクター》間の契約ということになる。個人は、国家が与えることのできる安全と引き換えに何がしかの自由を手放すことに同意するのである。この抽象的な個人主義が意味することは、自由主義者は「個人とコミュニティは対立する」と理解しているということであって、後で見るように、このことは、部分的には、責任、民主主義そして社会的権利に対する彼らの互いに矛盾する価値意識《アムビヴァレンス》を説明している。このような自由主義的想定に基づいたシチズンシップの含意するところは表3－1のように表現される。

　自由主義者が個人の自治を重視するのは、彼らがコミュニティの概念に疑問を抱いているからである。それは、コミュニティは個人に義務や責務を課すために彼や彼女の利己心を抑制したり否定したりするだろう、という恐れであって、古代アテネのポリスの全体論的《ホリスティック》アプローチときわめて対

表 3-1　自由主義シチズンシップの 10 の二元論

個人（Individual）	コミュニティ（Community）
行動（あるいは行動手段）（Agency）	構造（Structure）
私的領域（Private sphere）	公的領域（Public sphere）
市民としての男性（Men as citizen）	ケアする人としての女性（Women as carers）
市場を通じての自由（Freedom through the market）	政治を通じての平等（Equality through politics）
市場の権利（Market rights）	社会的権利（Social rights）
能動的市民（Active citizens）	受動的市民（Passive citizens）
権利（Rights）	責任/民主主義（Responsibility/democracy）
主権（Sovereignty）	人権（Human rights）
科学（Science）	自然（Nature）

照的である。ポリスにおいては、個人はコミュニティの外部でも意味のある存在である、などと考えるのは問題外であった。コミュニティのニーズと市民の利益は不可分だとみなされていたからである。古代の参加型シチズンシップ・モデルからインスピレーションを引き出した思想家たちは、自由主義が首尾一貫していないことを暴いてきた。社会主義者と共和主義者の両者は、ポリスを連想させる「濃厚なシチズンシップ概念」に引きつけられて、自由主義のシチズンシップを、効力を失った別の選択肢だと見ている。また自由主義の二元論的シチズンシップ・アプローチはフェミニスト、ポストモダニストそれにエコロジストからも批判されてきた。彼らや彼女らは自由主義の想定には人間関係や自然環境にとって有害な意味内容が含まれていることを見てとっているのである。

「個人とコミュニティ」という二分法と密接に関係する二分法は「行動と構造」というそれである。自由主義者は、個人は合理的かつ個々独立した行為者である、という想定から出発するので、人間の行為について行動を中心に説明していくことになる。すなわち、「われわれは、われわれが行う選択を通じてわれわれ自身の生活を決定していく」、と説明するのである。権利はこのような選択を促進してくれる、という訳である。だが、これには（自由主義者の想定が）権力を行使する能力（権能）をまったく一面的にしか理解していない、という問題がまといつく。自由主義の精神にとって、権能は意図に即して活用され、また明白な目的のために活用される個人の力量《キャパシティ》なのである。しかし、それは、人種・民族、階級それにジェンダーといった、権利を行使する能力に関わる社会構造が個人を束縛する制約の本質を無視している。階級制度や家父長制それに人種・民族差別と結びついている不平等は、社会に深く根を下ろしているのであって、シチズンシップの公式な諸権利がいくつかの集団にはどうして有効ではないのか、その理由を理解するのに決定的に重要である。権能の不平等が社会生活の構造に組み込まれるその実例、それ故にまた合理的な選択に還元させることができないその実例は、制度化された人種・民族差別の観念のなかに再現されていくのである。一九九三年に十代の黒人の若者スティーヴン・ローレンスがロンドンの南東部で白人の若者の暴力集団《ギャング》に殺害された。ロンドン警視庁傘下の警察署によるその後の捜査や取調べでは殺人者を裁判にかけて処罰することができなかったので、ローレンスの家族や公民権《シヴィル・ライト》活動家たちは警察の捜査や取調べをまったくの無能とみなした。そしてこの事件についての公開審問によって、この警察が「制度化された人種・民族差別」の罪を犯していたことが分かった。その審問報告書は、それが「エスニック・マイノリティに対し知らず知らずのうちに無意識につくりだされた偏見」であった、と明確に述べている（Johnston et al. 1999）。この特殊なケースは、権力構造がある人びとに基本的権利を与えなくても構わない、との滅多にない容認をしたという点できわめて異常なケースである。

このように、不平等がシチズンシップを実践させることになるのだが、その具体的な実践方法は、自由主義者が擁護する公―私の分割を考察することによって一層明確にされる。自由主義の理論においては市場の相互作用と個人の利益追求とが私的領域を特徴づけているのであって、市民権はこの私的領域を公的領域による干渉から保護するのである。それ故、自由主義者はもっとも強い調子で自由と財産の権利を正当化しようとする。例えば、ロック（1924）はこのような権利を「持って生まれた権利」であると論じた。そう論じることによってロックは、（女性ではなく）男性は誰も奪うことのできない、いかなる政治的権力も取り上げることのできない権利を所有するのだと言わんとしたのである。かくして公的領域は、個人の利益に奉仕し、また私人が相互に影響し合っていくために防衛と安全に務めるべし、とされたのである。だが、そこには自由主義と民主主義との必然的な結びつきはまったく見られない。何故なら、君主制の下であろうと民主主義の下であろうと、主権者が市民権を侵害しようとしない限り、主権者の支配《ルール》は正当であるとみなされるからである。しかしながら、十八世紀から十九世紀にかけて資本家階級の経済能力が増大するにつれて、中産階級《ブルジョアジー》は政治的権利もまた要求するようになり、このような要求がまず初めに財産所有者の間に広がっていった。彼ら財産所有者は政治的代議制を通じて国家をコントロールすることで彼らの所有権や財産の保護を監視しようとしたのである。

フェミニスト批評家はこの公―私の分割の外見的な中立性をペテンだと暴露した。事実、私的領域での「自由」は男女間のきわめて不平等な関係に基づいていたし、ほとんどすべての著名な自由主義批評家はシチズンシップについてジェンダー的見解を持っていた。例えば、ペインが人間に関わる唯一の自然的な不平等は男女という性別であると考えたのに対して、ロックは男性を彼の家族の「家長」だと考えた（Faulks 1998: 25-7）。マーシャルやグリーンのような社会自由主義者もまた、男女間の経験の重大な差異を無視するか、あるいはそのような差異を自然の理に合うように説明しようとするか、いずれかである。例えば、T・H・グリーンは一夫多妻の慣習を「妻の」権利の侵害として攻撃する。というのは、「その妻は、家庭における適正なステータスから排除されることによって、また、多かれ少なかれ、夫の快楽の単なる道具として使用されることによって、道徳的に貶《おとし》められてしまう」からである（Green 1986: 185, 傍点は引用者）。だが実は、グリーンは、一夫一婦制の結婚は女性の道徳性の必要条件である、と想定しているのである。その上で彼は男性を世帯の正当な権利を有する筆頭者だとみなすのであるから、家族における女性のステータスは、公的領域における女性のステータスと同じように、彼女の夫のステータスに本来的に従属するのである。そういう訳で、明らかなことは、女性はシチズンシップを行使する能力のある合理的な政治的行為者ではない、とグリーンはみなしているということである。このような家父長的な態度が自由主義に浸透して、前に言及した公―私の分割の中立性を滑稽なものにしてしまうのである。

ペイトマン（1988）は、自由主義について洞察力のある批判を展開して、古典的自由主義者が政治的権力の基礎を形づくるものとみなしている社会契約は、実際には、あらかじめ決められている性的契約の上に築かれる、と主張する。この文脈からすると――男性の権力の源は女性を抑圧する暴力なのであるから――契約という用語を使うのは幾分か誤解を招くことになるだろう。それ故、ここには女性のために契約に合意する意識などまったく存在しないのである。にもかかわらず、ペイトマンの主張は鋭い洞察に満ちている。自由主義においては、男性は政治的および経済的な行為者とみなされ、他方、女性は市民というよりもむしろケアラー（介護者）とみなされる。家父長的な態度は、政治思想の歴史にしばしば見られるのであるから、自由主義の伝統として止め置けないことは明らかである（Coole 1993）。しかしながら、このはなはだしい不平等は自由主義の原理をもってしてもまったく正当化されない。このことは――第一章で議論された――自由主義的平等論の決定的な重要性を浮き彫りにしている。こうして、自由主義の高邁な理念の展開をもってはじめて、家父長制やその他の抑制的な権力構造に対する異議申し立てがなされるようになる。ウォルビー（1990）は、私的家父長制から公的家父長制への移行についての議論でこの点を展開し、一部は国家の権限の拡大を通して、また一部は女性たち自身の苦闘によって、女性たちが――特に二十世紀において――どのようにして職場に大きく進出し、また政治的な諸制度にアクセスする権利を得てきたのかについて説明している。すなわち、一方で男性たちは、家父長制の私的システムの下での経済制度や政治制度のコントロールを通じて、また自らの家族の家長として生活のなかで女性たちをきわめて有効に支配していくのであるが、他方で公的家父長制の開始とともにシチズンシップの理想が女性たちにも及ぶようになっていくと、女性たちも独立した経済的および政治的な生活を育むための機会を拡げていったのである。二十世紀に女性の公的評価が疑いの余地なく高まったことから分かるように、それは現在かなりの前進を見せている。しかしながら、権限を有するもっとも重要なステータスに就いている女性は依然としてきわめて少数にすぎず、それ故、このような家父長制の形態の特徴を鮮明にしたところで何の意味もないし、むしろそうするのは誤りである。何故なら、ウォルビー自身の研究が明示しているように、女性が依然として重要な権利を欠いていること、そして今なお抑圧を被っていることは本当のことだからである。リスター（1997）が主張しているように、シチズンシップが女性にとってより大きな意味を持つためには、シチズンシップの平等主義の価値がどうすれば私的領域の個人関係にも適応されるようになるのか、また子どもや他の扶養家族へのケアの不平等で一方的な負担が女性の肩にかからないようにして、どうすれば女性が市民として十分に（社会的な）参加ができるよう諸資源を手に入れ、それらを利用できるようになるのか、という問題にわれわれは取り組まなければならないのである。しかし、決定的に重要な点は、自由主義の伝統の中心をなす平等という理想が女性の自立の機会を広げてくれる推進力を女性に与えることが不可欠である、ということこれである。

この公—私の分割は自由主義シチズンシップに対する社会主義的な批判にとってもまた重要である。マルクス（1994）の論評『ユダヤ人問題によせて』[1]は現在でもなお洞察力のある論評である。

この境界線を理解する鍵は、表3-1（八六頁を参照）の五番目の二元論、すなわち、平等と自由との関係についての自由主義の視点を考察することである。マルクスにとって、自由主義的平等論は重要ではあるが、しかし、不十分なのである。どうして不十分なのかと言えば、自由主義国家においては、個人は、市民として政治的に参加する場合にだけ公的領域において平等であるとみなされるからである。個人は、労働者としてあるいは資本家としての私的生活においては、自由主義者が繁栄を生み出し、資源を分配するもっとも有効な方法だと考えている「需要と供給の市場法則」に従うのである。だがマルクスには、そのような市場の相互作用が正式な権利の意義を蔑《ないがし》ろにする重大な不平等を生み出すのは必至である、と思われたのである。もし人びとが不安定雇用と搾取に服従するのであれば、あるいは景気循環の下降局面において失業の脅威に晒されるのであれば、市民権を有することは何を意味するのか。こうして、マルクスにとって、自由主義の形態を取ったシチズンシップは支配の真の根源を覆い隠す偽りの普遍主義を表現するものであった。

確かに、自由主義者たちは資源の分配を決める際に政治が果たすことのできる役割について懐疑的である。何故なら、彼らは、市場は個人の自由の真の保証人である、と考えるからである。したがって、市場経済の諸条件、とりわけ私有財産は市民権を通じて保護されなければならないのである。このことこそ、古典的自由主義者たちが市民権を自然権とみなし、市民権を国家の形成に先立つ存在として論じた理由なのである。実際、自由主義者は民主的意思決定の合法的な範囲を制限しようとする。J・S・ミル（1974: 62）のような急進的自由主義者でさえ、十九世紀でもなお一般大衆に政治的権利を拡大することに慎重であった。ミルは、大衆が私的領域の自由にさまざまな制限を押しつける「多数者の専制政治」の展開を恐れたのである。マーシャル（1992: 25）が強調しているように、「シチズンシップの政治的権利は、市民権と違って、資本主義制度にとって大きな潜在的危険性を包み持っていたのである」。

ハイエク（1944）のような新自由主義者は、政治的権利に対する敵愾心という点では、ミル以上に強烈である。ハイエクは、私的領域の不平等は免れ難いし、むしろ好ましいことでもある、と考えていたので、民主主義を、精々のところ、市場の力によって決定することができない生活の領分《エリア》に厳格に限定されるべき功利主義の装置であるとみなす。ノージック（1974）になるともっと先へ行ってしまう。すなわち、民主的なシチズンシップの行使を通じて社会的正義（公正）を追求するいかなる試みも市民権の侵害である、と。したがって、国家は、もっとも目立たないが実行可能な方法で安全を用立てる夜警として行動すればよいのである。国家はその市民の物質的な福祉に関与すべきではない。何故なら、国家が物質的な福祉に関与することは、市場によって最適に決定される資源の分配に国家が干渉することを必然的に意味することになるからである。

政治的権利は自由主義者の擁護する市場優位論への有力な異議申し立てであるが、同様にそれは、シチズンシップが市場の命令に対する有力な異議申し立てを行い始めた多くの自由主義国家での——二十世紀における——社会的権利の展開と軌を一にしていた。社会的権利には所得援助、国家資金による教育それに公衆衛生が含まれているのであるから、すなわち、社会的権利は、租税に基づく財政資金を基礎としているのであるから、市民権、特に財産権と緊張関係に置かれるのである。マーシャル（1992）は、福祉国家の創出によって主として制度化された社会的権利の展開は資本主義制度を大きく修正し、「市場の不平等」に関わる否定的側面のいくつかを相殺する可能性を潜在的に有していると考えた。このことこそ、マーシャルの社会自由主義がシチズンシップへ向かう一つのステップであるとみなされる理由なのである。マーシャルは、古典的自由主義者と違って、資本主義がシチズンシップに及ぼす影響は限定されている、と見分けることができた。しかしながら、マーシャルは、すべての自由主義者と同じように、市場経済の確たる擁護者でもあるし、後の著書のなかで社会的権利は市民権によって象徴される価値ある自由を損ねることになってしまった、との見解を述べるに至っている（Rees 1995）。マーシャルは、このような所見をもって、異なる性質の諸権利間に見られる本来的な緊張状態に関わる自由主義の共通テーマに言及している。しかしながら、広範囲に及ぶ社会的権利なしに、市民権を具体的なものとみなしたり、また市民権は有意義な存在となり得るのだと想定したりすることは、シチズンシップを稀薄化させ脆弱化させることになる。したがって、問題は、自由主義においては市民権と社会的権利は非常に異なる性質の権利であると理解されていることである。

第一に、市民権は自然なもの、個人を干渉から守るものとみなされている。自由主義の伝統においては、市民権は、決して譲り渡すことのできない権利だとみなされているのであるから、ある意味で政治以前の権利なのである。実際のところ、市民権の目的のすべては、個人の基本的自由を守るために――例えば私有財産制の廃止を決定するかもしれない――政治的意思決定の潜在的な重要性にダメージを与えないようにすることである。それとは対照的に、社会的権利は経済的自由に制限を加えることから、国家の権限を強めるとみなされる。第二に、社会的権利はリソース（資源・資金）に左右される「リソース依存型」とみなされるが、市民権はそうではない。したがって、社会的権利は経済的リセッションの時期には脆弱になりやすい。第三に、新自由主義者にとって、市民権は、それが自治と自由を創り出すのであるから、その有効性という点で本来的に肯定できるものであるのに対し、他方の社会的権利は「依存の文化」をもたらして、自由主義国家の生存に欠くことのできない個人のイノヴェーションとイニシアティヴの意識を挫《くじ》いてしまうかもしれないのである。社会的権利に関わるこのようなすべての潜在的な問題のために、イギリスやアメリカ合衆国といった国々においては一九八〇年代と九〇年代の新自由主義政府が――経済効率と人びとの市民的自由の向上という美名のもとに――社会的権利を後退させるにまかせてしまった。資本主義制度が一九七〇年代以降経験してきた諸問題は、社会的権利に関わる経費の増加とそれに結びついた「市場の自由」を抑制する官僚的で非効率な国家の拡張とによるものだとされてしまったのである。

しかしながら、われわれは新自由主義者の主張を額面通りに受け入れることに用心しなければならない。人びとの市民権を――直接税率を引き下げることにより、公的サービスに市場改革を導入することにより、そして労働市場の規制を撤廃することによって――改めて主張し直すよう求める新自由主義者の言い分はそう長続きするものではない。新自由主義政府がシチズンシップを高めずにおこうとしてきたさまざまなやり方を詳細に述べることは本書の範囲を超え出ているが、それでも、非常に明瞭な次のことは述べておかなければならない。それは、新自由主義者が主張するような権利は「市場の権利」と呼ばれるのがピッタリしている、ということである。この用語を市民権に置き換えると、さまざまな種類の権利の間に存在する――と自由主義者が考える――二元論をより身近に理解することができる。十八世紀に展開されるようになった「市場の権利」は資本主義経済を維持するのに必要ないくつかの権利から成っているのであるが、そのなかでももっとも重要な「市場の権利」は「財産の権利」である。市場の権利には――人びとが適当と思うような仕方で――富を蓄積したり、使ったりする権利、商業の世界で利己心を主張する権利それに幅広い範囲からサービスの供給者を選ぶ権利も含まれる。そして決定的に重要なことは、社会的権利だけでなく市民権をも犠牲にして市場の権利がしばしば主張されてきた、ということである。例えば、労働組合は、十九世紀まで、多くの自由主義国家では禁止あるいは抑圧されてきた。異議申し立てや言論の自由といった他の基本的市民権は、台頭してきた資本主義の発展を脅かすいかなるものも取り除こうとする国家によって無慈悲にも反対されてきた。同じように、一九八〇年代から九〇年代にかけての「新自由主義の実験」においても、シチズンシップの市場化が警察権力の強化や、言論の自由とアソシエーションそれに異議申し立てなどの基本的権利に対する制約を伴って進められた。例えばイギリスでは、一九七九年から九七年にかけての（保守党の）サッチャー政府とメイジャー政府は市民のためのシチズンシップに否定的な影響を及ぼした一連の法律を成立させている

(Faulks 1998を参照)。新自由主義政府の皮肉な結果は、国家に対する理論的な敵意にもかかわらず、とりわけイギリスとアメリカの両国では国家が実際には権力を増強してきたことである。しかし、政治的権利についての新自由主義政府の懐疑論の故に、民主主義に基づいた国家の説明責任《アカウンタビリティ》はほとんどなされないままである。例えばイギリスでは、以前は民主的な選挙によって選ばれた団体や組織によってなされてきた多くの意思決定が、選挙で選ばれたのではない政府任命の特殊法人に委ねられてしまった。私がここで述べている主たる論点は、市民権と社会的権利との間には避け難い対立はまったくない、ということである。むしろ「市場の権利」を主張することが、自由主義シチズンシップの平等主義的要素の具現化を妨げるのである。また、もしシチズンシップのための物質的基礎を社会的権利が備え持っていないのであれば、政治的権利でさえもその重要性を大きく侵食され傷つけられてしまうのである。もっと言えば、社会的権利を弱体化させようとするものは市民権をもまた同じように弱体化させるのである。

新自由主義政府の経験はまた、「市民的《シヴィル》」権利(市民権)と社会的権利の差異についての自由主義的思考の緊張関係も露にする。われわれは、市民権は費用がかからないのに、社会的権利はある程度の費用がかかるのはどうしてなのかを見てきた。しかし、実際には、国家は市民権を守るために歳入のかなりの部分を国防や警備に費やしているのであって、その額は社会的な支出よりもずっと多いのである。レイモンド・プラーント(1992: 7, 21)も、すべての権利は政治的プランニングとそれらの権利に充当される諸資源とを必要とする、と主張して、同じような考えを述べている。

市民権も社会的権利もともに生得的な権利ではないのであるから、一方の権利を軽視して他方の権利を重視することがあれば、それはイデオロギー的に決定されるのである。その上、あらゆる種類の権利の本質と内容は絶えず正当性を疑われるのである。

そこでジェンダーを例にとって考えてみよう。多くの市民権が公正と平等のために再評価されるようになったのはフェミニストのキャンペーンなしには考えられない。例えば、妻の意思に反して夫が妻に性行為を強要する「妻に対する夫の性的権利」が否定されたのはイギリスでは一九九二年からにすぎない。このことは、われわれが擁護すべきいかなる種類の権利に関わる問題もきわめて政治的な問題である、とのことを意味している。そしてそれは、市民のシチズンシップについて自由主義者が描く自然的欲望思考的行動の想定に真っ向から対立する論点なのである。

市場の権利を重視し、不平等それに強圧的国家を承認する新自由主義が近年人びとの間で受け入れられてきたことによるもう一つの遺物は、市民が積極的市民と消極的市民に次第に分裂してきていることである。このような分裂は、少なくとも潜在的には自由主義の伝統のなかに常に存在している。それは、ある程度まで、男性を社会的に活動する人間とみなし、女性を男性と子どもたちをケアする人間とみなすジェンダーを当然視する自由主義思想によるものである。かくして、シチズンシップについての初期自由主義による説明が財産とシチズンシップの関係をもまた明らかにしてくれる。例えば、ロックは、ある人間をコミュニティの慣行や制度や価値に対して責任を負う「社会の利害関係者」にするものは財産所有権である、と確信していた。自由主義者たちもまた、社会構造が個人の行動に及ぼす影響を軽視してきたために、貧民に対ししばしば厳しい態度をとってきた。例えば、J・S・ミルは救貧院《ワークハウス》のヴィクトリア時代の慣行を擁護したのであるが、それは、貧民を窮状から救い出すのに必要なのは社会的権利よりもむしろ強い圧力である、とミルが考えたからである（Bellamy 1992: 30）。新自由主義においてもまた、財産とシチズンシップを結びつけたり、権能の不平等の複雑さを正しく認識できなかったりしたことは明らかである。イギリスのサッチャー政権下では、活動的で積極的な市民は他の人たちと異なる消費の選好、人目を引く消費という「市場の権利」を主張することができる市民とみなされてきた。実際のところ、保守党政府の政策の多くは多くの人たちに「市場の権利」を促したのである。例えば、公営住宅販売政策は多くの人たちに不動産市場に参入する機会を与えた。だがそれはシチズンシップの商品化であり、社会的な分裂を一層拡大してしまった（Faulks 1998: 144-71）。物質的な不平等がサッチャー政権下において急速に広がり、その上、この新しい機会を利用できなかった人たちは「仕事嫌い《ワークシャイ》」とのレッテルを貼られてしまった。すなわち、彼らや彼女らは国家に頼って生活する「下層階級《アンダークラス》」(2) とみなされたのである。

このような社会的排除の言葉はまた国籍についての論説とも密接に結びついていた。保守党政府は、人びとを分け隔てする政策によって広がった社会的混乱を結果的に人種や民族の偏見と結びつけてしまった。マーガレット・サッチャーは、「異質の文化」が流れ込んできたために「イギリス的」価値が破壊されてしまったのだ、と非難した（Faulks 1998: 164）。新自由主義者が理解しようとしなかった要点は、必要な資源や資力なしに人びとはしばしば自らの諸権利を行使することができない、ということである。一九八八年のキャンペーンでサッチャー主義者がシチズンシップの能動的な長所や効力を褒めそやしたのに、政府によって削られてしまった給付金を必要としていた多くの人たちから積極的な反応をほとんど得られなかったのはこの点にある。女性たち、貧しい人たち、それにエスニック・マイノリティの人たちは、自らの社会的権利を薄められてしまうことにもっとも無防備であるし、また自分たち自身と家族の生活、それに地域コミュニティに大きな責任を負わなければならないとの政府の要請に応じるのには必要な資源や資力を欠いてしまっているのである。

このことはまた、新自由主義が支配していた他の諸国にも当てはまる。オコナー（1998）は、アメリカ合衆国の連邦福祉予算削減の試みを分析して、レーガン大統領が在任中にどのようにして社会的権利を悪者扱いしたのか、そのやり方を明らかにしている。すなわち、一方で税率の引き上げは市場の権利に有害な影響を及ぼすと言い立てて、他方でその税率の引き上げと社会的シチズンシップ（以下、ソーシャル・シチズンシップと表記）を関連させることで社会的権利を悪者扱いにする、というやり方である。共和主義者たちもまた、アメリカの不平等の根本原因は貧困ではなく、生活保護への依存である、と主張した。そして生活保護手当とジェンダーや人種・民族がまたしても結びつけられてしまったのである。生活保護は、不合理を助長し、一家の稼ぎ手である男性の伝統的役割を壊してしまい、やがて伝統的家族を蝕んでしまうとみなされてしまったために、エスニック・マイノリティが市場の権利を行使することも貧しさから苦労して抜け出すことも妨げられてしまった、と批判されたのである。オコナー（*ibid*.: 55）が述べているように、イギリスのサッチャー政府と同じように、「ホワイトハウスもまた、貧困についての道徳主義的見解を示し続けるために、貧困にまつわる固定観念を利用しただけでなく、その固定観念を過度に一般化したのである」。

これまで私が確認してきた二元論は、自由主義者がその強調点を責任よりもむしろ権利に置いてきた理由を説明するのに大いに役立つであろう。個人の利益と比較的広い範囲にわたるコミュニティのニーズとの間に潜在的な対立が存在することを看取した自由主義者は、義務的責任の数量を最少にしておくだけでなく、その範囲や重大さも最小にしておくべきだと要求するのであるが、そう要求するのはその潜在的な対立を反映してのことである。確かに、新自由主義を信奉する政治家は、責任の必要性について口にはしてきたけれど、それは何よりも市場の権利と自己責任を主張するためである。新自由主義者はシチズンシップの責任に伴ってなされる政治的に積極的な行動主義を胡《う》散臭《さんくさ》いと思っているのであるから、新自由主義者が主張する責任はシチズンシップとほとんど関係がないのである。自由主義思想におけるこのような「権利の特権化」は「シチズンシップの方程式」の一方の辺、すなわち、「責任」に強調点を置く人たちから本質的な批判を引き出してきた。そこで私は、次節で、これらの批判の論拠を探り出すだろう。しかしながら、表3-1にはなお言及すべき二つの二元論が見られるので、それらについては、「シチズンシップにとってのグローバリゼーション」の意味が考察される第六章において論じることにする。それでもここで、「主権と人権」の緊張関係と「科学と自然」の緊張関係の双方がシチズンシップの議論において次第に重要になりつつあることを簡潔に付言しておく。すなわち、第一に、グローバリゼーションは一方の「排他的な状態」と他方の「平等な権利」に対する「自由主義の責務」の矛盾を露にしつつある、ということである。第二に、「科学的業績」によって象徴化された自由主義による合理主義の擁護は、すべての人びとのもっとも基本的な福祉的権利、すなわち、健康的で持続可能な環境保護《エコロジー》の権利が脅威にさらされるようになる、ということである。したがって、このことは、近い将来、「社会的責任」の問題に関して、自由主義の概念よりもシチズンシップの概念が重視される必要があることを示唆しているのである。だがこのことは、ただ環境についてだけ当てはまるのではない。自由主義が市民の義務と責務を総じて軽視していると批判されてきたのは、まさに正しかったのである。

2　シチズンシップの責任論

近年、自由主義者がシチズンシップの責任履行能力を無視あるいは軽視していることに対して鋭い反発が起こっている。とりわけ社会保守主義者やコミュニタリアンは、権利の過度の集中は「シチズンシップの質」にとって有害である、と強く主張している。彼らにとって、個人的権利は、さまざまな権利が基礎を置いている政治的コミュニティを維持するのにほとんど何の役にも立たない守勢型の弱々しいシチズンシップを助長するにすぎないのである。ダニエル・ベル（1976: 248–9）もまた、彼が「現代社会の矛盾したプロセス」とみなしているものと結びついたシチズンシップの危機を明らかにしている。すなわち、

西側社会が直面している経済的ジレンマは、われわれが俗物的欲求を是としてきた事実の結果である。この俗物的欲求は、道徳的見地に立とうが税を課せられようが、欲深さを抑えることに抵抗するのである。民主主義国家の市民は――次第しだいに、そしてもっともなことだが――より多くの社会サービスを受給権として要求する。個人主義のエトスは、精々のところ、「人間《パーソン》の自由」の理念を擁護するにすぎず、また最悪の場合でも、共同社会が必要とする社会的責任や社会的犠牲行為から巧く逃げるにすぎない。要するに、われわれは、私的な対立を解決してくれる家庭生活の公共的側面あるいは人生観における公共的側面に対し規範的な責任を何ら負わないのである。

この一節は自由主義の危機に関わるかなり多くの課題を表現している。自由主義という名の個人主義は、民主主義やシチズンシップに対して自分本位の態度や道具主義的な態度を助長してきたのであって、民主主義やシチズンシップを共同生活の表現としてみなすのではなく、自己の利益を促す方法としてみなすのである。権利は大いに要求するが、責任はまったく受け入れないのである。

自由《リバティ》が勝手気ままさに変異してしまうのである。

社会保守主義者にとってシチズンシップを回復させる方法は、「社会サービスの受給権」を「義務や責務の遂行」に従属させて「権利と責任」を再結合する、というものである。例えば、セルボーン（1994: 61）は、平等な権利は、その功罪に関係なく、「市民的秩序全体の安寧に役立たない」「誤った平等」である、と主張している。こうした主張は、社会的権利に主たる問題があるかのようにみなす社会保守主義的な批判にしばしば見られる。セルボーンにとって、政治的権利と社会的権利を結びつけることは参加を奉仕《サービス》と結びつけて考える意識を稀薄化させてしまうことであり、また社会的権利は市民ではなく従属的な臣民を生み出してしまい、道徳的規律を支える市民的徳行という倫理的価値を無効にしてしまうのである。さらに彼にとって、政治的権利は付随的でも不確定的でもないのに対し、国家による福祉は付随的でありかつ不確定的でもあるのだ。政治的権利は、コミュニティが基礎を置いている国民主権の表現であって、その意味で、現代国家にとっては内在的、本質的な権利なのである。それに対して、社会給付は義務の功績と遂行とに明確に連動しなければならないのである。ミード（1986）にとってこのことは、福祉は厳格な条件の下でのみ給付されなければならないことを意味する。すなわち、ミードは、社会的権利は社会給付の見返りに――国家によって保証された労働・仕事である――社会奉仕や職業訓練を受給者が受け入れて実行するかどうか次第だとする、一種の「雇用を通じた福祉《ワークフェア》」(3)を主張しているのである。またヒメルファーブ（1995）とエツィオーニ（1995）の両者がともに社会の慣習や制度の重要性、特に家族の重要性を強調するのは、それらが社会的責任を遂行するのに必要とされる価値を持続させるからである。エツィオーニ（*ibid*.: 55）は、「不十分な子育て」こそ、若者が特に社会に対する義務の意識を内面化して自分のものにしていくことができない理由を明らかにしてくれる決定的な要因だとみなしている。したがって、この解決策は、道徳的行為のための法的規定を設けること、結婚を奨励して離婚を思いとどまらせる社会政策を実行することなのである。

それでも、これらの思想家たちは、ある程度正しく、自由主義の観点から権利を強調することに問題があることに気づいている。個人とコミュニティとの関係や結びつきについても自由主義を前提とするために、「責任」を、自治の条件とみなすのではなく、自由《リバティ》の侵害とみなす傾向が生まれ易くなり、また権利が当然視されるようになると、すべての権利と責任は政治的コミュニティによって可能になるのだ、という事実が見えなくなってしまう。したがって、社会秩序や社会の規律に対する権利の重要性を考察することなしに、権利は絶対的なものだと主張されてしまうのはきわめて危険なことなのである。換言すれば、われわれは、われわれの権利を維持するために、コミュニティを支え、持続させる責任を進んで引き受けなければならないのである。しかしながら、保守主義者とコミュニタリアンが提示する解決策には重大な問題がいくつか見られる。

より大きな社会的責任を主張する人たちには、現代社会を文化的な観点から批評するだけで、シチズンシップの経済的および政治的な基礎を無視する傾向が見られる。例えば、シチズンシップの危機が道徳的堕落や品行の退廃のせいにされてしまうのである。またヒメルファーブ（1995）とべル（1976）が「規範なき」社会の展開を説明する際に一九六〇年代こそ「鍵となる十年」だと見ていることに言及しておくと、彼らは、人間の物欲的性格を一方的に偏らせないように巧くバランスを保ってきた伝統的価値を蝕んでしまったのは、その「鍵となる十年」の間に展開されたニヒリズムの「性の革命」や「性の文化」である、と論じている。逆説的な言い方をすれば、かつては人に信頼されかつ責任履行能力のある市民が慈善事業や慈善行為を通じて実際に担ってきた機能の多くが福祉国家に引き継がれたように、個人の自由気ままな行動に対しては共同主義《コレクティヴィズム》が必ずや寄り添って来る、ということである。だが、ここで問題なのは、社会保守主義者は、自由主義シチズンシップが抱える問題の徴候を認定するや、その徴候こそ問題の基本的な原因だとみなしてしまうことである。社会保守主義者は、彼らが批判する自由主義者と同じように、人間の行動について単純で割り切った考え方をするので、権利を行使する能力の不平等が現に果たしている役割についても控え目な言い方をしてしまう。それ故、彼らは、社会に対する義務や責務の意識が欠けていることの問題をより広い範囲に及ぶ社会的な問題の一つの側面であるとみなすのではなく、個人としての弱点や欠点の問題だとみなし、したがってまた、シチズンシップの遂行を妨げている本当の障害物である制度や機関や機構――主に排他的な国家や市場の不平等――を無批判的に受け入れるのである。このことは、自由主義者が主張する抽象的個人主義の代わりに、多くの保守主義者やコミュニタリアンも同じように抽象的な「コミュニティのビジョン」を主張する、とのことを意味する。このような誤った判断は、この問題の根本に手をつけないままさらなる不平等を生みだすような政策を先導してしまうだけである。自由主義評論家の多くが権利の縮小あるいは少なくとも新しい権利の創出の停止を擁護しているという事実は、特に自分たちの権利がなお一層実現されることを求めている弱い立場の人たちにとっての自由に対する脅威なのである。コミュニタリアンや保守主義者が提示する「解決策」の多くは、例えば、女性たちによってなされる女性解放に向けての積極的な取り組みをいくつも無効にしてしまう危険があるし、また伝統的な家族構造への回帰もケアラー（介護者）としての女性と活動的で積極的な市民としての男性という分裂を再現する恐れもある。さらにこの回帰は、西側諸国においてさえその市民権が依然として確かなものではない、同性愛者のような性的マイノリティを非難する危険を冒すことにもなりかねない。このような政策的な処方箋は、覆されることはまずありそうもないとはいえ、それでもジェンダー関係や家族構造の性質を基本的に変えてきた社会変革に公然と反抗することになるのである。

ミードが主張するように、社会的権利を労働・仕事に従属させることは、一九八〇年代以降の西側社会における大量失業が個人の選り好みのためでも生活保護手当の産物のためでもない、という事実を無視することでもある。むしろ雇用不安、就労不安を増幅させたのは資本主義に特有な構造的変化によるためである。とりわけアメリカ合衆国やイギリスの労働市場は、多くの長期失業者だけでなく、パートタイム労働者や臨時雇用労働者の増加によっても特徴づけられているのであるから、問題は、社会的権利が雇用を通じた年金拠出制度と強く関連している限り、「市場の力」の予想もつかない変化によって社会的権利が左右されてしまうことであり、またその結果、社会的権利がシチズンシップに不安定な基盤を与えてしまう、ということである。したがって、生活保護手当や失業手当を攻撃対象としたり、取り上げてしまえと迫ったりすることでそれらの手当を請求する人たちを強く非難したところで、社会的排除に直面している人たちがコミュニティに対する責任意識を高めるかと言えば、そうはならないのである。一九八〇年代の「新自由主義革命」は、不平等の拡大がシチズンシップとコミュニティを構築していくための基礎にならないことを明らかにしている。実際のところ、多くの保守主義者やコミュニタリアンの「自由市場資本主義」の擁護論は、彼らが強く主張する「コミュニティに対する責任」と矛盾するのである。現実には、短期的な利益や社会的諸関係の商品化を重視する資本主義は、保守主義者やコミュニタリアンが擁護するような義務や責務を促進することができないのである。

コミュニタリアンが国家を無批判的に受け入れてからは、「コミュニティ」のニーズを主張することは、「共通の利益《コモン・グッド》」という美名の下に特権的なマジョリティの利益をかえって助長してしまうのでは、との危惧も生じている。またクロウジャー（1975）のような保守主義者がそうであるように、シチズンシップについての問題を「行き過ぎた民主主義」に帰してしまうことも誤りである。実際は、逆もまた真なり、である。さまざまな権利を左右してきた政府のエリート主義構造は、シチズンシップの明確な特徴である高いレベルの政治的参加を促進することができないでいる。マーシャル（1992）が擁護する社会的権利の弱点の一つは、社会的権利が主にエリートたちの「妥協の産物」であったし、中央集権的かつ非民主的な国家に左右された、ということであった。

それでは、われわれは、責任を促すことができないような「権利に基礎を置くシチズンシップ」を選ぶのか、それとも弱い立場の人たちの権利を削り取ってしまうような「責任の重視」を選ぶのか、という選択に煩わされ続けるのであろうか。

この問題を乗り越える唯一の方法は、シチズンシップに基づく全体論的《ホリスティック》アプローチを実行することであり、また権利と責任を、本質的に対立するものとしてではなく、相互に支え合い、相補い合うものとして捉えること、これである。そしてそのことは、権利と責任が実践される文脈を受けてシチズンシップの中身を探究することを意味しているのである。

3　誤った二分法を超えて——全体論的な視点からシチズンシップを捉える必要性

この最後の節で私は、自由主義者がシチズンシップのなかに見いだした二つの基本的な緊張関係に再び論及したいと思う。一つは「権利と責任」との間の緊張関係であり、もう一つは「市民権と社会的権利」との間のそれである。この問題を考察することで私は、シチズンシップの全体論的アプローチがどうして必要とされるのか、その理由を明示するであろう。

自由主義者は、正しくも、権利がシチズンシップの意識を高めていくのに果たす役割の重要性を認めている。権利はガバナンスの問題、すなわち、公正な資源分配や社会の秩序・規律の維持といった問題を成功裡に解決するのに決定的に重要である。この「権利の重要性」とは、権利こそ政治的行動の延長線上にあること、また権利こそ敬意をもって個人を思いやるのに値するものだと明確に理解すること、これである。権利は、正義（公正）の原則に従って、またコミュニティの各メンバーのステータスは平等であるという認識に従って、資源を分配する一つの方法として測り知れない価値を有しているのである。さらに加えて、権利には社会的な安定を持続させるのに果たすべき重要な役割がある。

人間は多様でありまた創造的であるのだから、人と人との対立は避けることができない。だがこの対立は、しばしば非常に生産的であって、しかも必ずしも暴力行為を伴うものではない。実際、シチズンシップがその一部を成している政治のまさにその目的は、妥協や歩み寄りを通じて紛争や争議を解決することである。権利が社会的な対立を解決するのに重要な役割を果たすのは、個人は一人ひとりが最大の尊敬を払われなければならず、他者の目的のための単なる手段だとみなされてはならない、ということを権利が人びとをして想い起こさせるからである。これによって、権利は――私が第二章で論じた――「共和主義の神話」から人びとを守る防壁となってくれるのである。この神話の最初の唱道者は、言うまでもなく、ルソーである。彼は、個人の利益とコミュニティの利益を一体化させることによって、個人の権利を無力化させることを事実上擁護したのである。例えば、「強いられた自由」の必要性を説いたルソーの不名誉な言明や国家に近寄り難い神聖な雰囲気を与えた市民信仰についての彼の擁護論は、個人の自治権を侵害していくための方法なのである。それ故、ルソーの共和主義の立派な経歴や権威を考慮するならば、ルソーのシチズンシップ論が抱えている問題の多くが、彼が明確にしている自由主義の前提のなかに見て取ることができるのは驚くべきことなのである。ルソーは、ホッブズやロックと同じように、政治的コミュニティが形成されなければならない理由を説明するために「社会契約」という概念を採り入れたのであるが、それは、このコミュニティがどんなに必要であっても、個人は「未開の状態」の自由を放棄することによってその無責任《イノセンス》さもまた捨て去るのだ、と彼が固く信じて疑わなかったからである。こうして、ルソーは、その共和主義的な主張にもかかわらず、コミュニティは個人を堕落させる、と考えたのである。ルソーが結果的に権威主義的国家になっていくものを擁護するようになるのは、男性であれ女性であれ自分の将来を民主的に決定する個人の能力を彼が信用しなかったためである。社会のルールは立法者という人間の「優れた思考力」によって決定されなければならない、とのルソーの主張は民主主義的な意志を完全に信用することができないでいる彼の躊躇《ためら》いや不本意さを言い表しているのである（Rousseau 1968: 84）。

残念なことに、ルソーをインスピレーションとして引き合いに出しておきながら、なるべくそうしたことの責任を負わないようにするために、自由主義批判に「防御の手段」を与えてくれる――ルソーが好んだ――「逆説的専門用語」を借用する現代の共和主義者もまた「個人の自由」を犠牲にすることを知るようになるだろう。例えば、オールドフィールドは、市民（住民）とよそ者（新来者）との区別の必要性を擁護して、「人は誰でも、市民であるためには、必ずしもすべての人を同じ人間とみなすとは限らない」とか、市民がその本心の自己表現として「市民的徳行」を「日々の生活において恥じをかいても、規律に服させられても、また時には力ずくでも実行する」ことが必要になるかもしれない（Oldfield 1990: 8, 47）とか言っているが、しかし、仮にわれわれが自由主義や共和主義の洞察力や識見を甘んじて認めるにしても、このような言葉使いを避けることは決定的に重要である。

われわれはまた、似非《えせ》宗教用語を並べ立ててシチズンシップを語ったり、国家を倫理的に卓越した実体として理論化したりすることも避けなければならない。マルクスが――政治論に問題があるにもかかわらず――果たしたシチズンシップ論への大きな貢献は、国家の物質的な基礎を明らかにしたことである。マルクスは、その点で、ヘーゲル、グリーンそれにルソーのような著述家による国家の神秘化と対照をなしている。国家は、ヘーゲルが考えたような倫理的生活のシンボルではまったくなく、特定の利害を代表しているし、またその権威の基礎を強制力《フォース》に置いている具体的制度なのである。自由主義シチズンシップに対するマルクスの批判の重要性は、自由主義国家の権利が誤った普遍主義を強調する理由を明らかにする口火を切ったことである。トマス（1984）が正しくも言及しているように、マルクスが自由主義の形をとったシチズンシップを拒否する主要な理由の一つは、それが本質的に宗教的概念であった、ということである。シチズンシップは、自由主義国家においては、新たな「人民のアヘン」になってしまうのである。トマスは排他的国家に集中して見られるシチズンシップの性質を説明するのに「疎外された政治」という言葉を使う。彼は、現代国家を「人びとの共同参加能力の発現に基礎を置くのではなく、その能力からの疎外に基礎を置く、模造された見せかけの普遍性」と定義する（*ibid.*: 133）。この定義こそ、国家とその国家が保護する市場条件とを批判しないコミュニタリアニズムは、帰するところ、望ましい行為の「おねだりリスト」にすぎないのだ、と言われる理由なのである。シチズンシップが自由主義社会では適切な義務や責務を人びとの間に生みだすことができないのは文化的あるいは道徳的な堕落のためではなく、むしろそれは資本主義国家の政治的怠慢のためなのである。オールドフィールド（1990）が主張するように、自由主義の理論はほとんど常に市民的徳行を自由に対する脅威とみなしたり、自己実現というよりもむしろ自己否定とみなしたりするのである。実はこれは、マルクスも論じている点である。すなわち、共同的本性としての自己疎外は、責任の遂行に起因するのではなく、資本主義国家の排他性に起因するのである、と。

マルクスは、『ユダヤ人問題によせて』を書き終えた後はシチズンシップについてほとんど言及しなかったが、それでも共産主義社会においては互恵主義や平等といったシチズンシップの積極的な価値の多くが存在するだろう、と想定していたし、私有財産制の廃止と国家の消滅に伴って、搾取と疎外の基礎が取り除かれ、シチズンシップに対するバリアーが一掃されるだろう、と考えていた。マルクスは、共産主義社会がどのようにして――自由主義社会におけるような原子化された個人間の競争の社会ではなく――協同の社会となっていくかについて説明するために、「各人はその能力に応じて（から）、各人はその必要に応じて（へ）」という言葉を用いた（Giddens 1994: 56）。マルクスはまた、『共産党宣言』のなかで各人の自由な発展こそ万人の自由な発展の条件であると主張して、市民の相互依存的本性を確認している。(4) しかし、これは自由主義的権利についてのマルクスの見解と対照的である。マルクスは、自由主義的権利によって個々人は他者のなかに「自由の実現」ではなく「自由の限界」を見るようになるのだ、と考えていたのである。その意味で、マルクスは、エツィオーニのような現代の著述家たち以上に、シチズンシップについて支持することのできるコミュニタリアン的見解を提示しているのである。何故なら、マルクスは、資本主義国家を織り成している諸要素が共同生活の一つの表現としてのシチズンシップの意義を無力にしてしまう道筋を理解するために、シチズンシップの出現のさらに先を読み込んでいるからである。このことこそ、ベルンシュタイン（1991: 110）が、マルクスは権利それ自体に反対したのではなく、自由主義的権利が社会的参加と政治的参加に課したさまざまな制限に反対したにすぎないのだ、とみなした理由なのである。ベルンシュタインはこう述べている。

国家と市民社会の二元性の克服を示唆するマルクスの結論がどうして権利の克服を勧告していると組み立てられていると言えるのか。そうではなく、個人としての人間が抽象的市民から本来の自分に戻ろうとする理念はむしろ、個人としての人間に現在の政治的コミュニティを特徴づけている属性を市民社会の世界に受け入れるよう暗示しているのである。……市民の権利を社会全体に広げることとは、権利とは全体としての社会生活に参加する権利である、とのことを理解することなのである。

ここには確かに真理の要素がある。政治的シチズンシップが意味を持つためにはその影響力が市民社会に広く及ばなければならない、とマルクスが考えていたと主張することは、彼の初期の著作からすると妥当な解釈であるが、しかし同時に、われわれは、マルクスが——特に彼のその後の著作では——共和主義の神話について彼固有の解釈を前提としていた事実を看過してはならない。マルクスは、資本主義の悪徳から共産主義の徳行へ向けて社会を変革するための手段としてプロレタリア（無産）階級をロマンティックに描いたために、暴力を用いて社会の一部（資本家階級《ブルジョアジー》）を押し潰そうとするどんな革命的な行動も失敗する運命にあることに気を配らなかったのである。マルクスはシチズンシップの変革的な力を過小評価し、その代わりに歴史の目的論的な力を信頼していたので、彼の理論には反《アンチ》政治的（あるいは権威主義的）な側面が内包されていたのである。マルクスが政治的行動を十分に強調しない嫌いがあったのはそのためである。彼は、国家が消滅した共産主義においてさえ——シチズンシップが解決しようと努める——ガバナンスの諸問題が存続するかもしれないとは考えなかった。だが実は、ポスト資本主義社会はシチズンシップなしで済ますことができないのである。実際の共産主義政体が例外なく自由主義社会の国家よりも強力な国家でさえあったことは皮肉なことである。ソビエト連邦は憲法上は権利に対する責任を負っていたかもしれないが、しかし、その権利は温情主義的であって、どんな有意味な参加システムとも無関係であった。その意味で、共産主義社会は、民主的シチズンシップを服従的な性質のものに作り替えてしまったのであるから、ポスト自由主義的社会というよりもむしろプレ自由主義的社会であったのである。

それにもかかわらず、マルクスの自由主義批判は、シチズンシップにつきものである——と自由主義が理解している——誤った二元論を見抜く重要な識見を依然としてわれわれに示してくれている。このことは、「権利と責任」の関係に当てはまるだけでなく、自由主義者がさまざまな種類の権利の間に見る対立についてもまた当てはまる。既に述べたように、市民権と社会的権利の間にはどんな避け難い対立も存在しない。そうであっても、ある種の市民的自由がソーシャル・シチズンシップと対立するように思われるのは、われわれが国家の不可避性と政治に対する市場の優位性について自由主義的な前提を受け入れてしまうからである。私が主張してきたように、「市民権」を「市場の権利」という言葉に置き換えてみれば、経済的な支配力に対して政治的に干渉することに自由主義が不信感を覚えるような緊張関係の根元《ルーツ》をもっとよく理解することができるのである。

しかしながら、「市場の権利」の神聖さはいくつもの神話に基づいているのである。第一に、そのような権利は政治的権利ではなく自然権である、という神話である。だが、この神話は注意深い吟味にまったく耐えられない。ロックにとって自然権は神の贈り物であったのだから、もしわれわれが（需給均衡の）方程式から至高の存在たる神を取り出すのであれば、市場の権利は社会的権利ほどには政治的コミュニティの裁可に左右されない、とのことを想定する理由はまったくないのである。第二に、自由市場という考えそのものが錯覚に基づいているのである。歴史上のいかなる経済も政治的枠組みの範囲を超えて活動したことはなかったのであり、そのことは近・現代の資本主義も例外でなく、むしろ近・現代の資本主義の発展は国民国家の建設と密接に関係していたのである。日本やドイツがそうであったように、多くの場合、資本主義は主に国家によって確立されたのである。したがって、経済優先かそれとも政治優先かのバランスの問題は程度の問題なのである。それ故、経済の領域にどのくらいの規制が課せられるかは政治の問題であるのだから、既に言及したように、市民権はどの権利とも同じように資源や財源を必要とするのである。第三に、自由主義者はしばしば、市場は個々の人たちを差別しない、という理由で市場を擁護することである。市場は、ある人の利益よりも他の人の利益に意識的に好意を示す政治的な決定と違って、不公平や不当な処置を生みださない、という訳である。しかしながら、現実はどうかと言えば、われわれは市場における相互作用の結果を予測できるので、社会政策によって不平等を埋め合わせることができるのである。さらに言えば、この問題は、絶対不変の概念の問題ではなく、むしろ市場の効用と民主的なシチズンシップのための条件の維持とのバランスをどう保持していくのか、という問題なのである。

自由主義社会ではこれまで、市民権（あるいは市場の権利）の制限を強調することによって、ソーシャル・シチズンシップを定義しかつ制度化する方法が決定されてきた。この点についてフレイザーとゴードンは興味ある命題を提示している。彼らは、アメリカ合衆国における市民権と社会的権利との明白な矛盾を分析して、市民に相応しいシチズンシップが普及することによって社会的権利を一般化していくアプローチがどのように形成されていくのか、その道筋を示した。要するに、自由主義の伝統の中心をなす「契約」という考えが不適切にもソーシャル・シチズンシップに適用されてしまった、ということである。そこでフレイザーとゴードン（1994: 91）は、「その結果は、かなり極端な二つの種類の人間関係に、すなわち、一方は個別契約による等価交換に集束し、他方は交換されない一方的な慈善《チャリティ》に集束する、という文化的傾向である」と考えるのである。これらのアプローチは双方とも、市民権と社会的権利との対立を想定しているのであるから、ソーシャル・シチズンシップの表現を歪めてしまうことになる。フレイザーとゴードン（*ibid.*: 104-5）が言及しているように、まさに「欠如しているものは、このような二分法的な対立や対抗を免れる理念、特に人間性に溢れたソーシャル・シチズンシップの中心をなす連帯、契約によらない互恵主義それに相互依存といった理念を表現することができる民衆の言葉なのである」。

フレッド・ツワイン（1994）は、人間は生まれながらにして相互依存の社会的動物である、という事実に基づいて社会的権利を擁護し、フレイザーとゴードンの課題を引き継いだ。ツワインは、自由主義者が提示する原子論的社会像は幻想であると論じる。何故なら、各個人の生活過程《ライフ・コース》は他の人たちの生活と密接に関係しているからである。個人は一人ひとりさまざまな仕方で相互に結び合っている。第一に、人びとは、政治的動物として、集団で討論し、協議することによってはじめて共通するガバナンスの制度を方向づけ、決定することができる。この点で、政治的権利は、人びとの「自己の利益」を守る方法としてではなく、人びとが政治的コミュニティと相互に関連し合っていることの反映としてもっともよく理解される、とのセルボーン（1994）の主張は正鵠を射ている。

第二に、個々人もまた、経済的分業によるサービスの遂行と財の供給のためにお互いに依存し合っているのである。そのことが何を意味しているかと言えば、富の生産と――実際には商品の売買である――市場の相互作用は「個々人がお互いに何の関係もなく、その場限りで市場選択に参加しているかのように」個々人を参加させはしないし、またそのように参加させることなどできない、ということなのである（Twine 1994: 2)。すべての市場交換は買い手と売り手だけでなく、その他の人たちにも外部的な影響を及ぼすのであるから、そのような外部性はコミュニティの共同の力によって有効に処理されなければならないのである。こうして、自由主義者の言う「原子化された合理的消費者という神話」が一掃される。第三に、われわれすべては、その個人生活においても一生のうちのかなりの期間を相互依存の関係のなかで過ごしている。すなわち、われわれは、ある時には人を介護し、またある時には人に介護されるのである。そして結局、われわれは、環境に対し責任をもって行動することをわれわれに求める「自然と相互に依存し合う関係」の下で生命を維持するのである。

ツワインの主張は、シチズンシップが個人の自治をまったく否定しないことを明確に理解する「全体論的なシチズンシップ・アプローチ」の必要性を指摘している。個人の自治は、われわれ個人の人格がコミュニティに根づいていることを明確に認識するステータスでもあるのだ。ダガー(1997: 15）が論じているように、自治と市民的徳行の遂行とは必ずしも相争うものではないのである。古代ポリスで理解されていたように、市民的徳行の目的は腐敗や頽廃、それに他者の意思決定や結論に言いなりになることを避けることであった。それ故、市民的徳行の遂行は自由と権利の重要な「安全装置《セイフガード》」なのである。セルボーン（1994）が強調しているように、もしわれわれが個人として自覚しているはずのコミュニティに対する義務を蔑《ないがし》ろにしたままでいるのであれば、将来われわれはより抑圧的な道徳的秩序を生み出す危険を冒すことになるだろう。それ故、われわれには、自由主義者が「市場の権利」だけを取り上げ、あるいはコミュニタリアンが「責任」だけを取り上げてそうしているように、シチズンシップの一つの側面だけを具体的に論じて、シチズンシップが有効であるのは当然だと考えることはできないのである。「権利と責任の相互依存」の意味を理解している全体論的シチズンシップ論は、「人は誰でも他者に依存しなければならない」、とは決して言わない。例えば、権利を労働に従属させてしまうこと、それは社会に対する義務や責務の意識を高める機会を個人から奪ってしまうことになりかねないのである。すなわち、ある個人が社会においてこれまで維持してきた利害関係を取り去ってしまうことは、果たして現実に彼らを良きシチズンシップに従わせることになるだろうか。否である。そうではなく、われわれはシチズンシップの遂行を妨げるバリアーを取り去るよう努力しなければならないのである。その点で決定的なことは、シチズンシップの物質的な基礎を認識することと、また個々人が保持している資源や資力と、彼らが自らの「権利と責任」を進んで遂行しようとする「意志と機会」との直接的な関係を認識することである。このことは、もちろん、社会が市民に一連の責任を求めることを妨げはしない。しかしながら、責任と権利は、それらが正当であるとみなされるのであれば、自由主義が提唱するよりもずっと広い範囲にわたる「参加の倫理」に結びつけられなければならないし、したがって、この倫理は広い範囲にわたる社会的権利によって支えられなければならないのである。

シチズンシップの内容と、権利と義務のバランスとに関わる問題は、常にコミュニティの決定に左右される。このことこそ、社会契約の観念はシチズンシップの論拠としては不十分である、と言われる理由である。契約の理念はあまりに固定的で変化に乏しいからである。そうであればこそ、われわれは、コミュニティの要求や願いは時とともに変化することを受け入れる必要があるのだ。それ故にまた、政治的参加には権利と責任を結合させることが重要なのである。言い換えれば、不正義や不公平に反対する積極的で活発なキャンペーンを通じてはじめて、それまで排除されていた集団に権利が及ぶようになるのであり、また市民はコミュニティにおいて正義や公正を促進しなければならないという責任を履行するのである。そのような観点からすれば、法に従うことだけをわれわれに求める自由主義の「義務《オブリゲーション》・責務のアプローチ」はいかにも狭い。何故なら、義務・責務は、われわれに対し現在の政治制度を批判し続けるよう要求するだけでなく、社会のシステムから疎外されている人たちにも義務・責務の意識を高めるよう促し、また社会のシステムに責任を負うよう求めるからである。その点で、ここで異なる種類の責任を明確に区別しておくことが有益であろう。

（市民の本分としての）義務は、法律によって課せられる責任とみなされることから、もし個人がその責任を遵守しないのであれば、何らかの制裁措置を伴うことになる。それに対して、（契約や各自の立場から生じる）責務は自発的なそれであって、連帯の表現とみなされたり、他者への共感と考えられたりする。健全な社会の特徴は、その社会がコミュニティの諸条件を維持するのに、前者の義務を課するのではなく、後者の自発的な責務に依拠する社会の能力そのものである。セルボーン（1994）のような社会保守主義者に一理あるとすれば、それは、自由主義社会はいまだに後者の社会的責務の必要なレベルに到達していない、と論じていることである。このことが意味することは、われわれがシチズンシップの権利の諸条件を維持していこうとするのであれば、当分の間、われわれは前者の義務をより多く受け入れなければならないだろう、ということなのである（第五章を参照）。

本章で私は、自由主義シチズンシップのそれ相応の強みや長所が二元論的前提によって掘り崩されていることを明らかにしようとしてきた。排他的国家と市場の不平等の上に築かれるシチズンシップは、実のところ、「稀薄な」シチズンシップなのである。自由主義者は、責任を除外しておいて「市場の権利」の保護を強調しようとするあまり、シチズンシップについてバランスを失したビジョンを提示してしまうのである。しかしながら、多くの批評家たちは、まったく反対に自由主義者が権利を強調しているかのように論じる間違いを冒してしまい、その結果、権利を稀薄化させ、義務を擁護するよう主張してしまうのである。そうしてしまうのは、彼ら批評家が「権利と責任」の相互依存的な本質を正しく理解できないでいるためである、と私は示唆しておいた。私は、第五章では、シチズンシップの実践が豊かになっていけば、相伴って進んで行くのである。権利と責任シチズンシップの向上が実現され得るいくつかの論点を考察するので、次の第四章において、シチズンシップの現代主義的《モダニスト》視点は多元的で多様な社会のニーズに的を絞れないでいるのかどうかを検討し、シチズンシップの内容について引き続き分析を加えていくことにする。言い換えれば、社会の多様性は普遍的なシチズンシップよりもむしろ差異を認めるシチズンシップを求めているのだろうか、ということである。

第4章
多元主義と差異

　われわれは、前の三つの章において、シチズンシップは包摂的でもあり、排他的でもあることを見てきた。シチズンシップが特権的な地位《ステータス》として影響を及ぼすもっとも明白な方法は、国民ではない人たち（non-nationals）のメンバーシップを完全に否定することである。このような排除は、シチズンシップが依然として国民国家と密接に結びつけられている限り避けることができない。しかしながら、第六章で私は、グローバリゼーションが国境を越えるよう人びとを促していくにつれて、この関係が次第に疑問視されるようになっていくことを論じるだろう。そこで本章で私は国家の境界内で生起するさまざまな形態の排除について考えてみることにする。シチズンシップはその自由主義的形態において普遍主義の理想を具体化するよう求めるのであるが、その場合、国家の市民として自治を正当に要求することのできるすべての個人は、シチズンシップの「権利と責任」を等しく共有すると想定されている。しかしながら、一部の批評家たちにとって、皮肉にも、まさにその普遍性を要求する権利が強力な排除を説く役割を演じてしまうのである。「シチズンシップの普遍化」という考えは、多元的社会の文脈においてはそう簡単に支持されないのである。それ故、個人的権利に加えて、一部の個人がジェンダーや「民族」あるいはアイデンティティの差異を理由にシチズンシップの利益から排除されてしまうことのないよう保証する特別な集団的権利が要求されることになる。本章で私はこの論点を吟味する。そしてそれには――広く認知されていることだが――アイリス・ヤングとウィル・キムリッカの研究がこの論議に大いに役に立つ。本章はヤングとキムリッカの見解について批判的な評価を加えながら展開されるのであるが、私は、第二節でヤングとキムリッカの見解について批判を展開する前に、ヤングとキムリッカのシチズンシップ論の概要を述べ、そして最後の節で集団的権利が引き起こす諸問題を理解するのに非常に重要な「平等と差異」の関係を分析する。したがって、本章での私の基本的な論点は、集団的権利は個人の行動にとっても安定したガバナンスの実践にとっても、首尾一貫しないものであり、かつ否定的な意味合いを持つものである、ということになるであろう。

1　集団的権利の論点

自由主義シチズンシップに反対するヤング（1989, 1990）の論拠の核心は、自由主義シチズンシップが具体的に表現される普遍性についての彼女の分析のなかに見ることができる。ヤングは自由主義と関連する三つの普遍性の意味を確定するのであるが、しかし、彼女が是認するのはそのうちの一つの普遍性だけであって、他の二つの普遍性についてはきわめて懐疑的である。その一つは「普遍性の理想」である。それは、社会のすべての構成員は自分たちの生活を形成していくのに政治的に参加することができる、というものである。この「普遍性の理想」は明らかに望ましい目的であるのだから、すべての民主主義者の目標でなければならないのに、現実にはその理想を妨げる――お金、時間それに情報といった――資源の不平等な分配に関係するバリアーが数多く存在しているのである。しかも、この「資源の不平等」は問題の一部にすぎないのである。それ故、たとえ市民の間の物質的な不平等が克服されたとしても、自由主義がその内に包み込んでいる他の二つの種類の普遍性によって、実際にはシチズンシップは相変わらず不平等のままであることが確証されるのである、とヤングは主張する。何故なら、社会的差異を否定する「シチズンシップの概念」を自由主義が受け入れてしまうからである。ヤング（1989: 274）からすると、自由主義は、「参加の平等」という意識の普遍性だけでなく、「普遍的な観点というものすべて」を受け入れてしまう個々人のきわめて抽象的な意識に基づいた普遍性をもまた擁護してしまうのである。シチズンシップが求めているのは、個々人は「自分たちの特殊な経験に由来するような認識など捨て去りなさい」ということなのである。要するに、市民は自らの権利を行使し責任を履行する際にはまさにそのアイデンティティを否定するよう求められる、これなのである。もう一つの普遍性の意味はこのことと関連している。市民によって、あるいは市民の代表によって制定される法律は、社会のなかに存在する多種多様なニーズや不平等に関係なくすべての人に適用されるのであるから、自由主義社会における意思決定構造は、すべての声や意見が効果的に聞き届けられるようになっていないのである。自由主義はさまざまに異なる諸個人の平等を表明するのではなく、差異を超越した「平等の理想」の優位性を表明しているのである。すなわち、社会を特徴づけている多様性が、抽象的で達成し難いシチズンシップの想像力の名において、犠牲にされてしまうのである。

個人一人ひとりは、抽象的な合理的被造物ではなく、文化的で社会的な構造の所産なのであるから、自由主義シチズンシップが要求するような客観的な観点に立脚することができない、とヤングは主張する。したがって、個人的特性に関わるそのような抽象的見解に基礎を置いている民主的制度は不完全であって、人びとのニーズに対して鈍感になるにちがいない、とヤングは考える。これはそれだけで重大な問題である。しかもその上、ヤングにとって、自由主義のシチズンシップ・アプローチは一連の不平等な力関係を覆い隠してしまうのである。このような不平等は、シチズンシップが特定のソーシャル・アイデンティティ、すなわち、白人男性のソーシャル・アイデンティティの観点から定義され、それ故にまた、白人男性のソーシャル・アイデンティティに有利に機能する、という事実を包み隠してしまうのである。この偏向《バイアス》は非常に根が深く、帝国主義や家父長制と歴史的にも密接な関係にある。前章で言及したように、自由主義の伝統においては、シチズンシップはしばしば「文明化した」人びとだけのためのものと考えられてきた。その上、シチズンシップは、客観的理性の観点から、また感情や身体と対立するものとして、自由主義によって理論化されるのである。こうして、自由主義の伝統においては不合理的かつ感情的な存在そのものであるとされる女性たちは、シチズンシップの責任を果たすことができないとみなされるのである。このような不平等の根深さのために、不平等そのものが無意識のうちにしばしば再生産される、とするヤングの主張はまさにその通りである。しかしながら、「道徳論は慎重な思慮深い行動に焦点を合わせようとするために――そのような行動を正当化するための手段を捜し求めるので――意図せざる『抑圧の社会的原因』について判断を下さないのが通例になっているのである」(Young 1990: 11)。

シチズンシップはどうしてある人たちのニーズを締め出しておきながら他の人たちの利益を促進しようとするのか、その理由を理解するためには――ヤングが主張するように――われわれは、個人的意図に基礎を置く「権能の理論」以上に幅広く高度な「権能の理論」を知らなければならない。それは、自由主義的な諸制度に浸透しており、物質的な不平等や文化的な不平等をもたらす、私が他のところで、例えば階級制度のような「権能の構造」と称したものである (Faulks 1999: 14-20)。ヤング (1990: 39-65) はそのような一種の「抑圧の類型論」を展開することによって「権力の構造」を検討し、「抑圧の五つの側面」、すなわち、搾取、社会周辺化、無力状態、文化拡張主義政策そして暴力を確認するのである。これら五つの側面の一つあるいはそれ以上を経験するいかなる集団も抑圧の犠牲者となるのである。自由主義者は、権力の構造的側面を無視して個々人に焦点を当てるので、シチズンシップがどうしてすべての人たちに等しく奉仕することができないのか、その理由を見落としたり誤解したりしがちである。このことは、自らの理想として市民の統一性をシチズンシップのステータスに祭り上げてきた多くの共和主義思想家についても当てはまる。ヤング（1990: 117）は、「市民としての一般民衆というこの理想は……女性だけでなく、特異な人たちだと決めつけられた他の集団も排除してしまうのである。何故なら、シチズンシップの合理的で普遍的なステータスは、情感や特殊性それに身体に対する抵抗感や反感に由来するにすぎないからである」と論じている。

シチズンシップを向上させるためにわれわれは集団アイデンティティを真正面から取り上げなければならない。というのは、集団こそ「個人一人ひとりによって構成される」からである（Young 1990: 45）。その上、社会集団《ソーシャル・グループ》は非常に多種多様であるので、ある特定集団の抑圧の本性はその集団のメンバーでなければ十分に理解することができないのである。それ故、もしシチズンシップが本当に社会包摂的であるならば、差異の政治が必要となることをわれわれは認めなければならない。ヤングは、このように主張することによって、集団アイデンティティがコミュニティの意思決定制度に具現化されなければならない、とのことを言わんとしたのである。ヤング（1990: 184）は自分の提言の政策的意味を次のように要約している。

私は次の原則を主張する。すなわち、民主主義を尊重する人びとは、不当に抑圧され、不利な条件の下に置かれている有権者集団を構成している人たちの明瞭な意見や観点を実際に認めて、彼や彼女たちが自らの意見や意思を表明するためのメカニズムを用意しなければならない、これである。このような集団の代表制には、次の三つのことを維持する制度的メカニズムと公的資金が当然必要とされる。⑴「集団メンバーの自律形成」＝集団のメンバーは、共同のエンパワーメント（権利を行使する能力・資格―訳者）を確実に身につけ、またその時々の社会的文脈に基づいてメンバーの共同的な経験や利害について熟慮し理解すること、⑵「制度化された文脈の下での集団分析と集団世代とに基づく政策提言」＝意思決定を行う人たちは、熟議を重ねることによって集団の視点を客観的に捉えていることを明示するよう義務づけられること、そして⑶「特殊な政策に対する集団拒否権」＝例えばそれは、女性が子を産む（あるいは産まない）権利に関わる政策、あるいはアメリカインディアン特別保留地の土地使用政策のような、ある集団に直接影響を及ぼす特定の政策に対する集団拒否権、である。

ヤングは、プレッシャー・グループに代表されるような、前もって決められている立場や見解に折り合いをつけて妥協を図るのが民主主義だとする古典的多元主義者の理論と彼女の民主主義的シチズンシップの理論とを峻別しようとしているのである。彼女の定義によれば、社会集団が特定されるのは共通の利害関係によるだけではなく、その集団のメンバーがある特定の生活様式を共有しているからでもあるのだ。この点が彼女と古典的多元主義者との相違なのである。ヤングは、イデオロギー集団は――彼女が定義しているような――社会集団とはみなされないと主張することによって、社会集団についての彼女の本質的に文化的な定義を補強する。ヤングは、そう主張した後で、特別な権利を与えられるような社会集団の定義をさらに絞り込んで、こう強調する（1990: 187）。

「特定の目的に基づく代議権」は唯一「抑圧された集団あるいは不利な条件の下に置かれている集団」のためのものである、と。この原則こそ権利を求める独自の論拠を主張する集団の急増を防ぐことになる、とヤングは言うのである。

ヤングのシチズンシップ論は、いくつかの点で、自由主義的伝統とかけ離れている。自由主義者が主張する「普遍化されたシチズンシップ概念」は結果的に「マイノリティの抑圧」と「差異の否定」とに至ってしまった、と彼女は論じる。集団的権利《グループ・ライト》に基礎を置いている「差異化されたシチズンシップ」――と彼女が呼んでいるもの――が何であるかを明言することによってはじめて、多元主義的社会は秩序を維持することができ、また正当な国家政体に向かって進むことができるのである。ヤングは、第一章で確認されたシチズンシップの四つの特質（文脈、範囲、内容それに深さ）という観点から、自由主義者よりもずっと広い範囲のシチズンシップを描いており、したがって、シチズンシップの内容も個人的権利よりはむしろ集団的権利を強調することになる。シチズンシップの文脈は、同質的コミュニティの文脈でなく、差異を超え出ようとするよりもむしろ差異を称《たた》え、差異を守ろうとするような社会全体の文脈なのである。結局、ヤングのシチズンシップは、稀薄というよりはむしろ濃厚である、と断言されることになろう。というのは、ヤングのシチズンシップは、個人の拠って立つアイデンティティに根を張っているので、そのようなものとしては自由主義の狭量な公共志向的シチズンシップよりもずっと意味のあるステータスとなるからである。

キムッリカ（1995）は幾分異なった集団的権利擁護論を試みているが、それは、ヤングとは対照的に、自由主義の伝統に深く根ざした擁護論である、とキムリッカは主張する。しかしながら、キムリッカは、ヤングと同じように、差異化されたシチズンシップを擁護するのである。彼は、特定の地域やアイデンティティに関わる個人の意識に対する文化の重要性を認める「多文化シチズンシップ」――と彼が呼んでいるシチズンシップ――に賛成する論陣を張り、自由主義者は国家と民族意識との関係を国家と宗教との関係と同義のようにみなす傾向がある、とのことに注意を向けている。このような観点からすれば、現代社会の多元主義的現実に取り組む最良の方法は、国家から教会を分離させたのと同じ方法で国家から民族的アイデンティティを切り離すことである。特殊固有のアイデンティティは私的個人的な世界に限定されなければならないのである。シチズンシップは依然として公共的、普遍的であり、かつ文化盲目的なのである。しかしながら、このアプローチは、結果的に「文化的少数派の人たちを文化的多数派の人たちによる重大な権利侵害に晒してしまうことになり、民族文化の対立を悪化させてしまう」(Kymlicka 1995: 5)。伝統的自由主義の自然権擁護論では国家内における差異の問題は解決されないのである。それ故、キムリッカ(1995: 6)は次のような少数派権利論を弁護する。「多文化国家における包括的な正義論は、個々人がその集団のメンバーシップを得ているかどうかに関係なく、個々人に付与された普遍的権利と、少数派文化のための、特定集団の差異化された権利あるいは『特別なステータス』との双方を併せ持つだろう」、と。

キムリッカが「国民」や「人びと一般」という用語と交換できるかのように文化という用語を用

いていることに注意することは重要である。彼は、したがって、発言権、階級あるいはジェンダーに基礎を置く集団よりもむしろ民族集団を考えているのである。しかしながら、彼は、彼が考察の対象とする国民集団《ナショナル・グループ》は「人種・民族」あるいは血統という観点からは明確に定義されない、と慎重に論じている（Kymlicka 1995: 22）。民族的アイデンティティの重要性は、それが個人一人ひとりによって展開される文化的文脈を、したがってまた、その限定要素を個人的選択に合わせる文化的文脈を準備する、ということである。キムリッカ（1995: 83）にとって、「有意味な自由選択の有効性は、ある特定社会の文化へのアクセスに左右されるのであり、またその文化に関わる歴史と言語の理解力に左右されるのである」。キムリッカは、国民的文化がシチズンシップに与える文脈を前提にして、政治組織体としての国家がその構成員によって重要だとみなされるすべての民族的文化を支えることが絶対に必要である、と考えている。そこでキムリッカは、この目的ために、三種類の集団的権利を考察する。

第一は、自治の権利は国家内のマイノリティへの権限の移譲を伴う、というものである。このことは何らかの形態の連邦国家に導くことになるだろう。第二は、「多数民族《ポリエスニック》の権利」が存在することである。この権利によって、法律に基づいた「少数民族《マイノリティ》の文化」への公的資金援助を通じた集団アイデンティティが援護される。第三は、マイノリティに特別代議権が与えられることである。この代議権はマイノリティのためにマイノリティのコミュニティにおける政治制度に基づいて保証される権利である。このように、自治の権利は、その範囲が目に見えて広がっていくと、連邦国家からの離脱のワンステップになる。しかしながら、多数民族の権利と代議権が国家へのマイノリティの統合を伴うことは明らかである。すなわち、文化的差異を否定することによってではなく、むしろ安定した多文化国家の不可欠な一部としてそれらの文化的差異を承認することによって、マイノリティを、国家を構成する国民として統合するのである。

このような「差異の和解」こそが、自由主義シチズンシップは「白人で、身体健全で、そしてキリスト教徒である男性たちによって、またそのような男性のために」と伝統的に定義されていることを認め、かつまたシチズンシップは一種の生得的な「集団的差異化の観念」であることを承認するのである (Kymlicka 1995: 124, 181)。シチズンシップが国家によって決定されるような社会にあっては、誰がシチズンシップのステータスの資格を与えられるかについての決定は、ある個人の集団メンバーシップに基礎を置いているのである。要するに、キムリッカの意図は、われわれがこの同じ原則を国家内の集団に適用するように仕向け、したがって、その集団のニーズにも適用させようと仕向けることとなのである。ヤングとキムリッカの両者は、その論点は異なるとはいえ、シチズンシップは社会集団の意志や観念のようなものに根づいているに違いない、との結論に至っているのである。だが、シチズンシップは純粋に個人的なステータスではあり得ないのである。何故なら、シチズンシップは、その社会集団の幅広い文化的文脈においてはじめて個人にとって意味を持つようになるからである。

2　差異化の政治に抗して

ヤングとキムリッカは確かに、「シチズンシップの普遍化」について重要でありかつ難しい問題を提起している。両者は正しくも、自由主義のシチズンシップ論が個人の社会的性格を否定する非常に抽象的な概念にどうして向かおうとするのかを検証するのであるが、市民についての現実離れした原子論的定義によって「権利の行使と責任の履行」の前に立ちはだかるバリアーを無視してしまう。そこで両者は、注意の焦点をマイノリティの経験に――ヤングの場合は「抑圧を受けている集団一般」に――合わせて、自由主義社会に内在する不平等が有意味な平等の約束をどのようにして否定するのかを検証し始めるのであるが、もしシチズンシップの文脈に関わる重要な問題点に的を絞った論究がなされないのであれば、普遍性が社会的な差異を押し潰してしまうかもしれない危険性は確かに消えずに残るであろう。不利な条件の下に置かれている弱い立場の集団は、ニーズを無視されるだけでなく、意見さえも聴いてもらえないままにされてしまうことを覚悟しなければならない。それ故、ヤングとキムリッカの両者は、個人的権利だけでなく「差異化された集団の権利」をも包含するために、シチズンシップの内容を変更するよう主張することによって不平等の課題に取り組み、人びとを支配や抑圧から解放するシチズンシップの潜在能力を完全に拒絶しないよう試みるのである。だが、そのような拒絶は社会生活についてのポストモダン的説明のなかでしばしば明白になされているのである。というのも、このポストモダン的説明では——確かにシチズンシップのように明らかに中立的であると思える諸概念の背後に存在する想定をしばしば深く分析してはいるものの——ガバナンスに内在する人間の問題を論じるのに必要な別の概念的手段を提示することができないからである。したがって、より建設的なポストモダン・アプローチが求められることになる。このアプローチこそ、自由主義の長所に基づくアプローチであり、「自由主義の約束」を履行しようとする際に立ちはだかるバリアーを明らかにし、そのバリアーを克服することによって「自由主義の約束」を実現させるアプローチなのである。ヤングとキムリッカの理論は、それ故、現代《モダニティ》の諸問題を克服する勇敢な試みとして歓迎されるに違いない。しかし、そうだとしても、集団的権利に賛成するその論拠は矛盾しており、それ故にまた、シチズンシップを高め、豊かにしそうもない、と私は主張したいのである。

集団を中心とするようなシチズンシップが抱える第一の問題は、特別な立場に置かれている状況をどの集団が正当に主張することができるのか、したがってまた、国家の他の構成員には受給資格のない特別な受給《エンタイトルメント》権がどの集団に与えられるのか、を確かめることである。その点で、特有の生活様式を共有する人びとによって構成されるとするヤングの「集団の定義」は支持されないだろう。ヤングは自由主義シチズンシップの「本質主義的個人主義」だと彼女がみなしているものを超越しようと努力するが、しかし、彼女はただ単に本質主義的個人主義を等しく社会集団の本質主義の定義と取り替えているにすぎないのである。それでも、ヤングが固定的で代わり映えのしない観点から個人を定義することに反駁しようとするのはまったく正しい。というのは、その定義は、個々人が成長し変化する能力を持っていることを否定するからである。しかし、ヤングは、例えば、女性を一つの経験を必ず共有しているものとして確認したり、またそのために女性を一つの社会集団として分類したりすることで、自由主義者を非難する誤りをまさに冒すことになる。抑圧されていると彼女がみなしているさまざまな社会集団の内部に存在する内面的な差異を否定することは、あらゆる個人は多様なアイデンティティを持ち、いくつもの社会的役割を果たすのだ、という事実を看過してしまうことでもある。このようなアイデンティティすべてが個人一人ひとりにとって等しく重要なのである。それ故、さまざまな社会集団のアイデンティティのほんの一断片を根拠にして、それらの社会集団の政治的立場を個人一人ひとりに問うことはそれらの社会集団の複合的な特質を否定することになる。ましてや、個人のアイデンティティの一つの側面は別の側面と対立的な関係にあるかもしれないのである。すなわち、一人の黒人女性としての彼女のアイデンティティは、場合によっては、労働者階級などの一員としての彼女のアイデンティティと対立的な関係にあるかもしれないのである。もしわれわれが個人的な行動を、特に自己統治《セルフ・ガバナンス》の能力を完全に承認するようなシチズンシップを受け入れるのであれば、個々人のアイデンティティの一部分だけを取り上げて個人一人ひとりの立場を説明することなどわれわれにはできないことなのである。集団的権利に基礎を置くシチズンシップ論は、さまざまな社会的差異を無理やり固定化してしまうので、コミュニケーションを抑え、人びとを分断化するきわめて活気のない政治を生み出す危険を冒してしまうのである。それ故、そのようなシチズンシップ論は、ヤングが追求する「抑圧の超克」にほとんど導きはしないであろう。

ヤングの立論が抱える別の問題は次のものである。すなわち、権利を要求する新たな集団が増えていくに従って、国家を構成する市民の分断化が進行していくのを防ぐにはどうすればよいか、ということである。ヤングの答えは、彼女が権利要求の正当性を確かめるための「客観的な規範」だとみなしている「抑圧の五つの側面」（一二七頁を参照）についての彼女の議論のなかに見いだされる。ある集団の要求を正当化させるものは、この「抑圧の五つの側面」の一つあるいはそれ以上の抑圧の側面にその集団が晒されている、というものである。しかしながら、ヤングの「抑圧の定義」は、明らかに客観的なそれからほど遠く、矛盾もしており、したがって、いくつかの抑圧形態を特定の社会集団の経験であると確証するのに役立たない。ヤングは、抑圧の形態に差異をつけようとするから、奇怪な結論に至ってしまうのである。例えば、彼女はこう言うのである。「労働者階級の人たちが無力にも搾取されてしまうのは、雇われている白人に社会的排除《マージナリゼーション》の経験もなければ冒瀆《ヴァイオレンス》を受けた経験もないからだ」と（Young 1990: 64）。この結論に擁護の余地がないことは明らかであるので、コメントする必要がない。退屈で、不安定で、危険な肉体労働に従事していて、犯罪が多発するような壊れかけた公営住宅に住んでいる労働者階級の人たちは、社会的排除を経験しないし、冒瀆も受けない、とでも言うのであろうか。さらには、個人一人ひとりが自分の利益を確認する方法を変えると、抑圧の根拠も変わる、とでも言うのだろうか。近年、アメリカ合衆国では混血の人たちは特別待遇に値する集団である、とのことが強調されているようだが、エスニックの多くの指導者たちはこれに強く反対しているのである。集団メンバーシップを基準にして諸権利を与えることはきわめて恣意的で専横的な性質なのである。それはまた、特別なステータスを求めて張り合う諸集団の間に潜在的な緊張関係が存在することを明らかにするのである。ジョプケ（1998）は、実際、アジア人あるいはヒスパニック[1]のような、アメリカ合衆国で公認されている「犠牲者」の範疇《カテゴリー》の多くがきわめて人為的に構成されている、と論じている。しかも、多文化的シチズンシップの戦略には別の危険性もある。例えば、フランスに見られるより強力な多文化主義の要求という文脈からすると、「ルペンの新たな人種差別は、それぞれ異なる多文化的権利を大いに見習っている」ということになろう（Joppke, 1998: 38）。換言すれば、集団アイデンティティの政治は影響力のある人の利益になるように展開されるのである。

　抑圧は、したがって、ヤングが認識している以上に複雑な問題なのである。きわめて重要なことは、抑圧が地位や身分と関係がある、ということである。ヘーゲルの有名な「主人と奴隷の関係」についての論考が説明しているように、抑圧者もまた自らの抑圧の鎖に縛られるのである（Williams 1997）。これはマルクスの核心的な論点でもあり、資本主義は労働者だけでなく資本家もまた自らを疎外する、と彼は論じている。もしわれわれが支配に基づいた関係から解放されるとすれば、われわれは被抑圧者だけでなく抑圧者もまた自由にしなければならないのである。抑圧のダメージ効果を克服するために、われわれは集団内における信頼だけでなく、集団間の信頼もまた高めるようにしなければならないのだ。権利と責務が適切に機能していれば、権利と責務はまったく異なる個々人の間に共感を呼び起こすであろう。彼らは、一人ひとり異なる個人であるにもかかわらず、多くの共通した経験を共有することで、共同生活の基礎を維持していくようお互いに関心を払うであろう。しかしながら、ヤングは、(彼女が定義したような) 抑圧を経験した人たちだけがその抑圧を理解することができるのだとの考えに基づいて集団的権利の擁護論を立てるのである。抑圧を受けた人たちだけがまさしく本物であるのだから、特別な権利もまた要求できるのだ、ということなのである。アン・フィリップス (1993: 84) は、ヤングの思想そのものを強く批判してきたにもかかわらず、ヤングは「われわれと同じように他の人たちも平等な価値を有していると認められる」ような (国家を構成する) 市民を切望しているのだという理由で、ヤングを擁護する。しかしながら、それは、ヤングが「抑圧」について強調する場合、抑圧は抑圧された人たちでなければ理解できない経験なのだと思わせるようにしているからにすぎない。これはヤングの「民主主義のアプローチ」に重大な影響を及ぼすことになる。

ヤングは、古典的な多元主義論の評判が良くないので、それから距離を置こうとする。しかしながら、マクレナン (1995: 96-7) が注意しているように、ヤングは自分の理論とダール (1961) のような著述家の多元論との違いを示すことができないでいる。その違いを示すことができない主たる理由は、彼女が批判している多元主義者と同じように、彼女が認定する社会集団にしても既にほとんど教え込まれ、固定化している決定をもって民主的な集まりにやって来るからである。被抑圧集団としての社会集団のステータスは、それらの社会集団の主張に、白人男性たちの考えを代弁している集団には見られない道徳的な影響力を与え、権力の解釈について説得力を与える、あるいはある人たちの発言は他の人たちの発言よりも権威がある、との彼女の主張にそのことが見え隠れしている。さらにヤングは、拒否権を擁護することによって、いくつかの重大な課題を政治的な協議事項から事実上取り除いている。例えば、彼女は、「子を産む権利」は女性が有する唯一の権利である、と主張するのであるが、しかしながら、その位置《ポジション》を守るための唯一の論理的理由は男女の生物学的相違という理由なのである。これは、ヤングの本質主義批判を前提とすると、彼女の主張が大きく矛盾していることを示している。というのも、彼女の主張は権利の要求を宿命的で自然の理に合うような規範に基づかせようとしているからである。

ある集団が他の集団の経験を理解できることを否定するのは、熟考しつつ議論するという討議の質に非常に危険な影響を及ぼす。発言がなされる以前に民主主義を制限してしまうからである。例えば、男性が女性の抑圧をまったく理解できないとするならば、男性が感情移入するよう促して、男性が男性特有の行為に対し批判的な立場に立つようにさせる誘因《インセンティヴ》があるとしたら、それはどんな誘因なのだろうか。ジョン・ホフマン（1995: 209）が述べているように、「人は誰しも、他者を理解することができないのであれば、自分自身を理解することもまたできないのである」。他者から支配を受けたことのある人たちにとって特に重要なことは、それが抑圧であることを他の人たちが理解する方法を一変させることであるのだから、他者が苦境に置かれていることに同情する受容能力を否定することは、抑圧が継続されるのを許すことなのである。そういうことであれば、政治は、集団の差異が確認される方法にすぎなくなってしまうのである（Miller 1995: 132）。ヤングの本質主義理論が熟議民主主義[2]（deliberative democracy）に至りそうもないのはこのためである。ミラー（1995a: 446）が論じているように、ヤングは、多様な集団が和解したり、縒《よ》りを戻したりする方法や理由を確認することができないのである。彼女は「彼女が抑圧されていると認定する集団が彼女の主張の正しさを証拠立てている場合に、この事例こそ反対者を圧倒するだろう」と想定しているように思える、とミラーは述べている。

これらの問題提起やその論拠に見られるヤングの素朴さは、社会集団についての彼女のロマンティックな見方にある。フィリップス（1993: 160）が論じているように、「抑圧された人たちだけが独り善良な行為者でないのは、犠牲者であることが権利の保証人でないのと同じである」。抑圧された人びとの集団が置かれている立場や境遇に対するその集団の反応は、肯定的な場合もあれば、否定的な場合もあり得るのである。歴史的に見ると、それは、一方ではより建設的なオルタナティヴにもなるが、他方では結果的に逆差別やテロリズムを生み出したり、復讐を呼び起こしたりする分離主義運動にもなるのである。加えて、抑圧された人びとの集団メンバーシップによって個々人を判断するのは、個人の自由を侵害する危険を冒すことになる。この問題はすべての「共同のアイデンティティ」につきものである。ある個人が彼あるいは彼女の集団メンバーシップの故に苦痛を被りかねない一つの明白な実例は、政治的理由で人質とされてしまうそれである。例えば、中東の

「イスラム原理主義」によって数年の間監禁状態に置かれたイギリス人人質のジョン・マッカーシィは、捕縛された理由が彼の問題のためでなく「彼の国の問題」のためである、とはっきり告げられた。われわれは、われわれをある特定の集団メンバーとして遇するよう他者に求めることによって、個人的権利とこの共同のアイデンティティとの間の緊張関係を呼び起こす危険を冒してしまうのである。われわれがいくつもの権利を享受していることのもっとも重要な理由の一つは、まさにそのように恣意的な扱いから個人を守るためなのである。したがって、個人よりもむしろ集団に基礎を置くシチズンシップはおそらく、抑圧を減じるのではなく、抑圧を増してしまうかもしれないのである。われわれは、集団それ自体が自らのメンバーを抑圧する可能性のあることもまた忘れてはならないのである。私はこうして「文化の具象化」という問題に行き着いたので、この問題を考察することによって、ヤングの差異化されたシチズンシップ論だけでなくキムリッカのそれにも解明の光が当てられることになるだろう。

ヤングと同様に、キムリッカの理論における集団的権利の論拠は文化である。しかしながら、特別な権利に相応しい集団を構成している、とキムリッカが認める共同型生活様式そのものは、抑圧によってではなく、ナショナル・アイデンティティによって決定されるのである。大きな問題は、キムリッカが、自分の理論を正当化するために、「国家アナロジー」と彼が呼んでいるものを組み立てていることである。彼の論理はこうである。すなわち、国家は世界のなかでもっとも卓越した政治組織であるのだから、「誰が市民であって、誰が市民でないか」を規定するのは国民国家である。したがって、シチズンシップは、文化的に規定された共同性を有するメンバーシップと結びつくが故に、本来的に集団志向の理念《アイディア》なのである。このことは、ロジック的には、われわれは「国家としての地位」を享有していないナショナル・グループの集団的権利を否定することができない、とのことを意味する。しかしながら、ソーシャル・アイデンティティの本性は多面的かつ重層的であるとヤングが承認したことと、特別な権利を決定する目的のために明確に規定された集団を彼女が擁護したこととが拮抗状態にあるのとちょうど同じように、キムリッカの理論もまた文化についての彼の定義のためにたじろいでしまう。問題は、権利は一定の物的利益を与えるという点で比較的具体的な事柄であるのに対し、文化は明らかに流動的で絶えず変化している、ということである。実際、変化しない文化は死んでいる文化である。文化のどんな観念も——それが「共有されている抑圧の意識」に基づいていようと「ナショナル・アイデンティティ」に基づいていようと——シチズンシップの権利にとって非常に不安定な基礎のように思われるのである。

　キムリッカは、彼のシチズンシップ論の基底を国民的文化に置いたために、第二章で論及されたミラーの国籍論のなかにあったのと同じ問題に突き当たってしまった。キムリッカ（1995: 69）は、市民の行う選択は国民という文脈においてはじめて意味がある、と考えているので、「個人の自由はただ一つのナショナル・グループのメンバーシップに拘束される」と主張することになってしまう。だが、どうしてわれわれが彼のそのような主張を受け入れなければならないのか。私が第二章で論じたように、「国民的文化」という概念は、階級やジェンダーといったさまざまな分裂を覆い隠してしまうのである。もっと言えば、国民に関わる言説は、エリートたちがさまざまな相違や差別をもっともらしく説明したり体裁よく言い逃れしたりするために使われるのであり、またいろいろな不平等を根本から正そうとしないエリートたちの言い訳に利用されるのである。キムリッカは、その上、国民的文化と「有意味な選択」とを結びつけることによって、有意味な選択と無意味な選択とを峻別する問題にも突き当たってしまう（Fierlbeck 1998）。おそらく、個人がもっとも重んじるアイデンティティは、特定の民族集団への所属でも国籍でもなく、自らのアイデンティティに基づいたイデオロギー的選択あるいは生活様式《ライフスタイル》（生き方）の選択であろう。しかし、キムリッカは、ナショナル・アイデンティティこそ歴史の基礎なのだから、ナショナル・アイデンティティをその他の「意味の根源」よりも高く評価しているように思える。だが、われわれがこれまで考察してきたように、歴史的に見ると、国籍とシチズンシップの関係は多義的で曖昧なものであった。したがって、ある一つのナショナル・アイデンティティだけを擁護すると、しばしば、「アイデンティティの別の意識」と対立することになり、しかもその対立を継続させてしまうのである。北アイルランドにその例が見られる。北アイルランドのイギリスによる統治継続を望んでいる多くのユニオニスト(3)の「ナショナル・アイデンティティの意識」のまさにその本質は、彼らの反カトリック主義と北アイルランドで生活しているカトリック教徒の市民権要求に対する彼らの敵意とに見て取れる。キムリッカはそれとなく述べているようであるが、ナショナル・アイデンティティが宗教や宗派心それに民族的な対立や敵意と関係なく超然としていることはあり得ないのである。キムリッカ

(1990: 172)は「基本的に役に立つ価値は……コミュニティの性格でも伝統的な生き方でもない、選択の文脈としての文化的コミュニティである」と書いているが、しかしながら、国民の特徴的性格や多くの国籍と切り離せない価値が人間味のある行動を強調するシチズンシップと緊張関係に至ってしまうことは、しばしば見られるのである。国民への堅い忠誠心によってしばしば引き起こされる分裂や不和を克服しようとするのであれば、過去に受け入れられていた知恵《ウィズダム》をなお厳しく批判することこそシチズンシップの実践に不可欠なのである。したがって、ある特定の文化の本性が決定的に重要になるのである。だが、それはまた大いに議論の余地のある領域にわれわれを踏み込ませるのである。すなわち、偏狭な反自由主義的実践と「個人の自由」という自由主義の究極的目標とをどのようにして和解させるのか、これである。そこでキムリッカは、内的な文化的制限と外的な文化的制限との区別を主張することによりこの問題に取り組もうと試みて、自由主義者は集団的権利を擁護すべきだと論じる。キムリッカにとって自由主義者は、マイノリティの文化をマジョリティの文化から守ることによって、文化的差異の実在を承認し、多様性を一種の社会的利益《ソーシャル・グッド》として促進していくのである。しかし他方で、自由主義者はある文化的な集団メンバーの有する市民権を侵害する内的な制限に反対しなければならない。だが、そうすることはキムリッカの主張との間に緊張関係が生じることになる。キムリッカは、重要なことは文化それ自体の本性ではないのであって、むしろいかなる文化にも——どんなに抑圧的な文化であっても——必ず存在する文脈によってわれわれが市民として選択する機会が用意される、と主張してきたのである。彼の理論は、ヤングと同じように、シチズンシップの基礎として前もって決定される文化的アイデンティティを信頼することによって折り合いをつけているのである。

ヤングもキムリッカも、自由主義シチズンシップが内包するいくつかの現実的な問題を認めている。彼らは重要な社会的差異を無視することによって引き起こされる、シチズンシップに対する影響について当然苦慮することになる。集団的権利を促進することで弱い立場のマイノリティを擁護したくなる気持ちは分かるが、しかし、どの集団がそのような特別の条項に値するかを恣意的にではなく決定する方法などまったくないのである。ヤングもキムリッカも人間味のある行動の否定に繋がっていく特殊で本質主義的な「文化の定義」を主張しているが、人間味のある行動が本当に社会包摂的であるならば、シチズンシップは必ずやこの人間味のある行動を認めるに違いないのである。ファイアールベク（1998: 99）が主張するように、「ある人間が――他の要因よりもむしろ――主に文化の特性あるいは特定集団の特質によってその立場を決定づけられることを認めてもかまわないと断言するのは、文化的特徴がとにかく重要だと思うことを拒否するのと同じように抑圧的なのである」。集団的権利を求めるヤングの論拠は――集団的権利が抑圧意識の共有に基づいていることから――今以上に社会の分裂を誘導するだけでなく、マイノリティに対する敵意の強まりもまた経験させることになるであろう。他方のキムリッカも、国家を唯一の信頼できる政治組織体として無批判的に受け入れて国家を国民文化に結びつけることにより、マジョリティとマイノリティとの間の緊張関係をより悪化させるにすぎない諸条件を無意識のうちに主張しているのである。

実際のところ、キムリッカ（1995: 9, 108）は、「国家は必ずや特定の文化的アイデンティティを奨励するのであって、その結果、それ以外の文化的アイデンティティを不利な立場に置いてしまう」ことを認めているのである。彼はまた、グローバリゼーションは「文化的に同質的な国家という神話をますます非現実的なものにさえしてしまった」ことに気づいている。しかしながら、彼にはそのような論評のロジックをポスト国家主権主義的なシチズンシップ論として展開する気はないようである。キムリッカの国家主権擁護論は、平等な権利と国民主権との間の矛盾――自由主義シチズンシップの中心的な矛盾――をさらに浮き彫りにするのに役立つにすぎないのである。

3　シチズンシップ、平等そして差異

私は、本章の最後の節で、集団的権利が提起する普遍的シチズンシップの問題のいくつかについてもう少し詳しく検討しておきたい。とりわけ私は、差異化されたシチズンシップ論が提起するもっとも重要な課題であると思われる「平等と差異」の関係について考察を加えておきたい。そしてこの検討・議論は、当然、次章の主題である「シチズンシップを高め、向上させることのできる方法」を考察することになるであろう。

ペイトマン（1992）が述べているように、平等と差異との不確定な関係は特にシチズンシップのフェミニスト的分析を惑わし苦しめてきた。これまで女性はしばしば、男女の差異を否定すること

によってはじめて成し遂げられる、本来的に男性的な「シチズンシップの概念」に組み込まれることを是とするか非とするか、すなわち、普遍的シチズンシップの理念を放棄する代わりに女性の特別な権利と責任を要求して議論する一種の「差異の政治」を肯定するか否かの選択を迫られてきたように思われる。しかしながら、平等と差異は本来的に対立関係にある、と想定する理由はまったくないのである。第三章で私は、シチズンシップのもっとも有力な自由主義的展望がその二元論的ロジックによってどのように理解されているのかについて検討した。個人とコミュニティとの関係について自由主義者が決めつける想定の故に、そして自由主義者が市場を左右する私的領域を守っていくのに熱心なあまり、自由主義シチズンシップはきわめて抽象的になってしまっている。したがって、平等と差異との対立はこの抽象的個人主義の一つの産物だとみなされているのである。すなわち、平等と差異はわれわれが解決しなければならないもう一つの誤った二分法なのである。実際、ペイトマンは、メアリー・ウルストンクラーフトのような、女性のシチズンシップを要求した初期の運動家たちが平等な権利および男女の差異の承認をどのように主張したのかを示している。平等の権利と男女の差異の承認を成し遂げるようになる唯一の方法は、原子論的シチズンシップ論ではなく、関係論的シチズンシップ論を採り入れることである。ペイトマンが正しくも考えているように、平等と差異の二者択一という選択は誤った選択なのである。平等と差異を相補的とみなす関係論的シチズンシップの展開を妨げる主要なバリアーは支配のそれである。

　ヤングが「抑圧」を強調すると同時に「集団的権利」を擁護するのは、明らかに、支配を問題化して支配を乗り越えようとしているからである。しかし、私が論じてきたように、ヤングの「支配のアプローチ」は関係論的アプローチではない。ヤングは、抑圧する者は自分自身の本性を理解しているので抑圧されている者に共感することがある、とのことなど信じはしないだろうけれど、問わず語りに、平等と差異の問題にある立場を、すなわち、平等以上に差異を強調する立場をとるのである。キーナン・マリクはそのような戦略に関わる問題を明快に指摘している。マリクは、解放が成し遂げられ、シチズンシップが多様なアイデンティティを包含するようになっても、平等は依然として急進主義者にとってきわめて重要な目標でなければならない、と論じる。古典的自由主義においては、平等は自然のこととみなされ、権利は神によって与えられる、とマリクは言う。しかしこの論点はマルクスの方がより説得的である。マルクスは平等を社会的諸関係にしっかりと根づかせているからである。マリク（1996: 258）にとっての主要な論点は、「平等が自然的であろうと社会的であろうと、かりにも平等の本質的な説明ができないのであれば、まさに平等の理念もまた『支配的アイデンティティの偶然性』に追従するようになる」、ということである。そう、「差異の政治」の危険性は、多様性の擁護がまさに政治学の理論的根拠になってしまう、ということである。

もちろん、政治は差異を前提にしている。したがって、多様性や利害対立が存在しないのであれば、われわれは政治を必要としないことになる。しかしながら、政治の要点それ自体は、妥協や歩み寄りの範囲を捜し求め、共通する利害を生みだして差異や相違を平和裡に調整することのできるガバナンス・システムを創り出すことである。違いをあまり強調しすぎたり、お互いの立場を理解しようとする人間の能力を否定したりするのは、平等の実現可能性を暗に拒絶することになる。換言すれば、そうすることは、自分たちの生活を維持する共通の諸制度を構築するために、多様であるけれども本質的に社会的である個人一人ひとりが参加する「共有されたプロジェクト」としてのシチズンシップが実行不可能になってしまうことになるのである。事実、ヤングが実現不可能だと拒否する社会的な課題や問題についての一般的な視点は、まさに、シチズンシップがわれわれに展開するよう求めているものでもあるのだ。われわれは、われわれ自身が経験したその先を思考することによってはじめて、社会秩序について効果的に熟考することができるのであって、またそうすることで社会秩序を維持したいと思うことができるのである。マリク（*ibid.*: 265）は、差異の政治は排除された集団の解放を成し遂げることができないことをまったく疑わずに、次のように述べるのである。

差異の哲学は挫折から産まれた挫折の政治である。それは、社会的変化の可能性に関する迷夢の産物であり、世界が不平等で個々バラバラになる不可避性を受け入れざるを得ないことへの幻滅の産物である。……その結果は周辺化の、偏狭さの、そして実際は、抑圧の称賛であった。このような見方を超越するには、知的信念だけでなく、政治的熱望が必要なのである。

しかしながら、平等をめざす政治的熱望が差異を否定する必要などまったくないのである。ヤング自身（1990: 98）が述べているように、差異は「関係・結びつき、あるいは共有的属性の完全な欠如」を意味する、などと言う必要はないのである。論理的にいえば、平等への願望は差異を前提としているのである。というのは、平等の目的は、まさに、すべての個人の信条あるいはアイデンティティと関係なく、彼らの権利を尊重することによって多様性を認め、多様性を守っていくことだからである。このことこそ、個人のアイデンティティあるいはメンバーシップといったただ一つの側面にシチズンシップの基礎を置くことが潜在的にいかに危険であるか、という理由なのである。この問題についてのキムリッカの立場はまったく明瞭である。というのは、ヤングが自由主義の伝統のすべてを明確に批判しているのに対して、キムリッカは自由主義的な価値基準に従って自分の理論を正当化しようとしているからである。キムリッカは、自由主義の観点から「平等と差異」というこの困難な問題に取り組むことにより、この問題の真の根源を、すなわち、国家を無意識のうちに暴《あば》いているのである。

そこで再びわれわれは、シチズンシップは本来的に集団に基礎を置く概念だと考えるキムリッカの「シチズンシップの定義」に戻ることになる。個人的権利はマイノリティのための集団的権利を付け加えることによって危うくなるのではなく、補完されるのである、とキムリッカが主張できるのは、シチズンシップをそのように規定しているからである。しかしながら、キムリッカは便宜と原則を取り違えている。シチズンシップは、国籍によってソーシャル・メンバーシップを決定する国家が存在するから、結局、文化的に定義されてしまうのである。ファイアールベク（1998: 102）

が辛辣に述べているように、キムリッカの論拠の大半は、「国家は存在する限り論理的に首尾一貫しなければならない！」という戦略に基づいているのである。しかし、私が第一章で主張したように、古典的自由主義者は大いに国家に疑念を抱いていたのである。それに対して、キムリッカは、国家の本質的機能の一つは文化的差異を保持することだ、と論じて、素直に国家を受け入れるのである。ところがまた、キムリッカ（1995: 83）は、他のところで、「文化は中心地もはっきりした境界線も固定化させることはない」、との持論を述べている。権利をエスニック・グループに結びつけることによって、絶えず変化する基盤の上にシチズンシップが置かれることになってしまったのは、こうした矛盾の結果である。ウォルドロン（1992: 781-2）が論じているように、人間は確かに何らかの文化的な文脈を必要とするが、しかし――キムリッカの理論のロジックが暗示しているのだが――「社会生活を営んでいる世界の人びとは特定の異なる文化に整然と分かれているのだ」、とどうしてわれわれは想定しなければならないのか。キムリッカは、あまりに国家に愛着を感じているために、もう一つ別のそしてより良い成果をもたらす「正義（公正）への道」こそ、個人的権利が国家によって暴力的に侵害されないよう保証してくれることに気づいていないのである。もちろん、このことは、「政治的コミュニティの本質」について根本的な再考を求めることになるし、また国家を超え出たグローバル・ガバナンスの制度の展開を必ずや求めることになるのである。しかしながら、その立場は、自由主義とは矛盾しない立場であるにしても、キムリッカが擁護するような集団を基礎とするシチズンシップ・モデルのそれではないのである。

なるほど、人権に関する言説や論説はこれまでマイノリティの文化問題に取り組んでこなかったではないか、とのキムリッカの主張は正しい。だが、取り組んでこなかったのは、まさにキムリッカが擁護する国家が人権を平等に適用させまいとしてきたからである。しかも、マイノリティの文化は、文化的多数派の人たちが文化的少数派の人たちを圧迫するのと同じように、マイノリティの人たちのニーズを圧迫しかねないのである。ある一人の個人的自由《フリーダム》はナショナル・グループのメンバーシップに拘束される、と主張することは「コミュニティの指導者たち《リーダー》」の命令や指図に圧迫を受けるすべての個人にさまざまな問題をもたらすことになるのだ。特にそれは、例えば――文化的な慣習や慣行として踏襲されている南部エチオピのいくつかの地方で行われている慣行――女性割礼の行為あるいは妻を手に入れる合法的な方法として成人前の女性を強制誘拐したり、レイプしたりする行為が実際に許されている状況をしばしば見てきた女性にとっては重大問題なのである。このことこそ、南アフリカ共和国が民主主義に移行しつつあるなかで、女性に対する差別的行為をしばしば伴う伝統や慣習的行為を拒絶し破棄するために、女性グループが市民権を憲法に組み入れさせるよう懸命に戦っている理由である（Yuval-Davis 1997: 78）。

キムリッカ自身が考察しているように、多くの文化は自由を抑制する傾向があることから、個人の自由にとって無視できない問題をいくつも引き起こしている。しかしながら、ひとたび「集団は権利を有することができる」というロジックが受け入れられてしまうと、新たな集団が、信条としては望ましくないかもしれないのに、集団的権利の要求を止めようとはしなくなるのである。そこでキムリッカはこの問題のいくつかの側面を論究しようと試みるのである。

まず彼は、自由主義国家への移民は――自発的意志で入国してきたのであるから――自治の権利を要求する立場にはない、と考える。しかし、これは、移住がなされる理由についての非常に素朴な見方である。移住を押し進める要因や引き止める要因は、大抵の場合、貧困、政治的迫害それに宗教的差別などによるのであるから、「純粋に自発的な移民論」はほとんど現実的ではないのである。このことは、新自由主義的市場改革に基づく国家システムとその促進がどのようにして発展途上世界の多くの人たちの権利を蔑《ないがし》ろにし、侵害してしまったのか、したがってまた、移住の流れを押し進めてしまったのか、という問題についてキムリッカが論究しきれないことを示唆している。

キムリカは、一方で公正な社会には集団的権利が不可欠であると主張し、他方でそういう権利を政治的エリート集団がご都合主義的に拒否することはしばしば安定性と引き換えに正義（公正）を犠牲にしてしまうと強調する。したがって、キムリッカは、論理的には、自発的意志に基づかない移民が国家による不当な処置の犠牲となった場合、彼ら移民が集団的権利を要求することに異議を挟むことができなくなるのである。事実、キムリッカ（1995: 224）は、国家による不当行為が権利要求の正当性を変質させてしまうことを認めて、「ある国がより貧しい国々と自らの富を共有する義務や責務をしっかり負うことができないのであれば、その国は移民を制限する権利を剝奪される」、とも書いているのである。だが、このことを認めるとしても、大多数の西側政府が「グローバル・コミュニティ」に対して明らかにその義務や責務を果たしてこなかった事実を考慮すれば、移民が特別な権利を公正に要求することができないのは何故なのかを理解することは難しいだろう。このような問題は、エスニック・グループが一方では「自治の権利」を享受するに値するグループだとみなされ、他方では明らかに自発的意志に基づいて物事がなされていないグループだとみなされるならば、理解することが一層難しくなるのである。例えば、アメリカ合衆国の黒人グループ「イスラムの民」について考えてみよう。この運動は、その歴史を見ると、ある時期には分離主義を唱え、またある時期には公然たる人種差別的立場――特に反ユダヤ人の立場――を取ってきた。だがまた、集団的権利は過去の不当な処置の埋め合わせを意味する、とのキムリッカ（1995: 126）の立場をわれわれが受け入れる限り、主に奴隷制度のためにアメリカにやって来ざるを得なかったエスニック・グループとしてのこの黒人グループが自治の権利を要求するいかなる主張にも抵抗し難く押し切られてしまうのである。そこでキムリッカは他のところでは――われわれに気づかせないように――正義（公正）に基づく集団的権利を擁護する代わりに、安定性を優先させるとの大義名分の下に権利を否定するのである。キムリッカ（1995: 117）は、国際連合の「民族自決権」擁護論を考察して、この原則を実行すると「不安定化する」ことになるかもしれないと主張しているが、しかし、もしわれわれが――キムリッカが提案するような仕方で――行動手段を諸集団に分け与えるならば、自らを「一つの国民」として定める集団――その集団がそう望むのであれば――がその固有の政治形態を形成することを妨げる理由は原則的には何ら存在しないのである。

そこで、平等と差異との関係を考察すると、集団的差異化のシチズンシップは、平等を社会の構成要素とし、かつ多様性を維持するのに必要な「コミュニケーション政治の構築」のための主要問題とを提言していることが分かる。ヤングの理論は、集団的権利が個人のアイデンティティの一部しか常に表現することができないよう細分化された集団に個人一人ひとりを閉じ込めてしまうために、「同質性」ではなく「連帯」を目指す「共同のシチズンシップ」(common citizenship) を発展させる希望も期待もほとんど与えてくれないのである。キムリッカのシチズンシップ論の中心を成している国民的集団もまた個人的権利を抑圧しかねないのである。というのは、そのようなアイデンティティは個人的選択よりも文化的統一性をしばしば優先させるからである。集団的権利は、自由主義的な観点から集団的権利を擁護してきたキムリッカの勇敢な試みにもかかわらず、自由主義によって押し進められた個人的権利とそもそも対立するように思えるのである。そこでわれわれは、自由主義の理念が――その理念が影響を及ぼすまさにその文脈によって――蔑《ないがし》ろにされたり、掘り崩されたりしているが故に、まさにそれ故にこそ、われわれはそのような価値を完全に拒否しなければならないのだ、と決めてかかる誤りを冒してはならないのである。安全、自治そして平等についての自由主義的保証がどうして充たされないのか、その理由を理解する鍵は、国民国家の不可避性についての自由主義的仮説に見いだされるし、またシチズンシップを実践するために必要な諸資源を分配したり、割り当てたりするのに民主主義よりも市場を優先させる主張に見いだされるのである。これらの問題は次の二つの章でさらに詳しく考察されるであろう。

第5章
シチズンシップの高まり

シチズンシップは、疑いなく、社会の至る所で引き起こされる権利の侵害や不公正に異議を申し立てる理念として大きな潜在能力を持っている。平等と個人の権利を擁護することによってそのシチズンシップの及ぶ範囲を広げていったのは自由主義であった。シチズンシップが前近代的世界において内包していた排他的な性質を克服するようシチズンシップを突き動かしたのは、そういう自由主義の理想であった。他方、急進主義者は正しくも、自由主義の限界をさまざまな仕方で乗り越えてシチズンシップを復元しようとした。だが、そうすることは、シチズンシップのまったく新しい基礎を追い求めるというよりもむしろ自由主義の基本的論拠を活かしていくことを意味する。すなわち、その課題に取り組むことは、自由主義シチズンシップの約束を果たすことが可能な方法を探し求めることである。そこで本章において私は、そのことがどのようにすれば達成されるのか、その方法を素描することにしよう。

まず第一に、私は、シチズンシップの文脈について考察するのであるが、とりわけシチズンシップと政治的コミュニティとの関係に関心を払い、シチズンシップが民主主義と密接に関係していることを強調するだろう。すなわち、権利と責任とを結び合わす鍵こそ「参加の倫理」[1]であること、またその「参加の倫理」を促進するものこそ民主的統治システムであることが強調されるだろう。われわれの個人的権利の基盤は政治的コミュニティであるのだから、われわれはそのコミュニティを維持するためにより大きな責任を自発的に受け入れなければならないのである。しかしながら、そのことを成し遂げようとするわれわれの前に立ちはだかるさまざまなバリアーに本気で取り組むこともせずに責任の範囲を広げることは、かえって社会的不平等を広げてしまうことになる。シチズンシップの内容を高めることは――権利と責任が相補的関係にあるのだから――権利と責任に対応することを意味する。それ故、第二節で私は、シチズンシップを商品化させないように社会的権利を復元し再生するための鍵である――と私には思われる――「市民所得」を取り上げて論究する。そして最後に、私は、シチズンシップが「親密なシチズンシップ」という理念をどうすれば逞《たくま》しくしていけるのかを探究するであろう。この概念は、シチズンシップの権利と責任はわれわれの公共生活だけでなく個人生活においても果たすべき役割を持っていることを含意しているのである。

1　シチズンシップと政治的コミュニティ

シチズンシップは個人と政治的コミュニティとの関係を仲立ちする地位《ステータス》である。シチズンシップはまた、市民社会において個々人が相互に影響を及ぼす枠組みを用意する。シチズンシップがその他のソーシャル・アイデンティティに増して持っている利点は、階級、宗教あるいは民族といった他のアイデンティティには欠けている「社会包摂的な質」をシチズンシップが持っている、ということである。近年、シチズンシップが急進主義者の間で受け入れられているとのことであるが、そのことは、ある程度、排他的なアイデンティティに基づいた社会的な闘争が本質的に権威主義的な性格を帯びている、と広く認識されていることから説明できる。例えば、フィリップス（1993）が主張しているように、マルクス主義者の間では社会的差異を諸階級間の主要な対立から目をそらすものだとみなす傾向が見られるが、このことから、共産主義が達成されると、階級以外のアイデンティティは抑制されるに違いない、ということになる。そのような集団的排他性が内包する危険性こそ——その排他性が階級に基づくものであろうと、民族意識に基づくものであろうと——第四章において私が集団的権利の見解に反対した主たる理由である。社会集団《ソーシャル・グループ》のメンバーシップに基づいて肯定的な特性あるいは否定的な特性を個々の人たちに帰するのは極めて危険なことなのである。そうではなくて、われわれは、自由主義者が個人のステータスとしてシチズンシップを重要視していることに基礎を置かなければならないのである。

それにもかかわらず、政治形態とその市民との間の関係は、市民同士の間の関係と同じように——たとえそのことが必ずしも当該の個々人によって明確に理解されていなくとも——互恵主義的であり、相互依存的なのである。このことは、シチズンシップの権利と責任が論理的に密接に関係していることを意味している。すなわち、権利は外界から切り離され孤立状態にある所には存在しないのであるから、権利は責任を包含しているのである。要するに、他者はわれわれの権利を認め、尊重しなければならないのであり、われわれもまた同じようにそうする責任を負うのである。権利はまた――その存続のために――権利を支えてくれる政治的コミュニティが維持されるか否かに左右されるのであるから、われわれはわれわれの権利を行使する責任を負うのであり、そうであればこそ、権利は政治的コミュニティの利益に欠くことができないのである。であるからこそ、健全な政治形態には積極的で活動的な一般市民が必要とされるのである。

積極的なシチズンシップは積極的な個人をもって始まる。何故なら、シチズンシップの構造的諸条件は個人の諸活動を通じて再生産され、改善されるからである。それ故、政治改革は、「参加の倫理」を促進することによって市民がその権利を行使し、その責任を履行する機会を活用するよう求めるに違いない。シチズンシップを積極的に働かせ、遂行することによってはじめて権利と責任との誤った対立も解消されるのである。同じように、改革によって、個人一人ひとりの相関性がますます自覚されるようにならなければならない。自由主義の自然権を重要視することで被る最大の「負の効果」の一つは、われわれの権利に対して原子論的立場を助長したり、またわれわれの権利について道具主義的立場を固持したりすることである。コミュニタリアンによる自由主義批判には一理ある、と言われる所以はここにある。もしわれわれの権利が、現にわれわれが生活しているコミュニティとなんの関係もないのだとするならば、われわれはわれわれの受給権の存在そのものを危うくさせてしまうだろう。

「市民の責任」の目的の一つは、個々の人たちを結びつける紐帯《ちゅうたい》を強固にすることであり、またそうすることによって自由主義の原子論的性向を相殺することである。だが、現代の自由主義社会は、シチズンシップを行使する機会があっても、明らかにそうすることができない組織構造になってしまっている。政治的参加についての研究が示唆しているように、市民がその政治システムや代議制に対して持っている信頼を次第に消失していくのはそのためである（Dalton 1996）。ここ数年、西ヨーロッパのほとんどの国では投票率が低下してきているし、また多くの政党は党員数の減少を経験している。このことは、高等教育の大衆化と情報メディアの影響力の範囲の広がりとが相俟って、市民の一般的な政治意識を高めてきたことによる現象である。

第二次世界大戦以降、多くの社会では反社会的行為の事例——犯罪がその明白な実例である——が一貫して増加してきたことも目撃されている。反社会的行為については、人びとが自分たちのコミュニティに対して感じている疎外感によって部分的に説明することができる。このような問題は、コミュニタリアン運動がますます重要になってくる理由を説明するのに大いに役立つであろう（Tam 1998）。コミュニタリアンは、一九四五年以来ずっと国家の正当性を根本から掘り崩してきた「受給権革命」に対する矯正手段の一つとして市民により大きな責任を求めるべきだと強調する。さもなければ、国家は絶えず増大する国民の要求に応えることができなくなってしまう、とコミュニタリアンは主張するのである。

コミュニタリアンが「市民の責任」という高尚な意識の必要性を強調することは正しいが、しかし、「市民の責任」という意識は権利を犠牲にして生まれるものではない。多くのコミュニタリアンはその気になっているようだが、われわれは「社会の問題」を文化の領域に帰したりすることはできないのであり、またエツィオーニや他の人たちが消極的だとみなしている一九六〇年代の「性の解放」や「家族構造の変革」といったような展開は、女性や性的マイノリティによる平等なシチズンシップを求める闘いを反映しているのである。ターナー（1994: 166）が主張しているように、われわれがその下で現に生活している、表面的にはポストモダンに思われるような文化状況は、個性と平等に力点を置く自由主義の論理的帰結であると解釈されるのである。実際のところ、自由主義の価値体系は歴史上もっとも多様でかつ多元的なコミュニティを促進してきたのである。われわれは、第二次大戦後の社会における性意識、ジェンダー政治、音楽それに美術など多くの領域や分野で生起した積極的で平等主義的な社会変革に抵抗することはできないし、また抵抗すべきではないのである。現今の社会的状況の文脈からすれば、伝統的慣習への回帰はもはや不可能なのである。

ベク（1997: 95）は、彼が「個別化」と呼んでいる西側社会の一連のプロセスを次のように検出する。すなわち、宗教、階級、国民あるいは安定した雇用といった伝統的な比較基準が崩壊あるいは衰退してしまったために、今や個人一人ひとりが「自分の伝記を自ら制作し、演出し、そして継ぎはぎして繕《つくろ》わなければならなくなってしまったのである」。「個別化」の一つの解釈は、「差異の政治」を擁護する人たちによって提示された極端な個人主義を強調する解釈なのだが、現在の社会に見られる多くの異なる利害関係は、あまりに多種多様であることから、普遍的シチズンシップをもってしても調和することができない、との結論にわれわれを導いてしまうかもしれないのである。しかしながら、前章で主張したように、そのような見解に賛同する著述家たちが集団アイデンティティをしばしば政治の主要な作用因だと主張し、その結果、彼らが擁護すべきまさにその「個性」をそのようなものとして否定してしまうのは皮肉という外はない。それにもかかわらず、われわれはますます個別化されていく社会の断片化に何らかの方法をもって立ち向かわなければならない。政治的コミュニティが維持されるのであれば、ますます個人主義的になっていくような時代にあってこそシチズンシップは「アイデンティティの再構築」に重要な役割を果たさなければならないのである。

コミュニティを相互に結びつける紐帯は形式上文化的ではあり得ない。何故なら、多種多様な個人が自らの「民族意識」に忠節を抱くだろうと想定する理由はまったくないからである。それ故、われわれは、シチズンシップの普遍的な理想に取り組むことによって、政治的に市民同士のコミュニケーションのチャンネルを拡張し、向上させなければならないのである。このことは——「差異の政治」の擁護者たちが主張している——すべての市民は「幸福な生活《グッド・ライフ》」の構成要素が何であるかについて同じ概念を共有すべし、とのことを必ずしも意味しない。それが意味していることは、オールドフィールド（1990: 25）が論じているように、「ある人にとっての幸福な生活は他の人にとっての幸福な生活を必ずしも意味しないのであるから、各人にとっての幸福な生活は政治的コミュニティを維持する活動をそのうちに含んでいなければならない」、ということである。互恵的な権利と責任という形での市民同士の結びつきは、少なくとも二つの方法によって政治的コミュニティを支える。第一の方法は、市民は社会の構成員として連帯を構築する、というものである。ここで重要なのは、ガバナンスの制度のあり方によって結びつくさまざまな個人同士の連帯とコミュニタリアン理論が暗示する息苦しい従順とを区別することである。第二の方法は、シチズンシップの遂行が一連の教育的な過程である、というものである。個々人は自ら実践することによって政治活動の技巧を学ぶのである。このことはシチズンシップと民主主義との密接な関係を認識することを意味する。実際のところ、シチズンシップは民主主義の前提条件とみなされるのである。権利と責任が――たとえ公式的にはガバナンスの構成要素でないにしても――ガバナンスの民主的システムに必ず含まれるのは、民主主義には平等な「参加する権利」という理念が必ず伴うからである。民主主義はまた、例えば「言論の自由」の権利、「結社の自由」の権利、それに「異議を唱える自由」の権利といった「意見の表明」に必要な市民権を伴う。逆に言えば、民主主義は政治的組織体としての国家《ポリティ》のメンバーシップを「従属的身分」から「市民の身分」に、すなわち、シチズンシップに変えるのである。個人一人ひとりを自己統治《セルフ・ガバナンス》することができる自治的で自律的な行為者と認識することによってはじめて、積極的なシチズンシップが可能となるのである。

　現代の社会状況の脈絡からすれば、安定したガバナンスのためには民主主義がますます重要になってくる。ポストモダンの理論が社会科学のためになし得た積極的な貢献の一つは、多くの近代主義的な人間解放論を支えている目的論的仮説を暴くのに役立ったことである。例えば、古典派マルクス主義は、一つの社会集団――プロレタリア階級――を理想化して描く「変革の理論」を採り入れたし、また相対立する階級を仲裁するために政治活動やシチズンシップの必要性がなくなれば、階級闘争の歴史は終焉する、という仮説を立てる。しかしながら、革命において必ず起こる犠牲は個人的権利なのである。というのは、エンゲルスが主張しているように、「革命は、確かに、存在する事柄のなかでももっとも権威主義的な事柄である」からだ (Marx and Engels 1962: 639)。それとは対照的に、ポストモダニズムは、社会的に組み立てられた「真理の本性」が権利を求めるのだと強調する。このことが論理的に含意していることは、大多数の人たちが共に生活できるよう差異を認識し、民主主義の諸制度をそのための政策決定にまで辿り着く唯一可能な方法として擁護することなのである。民主主義は普遍的な真理を達成しようとするのではない。そうではなく、民主主義は多様な市民同士の間の関係を築いていこうと努力することなのである。完全論《パーフェクショニズム》(2)が政治的熟慮こそ差異を否定する「人間対立」の最後の解決策を目指すのだというのであれば、ポストモダニストたちが完全論的な政治論に関心を払うのは当然であろう。しかしながら、もしわれわれが、完全論を、人間はその本性に制約されるのではなく、民主主義を通じて変化する環境や導き出される変化に創造的に順応することができるのだという意味で捉えるならば、そういう問題が生じる必要はないのである。要するに、民主主義は、進行中の絶えず変化するプロセスでなければならない解放の手段として、目的論的な理論あるいは革命的な理論に取って代わるのである。

権利と責任のまさにその特質も民主的に取り決められなければならないだろう。しかしながら、民主主義についての関係論的な見解は、多数派が少数派を考慮に入れないことなど到底あり得ないことを含意している。民主主義は、（人びとを社会的に排除しない）社会包摂的な性格を持ち続けるのであれば、ゼロサム・ゲーム(3)に没頭するようなことはあり得ないのである。そうであればこそ、われわれは社会のさまざまな声に耳を傾けて斟酌《しんしゃく》するよう期待し、また可能な限り社会包摂的であるよう期待しないではいられないであろう。そしてこのことは市民権や政治的権利を尊重していくことに必ずや繋がっていくであろう。しかし他方、自由主義社会においては、個人はその政治的権利を行使しないことを選ぼうとする危険性があるし、また、そうすることによって、共通の諸制度の基礎が掘り崩されてしまう危険性がある。仮に誰かが、狭量ではあるが合理的な人間の行為の「選択の自由モデル」を選んだとすれば、そのような選択肢はその個人にとってまったく道理に合ったものと思われるかもしれない。すなわち、その個人は、自分の発言や提案は精々のところ周辺的、傍流的で重要でないと決めつけ、それ故、参加することはほとんど意味をなさないだろう、と判断するのである。このようなことはアメリカ合衆国のような国では確かに危険である。近年のアメリカ合衆国の大統領は、大統領を支持する登録有権者のわずか四分の一の有権者によって選出されているからである。確かな証拠が示唆しているように、アメリカ社会の全地域はそれらの政治制度から疎遠であったのである（Dalton 1996: 269–71）。

　この問題は、部分的には、自由主義社会の内部における政治制度の本質に関わっている。多くの政治制度が個人から離れて機能しているので、個人の権利を行使しないという選択の自由が一種の魅惑的な選択肢になってしまっているのである。それ故、地域で権限を引き出せるような、したがってまた、単なる投票行動よりもむしろ審議機能があり、意思集約的であるような新しい参加形態を試みようとする精力的な事例が見られるようになっている。このことの一つの実例が――かなりの成功を収めている――イギリス、アメリカ合衆国それにドイツで試みられている「市民審査員会制度」（citizen's juries）である。これらの審査員会制度によって、普通の人たちが健康管理《ヘルスケア》や教育といったような政策領域で政策を審議したり、中央・地方の政府職員に政策的な助言を行なったりすることができるのである。かくしてイギリスにおいては、例えば、そのような審査員会制度は、NHS（National Health Service：国民保健・医療サービス）のサービスがどのようにすれば公正な仕方で配分されるのか、その方法に関わる問題に取り組むために地方自治体によって活用されている。こうした審査員会制度は、場合によっては、審議中の政策に特に影響を受けやすい個人によって構成されることがある。また、例えば、スコットランド東部のファイフでは、ヘルス・ワーカー、ボランタリィ・セクターそれにソーシャル・ワーカーによって提供されるサービスに関わる問題を検討するために、チャリティ組織のエイジ・コンサーン（現在のエイジUK）が七五歳以上の高齢者によって構成される審査員会《パネル》を設置している。この審査員会のメンバーは、独自の案件を設定し、例えば「患者の退院に関する病院の政策」といったような問題を検討するのである。このような熟議によって、優良診療所《グッド・プラクティス》を認定する「一四ポイント・プラン」が生まれたのであるが、それがファイフにおける病院の義務履行《ホスピタル・ディスチャージ》に関する政策を支えるのに活用されるほど大いに受け入れられているのである（Ivory 1998: 13）。

ところで、確かに、公共政策がある特別な決定によって直接影響を受ける人たちだけに有利に働いてしまうような危険性が存在するとはいえ、そのような審査員会の経験は、例えば投票権のような（目標達成のための）「必要最小限参加」モデルではしばしば欠けてしまう、参加者が（公的な権限や資格を意味する）エンパワーメント[4]の意識を体験するので、参加者には大きな励みとなっているのである。まさに市民審査員会は、十分に検討され洞察に満ちた政策を提案してきたし、また熟議の体験がシチズンシップの濃厚な意識に基づいた「参加の倫理」をいかにして促進し、強めることができるかを示唆してくれる一つの実例なのである。

われわれは、政治的な諸制度を改革するだけでなく、「政治的な権利と責任の関係」という問題に取り組む必要がある。そこで私は、本節を締め括るために、二つの提唱を、すなわち、シチズンシップと政治的コミュニティについて私が行う包括的なコメントから論理的に求められる提唱と、関係論的なシチズンシップ論がその内に含み持つ一種の政治的変革を例証してくれる提唱とを考察する。最初のそれは、既にオーストラリアなどいくつかの国で主張されている「投票の義務」（compulsory voting）の問題である。投票の義務の利点は、投票の権利が実質を伴うのであれば、権利が行使されなければならない必要性が明確に理解される、ということである。例えば、われわれの代表者を決めるというような非常に重要な領域においては次のようなことが主張されている。

すなわち、われわれは、投票による意思表示をしないのであれば、他者にとっての「投票の権利」の意義や重要性を事実上削り取り、蝕《むしば》んでしまうということ、これである（Dagger 1997）。投票の義務は、権利と責任がどう密接に関係しているのか、を教えてくれる適切な実例である――権利がその重要性を維持していくために、われわれは自らの投票権を行使する責任を負うのである。

投票の義務に反対する主張には一般に二つのものがある。一つは、投票の義務は、それが無関心のためであろうと抗議の意思からであろうと、投票のプロセスに参加しないという個人の権利を侵害することになる、という主張である。もう一つは、投票の義務は、人びとが仕切られた投票用紙記入所に誘導されて投票しても、結局のところ一種の「順位指定連記」投票（donkey vote）となってしまうのに、そんなことなど素知らぬふりして言い訳する機会を政治家《ポリティシャン》に与えることになるだけなのだ！という主張である。しかしながら、第一の反対論は、投票することは個人的権利であるだけでなく市民としての責任でもある、という主張によって反駁される。その上、われわれは、「適切な人物が誰もいない」という選択肢を含めることによって、個人が投票用紙に自らの不満を表明してもかまわないとしているのである。その意味で、人びとに投票するよう強いることによって投票の意義や重要性が削り取られたり蝕まれたりするという主張は、説得力のある主張ではないのである。事実、強制の一つの要素は、市民が他の方法で政治的に参加し、政治的な情報・知識を確実に与えられるのを促すようにするのであって、そのような機会は十分あるのだ。現在のままであれば、政治家たちは多くの市民の選り好みを無視することができるだろう。何故なら、そのような市民は投票しないからである。投票しないことや選挙への無関心の程度は社会‐経済的ステータスと密接に関連している。したがって、危険なことは、政党が比較的貧しい社会階層のニーズを次第に無視していくようになり、中産階級を満足させていく方向にその政策ギアーを切り換えていくことである。投票の義務は、実は、「参加の不平等」という問題と真剣に取り組むことであり、またこれまで選挙に参加してこなかった数多くの人たちを政党が無視することができなくなる、とのことを意味することなのである。

権利と責任とのバランスに取り組むためのもう一つの政策はコミュニティ・サービス（地域コミュニティでの奉仕活動）のそれである（Barber 1984, Dauenhauer 1996）。多くの国は、市民に、義務兵役制《ナショナル・サービス》に基づいて軍隊で徴兵義務を果たすよう要求するのであるが、そうであるなら、地域コミュニティのニーズに一定の時間を捧げるという原則が社会生活の他の領域に広げられてはならないという理由はないはずである。例えば、それには、障害者や高齢者への支援の提供、環境の保護や管理への貢献、あるいはコミュニティ文化活動の向上が含まれるだろう。その重要な点は、特にコミュニティ・サービスが階級や民族集団の間で生起する適切な社会的混合を確かなものにするような仕方で入念に企画されるならば、このコミュニティ・サービスによって市民の間に連帯が構築されていくだろう、ということである。コミュニティ・サービスは、市民に相応しいコミュニティを維持するのに、また市民に役立つ価値のあるサービスを提供するのに与って力があるだろう。ダウエンハウアーが主張しているように（1996: 160）、コミュニティ・サービスはまた、社会がその市民に提供しなければならない「シチズンシップのための教育」の重要な側面でもあるのだ。ダウエンハウアーは、子ども時代と成人の世界との間の架橋として、一年間の奉仕を放課後に行うことを提案している。コミュニティ・サービスとシチズンシップの教育プログラムとを密接に組み合わせることは確かに重要である。シチズンシップの教育プログラムは、小学校・中学校教育では必修科目であり、高校教育でも一定の役割を果たしているからである。これまで、教育の主眼点は個人の「自己発達」と職業の準備に置かれる傾向があった。しかし、これからは、教育は市民の責任能力と社会的交際《ソーシャビリティ》の意識とを育成することもまた求められるのである。

もちろん、理想的には、「シチズンシップの責任」は自発的責務の形を取るべきである。しかしながら、孤立状態に置かれている人は責務を果たすことができない。コミュニティは個人的行動の構造的脈絡なのであるから、そのようのものとして、すべての市民がコミュニティを維持していくために相応の責任を負うよう求められるのは不当なことではない。批評家たちは、投票の義務やコミュニティ・サービスといった義務は「個人の自由」の侵害ではないか、と気を揉《も》むけれども、しかし、個人の自由は専ら抽象的な権利だけを強調するシチズンシップの一面的な見方のために危険に晒されやすいのである。われわれは、それ故、われわれの諸権利は共通の諸制度をどう維持していくかに左右される、とのことをひとたび受け入れるならば、義務を高めていくことの必要性もおそらく受け入れるだろう。私がここで検討してきたような論議は個人の「選択の自由」の権利を失効させるものではないのである。事実、自由主義社会ではわれわれの時間を費やすよう要求する政策などあり得ないということであり、納税や陪審員（裁判員）委嘱といった法律を遵守する義務を別にすれば、市民は果たすべき義務など持たないのである。それにもかかわらず、権利を犠牲にしてまで負わなければならない大きな責任がわれわれにあるのか否か、ということに関心を払うことは正しいことなのである。シチズンシップが今後高まっていくのであれば、われわれもまた社会的権利に関わる論点を追究しなければならないのである。

2　社会的権利を再考する

市民は政治に参加する機会を持ちかつ参加する責任を負っているだけではない。市民は自らが政治に参加することを可能にするためのリソース（資源・資力）もまた必要とするのである。それ故、コミュニティにはあらゆる市民の基本的なニーズに応える義務があるのだ。シチズンシップについてのマーシャル（1992）の自由主義的な説明によれば、国家は第二次大戦後に社会的権利の制度化を通じてそうする責任を受け入れたのであり、彼あるいは彼女の雇用条件に関係なく、いかなる人も貧しい生活をしないよう保障するのが福祉国家であるとされたのである。さらに言えば、社会保障の権利は、一方で資本主義を教化して確実に社会に定着させ、他方で不平等を正当化させたのである。

マーシャルにとって、社会的権利はシチズンシップに現実的な内容を与えるものである。何故なら、社会的権利は公的に積み立てられた財源の上にシチズンシップを置くことになるからである。しかしながら、社会的権利は、シチズンシップの他の諸権利と常に不安定な関係にある。そこでバーバレット（1988: 67）は、「社会的権利がシチズンシップの権利であり得るのかどうか」を問わなければならないと主張することによってシチズンシップを政治組織体としての国家への「参加の権利」だとみなし、次のように論じるのである。すなわち、社会的権利は、それ自体としてはシチズンシップの構成要素の一部というよりもむしろ、その参加を促進する一つの手段なのである。その上、「シチズンシップの権利は必然的に普遍的なのである」。しかし、社会的権利は実定的である場合にはじめて意味を持つのだから、そうであれば、実定的な権利は決して普遍的ではあり得ない、ということになる。結論的には、それでは社会的権利は官僚的な基盤と財政的な基盤とに左右されるが故に、権利などではまったくない、とでも言うのであろうか。そうではない。社会的権利は「条件付き保障の機会」なのである。

確かに、社会的権利には資本主義社会においてそれが取っている形態からすれば大きな欠陥が見られる。それ故、バーバレットが、シチズンシップにとって不可欠である「参加の倫理」と、福祉国家の一部を構成するものとしての「社会的権利の積極的な性質」との緊張関係を確認するのは当然であろう。何故なら、社会的権利の行使が福祉の提供者の独断的で差別的な決定に左右されてきたからである。その結果、（生活困窮者・失業者のための給付である）所得援助《インカム・サポート》のような、特にミーンズ・テスト（福祉給付資格調査）に基づく給付金は、多くの受領者によって、シチズンシップの権利ではなく、国の施し物とみなされてきたのである。社会的権利はしばしば、受領者に受領の権利や資格を与えるのではなく、汚名を着せられる烙印とされてきたために、多くの社会給付や手当が請求されずにきたのである。社会的権利と関係する行政上の決定は、給付金の不正受領を厳重に取り締まる要求が給付金や手当を一層厳しく、より押し付けがましく取り締まることを意味するようになると、個人の市民権に否定的な影響を及ぼすようになってくる。そしてやがて、社会的権利のステータス全体が貶《おとし》められてしまうのである。こうして、社会的権利は、福祉国家の一部を構成するものとして市民の間に橋を築くことができなくなってしまう。否それどころか、社会的権利は、雇用を通じて「市場の権利」を行使することができる積極的市民と社会的権利を受けるに値しない人間あるいは下層階級の構成員として繰り返しレッテルを貼られる「消極的」市民という分裂を市民の間につくりだしてしまうのである。

しかしながら、われわれは、社会的権利は本来的に市民権や政治的権利と緊張関係にあるのだ、とのバーバレットの主張を受け入れる必要はない。マーシャルのような自由主義者が期待する機能を社会的権利がどうして果たしてこなかったのか、その理由を理解する重要な鍵は、社会的権利は資本主義のロジックを取り崩すのではなく、むしろ資本主義のロジックを支えるのだと理解されてきたという点にある。それ故、シチズンシップと一九四五年以後に現れた福祉国家との間の結びつきは比較的弱いものなのである。言い換えれば、個人と個人との間の主たる関系は、権利と責任の相補的な関係というよりもむしろ契約によって統治される「市場の相互作用」とみなされてしまうので、社会的権利は、シチズンシップの本質的な部分とみなされるのではなく、むしろ失業の補償だとしばしばみなされてしまうのである。その点で、有償の雇用労働と社会的権利との関連について言えば、社会的権利は、フルタイム労働の仕事に就きやすく、また累進課税負担と結びついた高率の給付金や手当を要求することができる男性に片寄ってしまうことを意味してきたのである。社会的権利は――バーバレットが主張するような――本来的に選択的なものではないのである。そういう印象をつくりだしてしまうのは労働と社会給付との関連性である。同じくバーバレットが認めている、社会的権利と「シチズンシップの権利」との間の三番目の緊張関係が明らかにしていることは、彼の立場が言わせるロジックこそ、市民権や政治的権利は、ある意味で、コミュニティに優先するという想定によって支えられている、ということになるのである。社会的権利は資源や資力に左右されると主張することは、もちろん間違ってはいない。しかし、このことはすべての権利について言えるのである。要するに、市場関係を支えるようないくつかの権利に特典を与えたり、取り入ったりする「自由主義の抽象的ロジック」をわれわれが受け入れる場合にのみ、社会的権利はシチズンシップの他の諸権利とは異なる性質を有するのだ、とわれわれは主張することができるのである。

一般市民のシチズンシップや政治的シチズンシップを具体的なものとみなしたり、現実的なものとして扱ったりすることの危険性、また社会的権利とシチズンシップとの必然的な結びつきを否定することの危険性、そのような危険性は、社会的権利がその侵害に対してきわめて脆弱な状態に陥ってしまうことを意味している。実際のところ、新自由主義が一九八〇年代から一九九〇年代にかけて社会福祉に反対するための巻き返しを図った後に福祉国家の危機についての文献が多数見られるようになったのである（Pierson 1998 を参照）。依存の文化が道徳性に及ぼす否定的な影響への懸念、高率課税が事業競争に及ぼすと思われる不利益な影響への懸念、それに高齢化する人口問題への懸念といったことすべてが、政治的にも西側社会における重大な協議事項となったのである。コックス（1998）は、もっとも進歩的な福祉システムの下でさえ、福祉厚生の給付とシチズンシップとの間の関係がかなり弱まってきていることを認めている。このことに関して言えば、トニー・ブレアやビル・クリントンのような政治家たちが、社会主義の国家統制と新自由主義の市場原理主義とを回避する社会統治を実行するために、「第三の道」の構想を試みるなかで「シチズンシップ」という言葉を多用したのは、皮肉と言うべきであろうか（Giddens 1998）。しかしながら、第三の道を擁護する人たちは、「シチズンシップの用語」は使っても、しばしば権利を条件無しの要求だと見下すか、そうでなければ、何よりも働くこと、あるいは少なくとも働き口を捜し求めることが義務であることを受け入れない人たちには権利は与えられないのだと主張するのである。このことは、社会的権利の制度は市場の命令よりも下位にあるのだとされる社会的権利の弱点をまたしても際立たせることになってしまった。だが、社会的権利は進んで働こうとする意志次第なのだとするならば、論理的には、働かなくても十分に富裕な人たちはコミュニティに対する自らの責任を回避することができるのだということにもなるのである。

そうであれば、責任は富を基礎として階層化されるようになるであろう。ジョーダン（1989: 82）が主張するように、「働くことをシチズンシップの責務とさせる唯一の方法は、すべての人びとがその労働生活の一部を、何らかの利益を産み出すために振り向けることにより一定の財を供給することで共通の利害を創り出すことであろう」。社会的権利は、福祉国家が管理し執行する社会保障等の受給権と政治的シチズンシップとの結びつきが弱いために、一方では福祉に関わる法案を廃案にしたり、他方では「グローバル」市場での経済競争の有効性を主張したりすることに熱心な政治家たちによって展開される多面的な戦略に翻弄されてしまうのである。したがって、もし社会的権利がより確実な基礎を持つのであれば、われわれは、社会的権利が果たす機能と、シチズンシップと社会的権利の関係とをもっと幅広く再考しなければならないだろう。もしシチズンシップの政治的かつ平等主義的な関係が不平等な市場契約の関係に優先するのであれば、社会的権利はマーシャルやバーバレットによって定義された福祉的権利とは非常に違った形状を呈するだろう。例えば、「市民所得《シチズンズ・インカム》」の提案がそれである。この提案は社会的権利についてのバーバレットの懸念や関心事の多くに応えてくれると思われる。そこで、本節の残りの部分をこの「市民所得」という考えを詳しく説明するのに充てることとしよう。

近年、「ベーシック・インカム」（basic income）との言葉で見聞きするようになってきた市民所得とは、成人市民の雇用状況に関係なく、各成人市民に（おそらく、児童にはより低い率で）支払われることになる最低保証金額のことである。この最低保証金額は事業体と個人に対する課税によって調達される。市民所得の第一の利点は、市民所得が普遍的な社会的権利である、という点である。それ故、この点は、バーバレットが社会的権利の本来的に選択的な性質とみなしていることについての彼の第二の関心事に応えている。シチズンシップを高めていくという観点からすれば、市民所得の意義は、市民所得が所得と労働を切り離すというよりもむしろシチズンシップを市場の制約から自由にする、ということである。エスピン-アンデルセン（1990: 21）が述べているように、「社会的権利の重要な尺度は、それが人びとの生活水準を純然たる市場の力から切り離すことを可能にするその度合いでなければならない」のである。市民所得は、その点で、社会的権利の脱商品化をもっとも達成しそうな政策のように思われる。それに加えて、市民所得は普遍的権利であるのだから、市民所得は――それがひとたび制定されるならば――雇用パターンの変化とより明白に関連するような社会的権利よりももっと確実なものになっていくであろう。それによって、公共政策の目標は、市場に奉仕する社会的、経済的な政策を立案するよりもむしろ、適切で公正なシチズンシップを促進する諸条件を維持する方向へ進んでいくであろう。

パーカー（1998: 162）はこう主張する。ソーシャル・シチズンシップを脱商品化することのもう一つの社会的な帰結は、人びとは自らの基本的ニーズを満たすために環境破壊的な雇用や仕事に依存しなくなるので、生産第一主義の社会はより小さく、より少なくなっていく、ということである。社会の優先順位が市場の尺度に基礎を置くのではなく、政治的、市民的なメンバーシップに基礎を置くよう改革されることによって、環境保護の観点からより健全な経済の管理・運営が重要な役割をまた果たすことになっていくのである。

それでは、社会的権利と参加との関係についてのバーバレットの主張はどうだろうか。「市民所得」を擁護する人たちは、責任の遂行に、例えば私が唱道してきたようなコミュニティ・サービスに市民所得を結びつけることによってこの難題に対応しようとする。しかしながら、このように市民所得を条件づけてしまうことは、労働プログラム（労働学習計画）と引き換えの福祉と結びついた諸問題を敢えて再現することになる。すなわち、富裕な人たちはこの計画《スキーム》から簡単に手を引くことができる、ということになってしまうのである。そうではなくて、コミュニティの義務はその構成員の基本的ニーズを満たすことである、とのことが認識されてはじめて市民所得が支払われるべきだ、と私は主張しているのである。シチズンシップが個人とコミュニティとの関係を表現するものであるとするならば、市民所得は、コミュニティの優先権が市場のニーズにではなく、その構成員の福祉にあることを明確に示すことによって、この両者の関係の上に築かれることの重要性を反映することになるであろう。その意味で、市民所得は、それが相互依存および個人の自治の双方を認識しかつ高めることから、社会的権利の他の方法よりもずっと明確な利点を持っているのである。

市民所得の支払は「富の創出」の社会的本性を比較的容易に認識させることになるだろう。富の創出を主に活動的な事業家《アーントレプレナー》や個人の進取の才《イニシアティヴ》に帰せようとする新自由主義の優性思想は、政治的コミュニティの「メンバーシップの共有」に基礎を置く社会政策によって異議を申し立てられるだろう。加えて、ハースト（1994: 182）が主張しているように、「かなりの程度まで富が社会的であるならば、貧困はまったく個人的な恥辱の烙印《スティグマ》(5)になり得ない」のである。かくして、市民所得はより公平に社会の利益を共有するのに役立つのである。

従来の社会的権利に関わる問題の一つは、社会的権利が労働（仕事）と密接に結びつけられているだけでなく、「有用な労働」があまりに狭く定義されていることでもある。このことは、女性が従来の福祉計画からどうしてわずかな給付金や手当しか受け取れなかったのか、その理由を部分的に語っている。女性が無償の家庭内労働と社会的ケアに費やす（男性とあまりに）不釣合いな時間数は、まったく正当に認識されないままに過小評価されてしまうのである。さらに言えば、女性は、労働市場の不平等な構造のために、所得に関連する給付金や手当を要求することに十分貢献することができないでいるのである。例えば、イギリスでは、一九九一年に公的年金を請求できる女性のうち週五二ポンドの全額を受け取ることができたのはわずか一五％にすぎなかった（Parker 1993: vii）。その点で、市民所得は、女性の社会的貢献を暗黙裡に認めることによって、多くの女性たちの運命をかなりの程度改善するであろう。また市民所得は、政治活動や市民活動に参加するのに必要な時間を確保するために使われる大きな資力を女性に与えるであろう。さらに市民所得は、女性を、結婚しているか否か、性別あるいは家族関係といった観点からではなく、独立した、自律的な個人としてみなすであろう。一家の稼ぎ手としての夫たる男性一人が優位な地位を占めるような核家族がますます一般的ではなくなっていくにつれて、市民所得は家族構造の社会的変化に敏感に反応する社会政策になっていくのである。

リスター（1997: 189）は、市民所得は女性を家庭内の仕事にますます縛りつけることによって、女性に対する男性の経済的優位性を――意図的でないにしても――強化することになりかねない、と懸念する。しかしながら、そのような懸念は必ずしも市民所得からは生じない。というのは、市民所得は、男女の役割を対等・平等にするよう企図された他の社会政策の手段や施策を排除しないし、また一つの政策だけですべての起こり得る不平等に取り組むことはできないからである。

社会的権利についてのバーバレットの第三の問題点は、給付金や手当の受給に差別がなされるかもしれない官僚的な決定に社会的権利が依存している、ということである。これについては、市民所得は少なからぬ実際的な利点を持っている。市民所得は、現に多くの国々で複雑化したために混乱を来たしている課税システムと給付システムとを大いに簡素化するであろう。したがって、市民所得は行政処理を相対的に容易にすることになるので、福祉厚生の官僚主義を取り除く労力が大いに節約されるであろう。さらに市民所得は、その受領者が国家官僚の決定に頼ることも止めさせるであろう。こうして、市民所得は普遍的な給付となるのであるから、市民所得はシチズンシップの基本的権利として享受されることになり、したがってまた、市民所得にはいかなる恥辱の烙印も押されはしないのである。

社会的権利を享受させる従来の方法に比べて市民所得にはいくつもの利点があるにもかかわらず、なおピクスリー（1993）が、市民所得はそれだけでは（問題解決のための）万能薬たり得ない、と強調することは正しい。もし市民所得に権限の移譲や国家と経済の民主化が伴わないならば、市民所得は事実上国家によってハイジャックされてしまうかもしれない、と強調することで、ピクスリーは、失業問題の解決を避けるのに熱心な国家によって、またその構成員に対して果たすべき責務を減じていくことに熱心な国家によって、皮肉にも市民所得が利用されてしまうかもしれない、と言わんとしているのである。ピクスリーにとって、資本主義社会は労働を通じた市場参加によってはじめて変形することができるのである。それ故、社会政策の基礎を市民所得に置くことによって、われわれは多くの市民を周辺的地位に追いやり、資本主義的労働契約を改革しないままにしてしまう危険を冒すことにならないのだろうか、ということになる。もっと言えば、個人同士の責務と個人間のコミュニケーションのネットワークが促進されるのはまさに労働を通じてである、ということになる。このような理由でピクスリー（*ibid.*: 199）はこう主張するのである。

> 賃金と労働との関係は、シチズンシップと賃金労働との関係ほどには重要な政治的、社会的な論点ではない。すなわち、現代社会における政治的参加のための基本条件は、主流を成している雇用と強く連動しているのである。

しかしながら、ピクスリーの主張は、戦後のフォード方式の生産体制を特徴づける完全雇用から、一九八〇年代から一九九〇年代にかけてのパートタイムのようなより柔軟な雇用パターンへの移行の問題を扱っていない。もし人びとのニーズが満たされているのであれば、われわれは必ずしも労働市場におけるそのような移行を厳しく批判する必要はないだろう。むしろピクスリーは多くの人たちにとっての労働疎外[6]の要素を過小評価しているのである。市民所得は、十分に権利を行使し、責任を履行する時間的余裕のない人たちにとっての活動的、積極的なシチズンシップの土台をしばしば掘り崩してしまうような労働疎外あるいはエネルギーを搾り取るような労働から人びとを自由にするであろう。確かなことは、非常に数多くの人びとが有用な仕事に就きたいと願っている、ということである。要するに、新自由主義的な権利によって広められた「依存文化」が存在した証拠など見当たらないのである。それどころか、市民所得によって、雇用と他の諸活動――それらの活動の多くは生涯教育、ボランタリィ労働それに政治的参加といったシチズンシップの実践を中心とする（事業を含む）活動である――との間でバランスが保たれるのである。雇用主に依存することから人びとを解き放つことによって、市民の多様なニーズをより一層満たすことができる「労働者に役立つ政策」を採り入れるよう雇用主に圧力が加えられるであろう。

市民所得は、社会的権利の観点からすれば、シチズンシップに安定した基盤を大いに提供してくれるように思われる。ある批評家たちは、そのような政策は経済的に実行不可能である、と指摘しているが、しかし、そういう論調は普遍的な利益に反対するために持ち出されるのが常である。例えば、NHS（国民保健・医療サービス）が第二次世界大戦後にイギリスで形成されたときに、とりわけ多くの保守主義者がNHSの財政的な実行可能性に疑義を唱えたものである。そのキーポイントは、市民所得を実行する政治的意志があれば、市民所得は実行可能である、ということなのである。現実の問題は、われわれがシチズンシップの価値をどれほど評価しているかである。われわれは、限られた狭い経済的基準という権威を前にして潔くわれわれの権利と責任を犠牲にしてしまうのだろうか。これこそが、シチズンシップの物質的基盤を承認するようわれわれを急《せ》き立てる課題なのである。ヴァン・パレースは、市民所得は「公正な社会‐経済的統治形態の要《かなめ》」であると主張しているが、当を得ている主張である。市民所得は、個々人が人間的尊厳を卑しめる搾取的雇用であると分かっていながらしばしば受け入れざるを得ないような条件を社会的権利から取り除くことによって、人びとの物質的ニーズだけでなく非物質的ニーズにも注意を向ける「シチズンシップの想像力」の本質的な部分を形成するのである。市民所得は莫大な数の自動車ではない。メドウズ（およびその他）が主張しているように、「人びとが必要としているのは尊厳である」(cit. in Twine 1994: 83)。市民所得に関わる社会政策が、その真髄において、この必要条件を大いに満たしてくれるのである。

確かに、市民所得は、最初のうちは、ある特定のコミュニティのメンバーに限定されるであろう。その意味では、社会の全域で生起する不平等問題が市民所得政策によって本格的に取り組まれることはないであろう。そこで、この問題を第六章で考察する前に、それと関連する「親密なシチズンシップ」の理念を吟味して本章を終えることにしよう。

3　親密なシチズンシップ

シチズンシップが向上していくであろう他の領域は、ケン・プラマー（1999）の名句、「親密なシチズンシップ」によって示唆される。「親密なシチズンシップ」という用語はシチズンシップの原則を個人間の関係にも適用しようとするものだと私は解釈する。自由主義的な伝統においては、シチズンシップは、理性が支配する厳密に公共の事柄であるとみなされてきた。他方、私的領域は──人間的感情の王国《レルム》である──家族生活と需要・供給の法則によって支配される市場交換とに基礎を置いている。既に私は、社会的権利についての先の議論のなかで、市場の命令よりも下位に置かれているようなシチズンシップはその土台を掘り崩されてしまうことを示唆しておいたし、また市民所得の導入がこの問題に取り組んでいく重要なステップとなることも示唆しておいたので、ここで私は、シチズンシップの理念が家族関係や暴力への対処といったような解決を求められる問題に適用される方法について検討しておくことにする。

自由主義理論においては、私的領域は、事実上、非政治化されている。「政治的な公的世界」と「非政治的な私的王国」との間のはっきりした分割については、これまでフェミニストによって喚起されてきた。「個人《パーソナル》は政治的である」というスローガンは、私的王国は非常に政治的である「力（権力）関係」を伴う、という考えを巧《うま》く言い当てている。その上、「私的」と「公的」との間のはっきりした分割それ自体が男性たちの利益に肩入れする政治的構成要素なのである。このような分割は、家庭生活においてしばしば起こる、特に女性や子どもに対する暴力を世間の注視から覆い隠す効果を持つ、とフェミニストたちは主張する。それ故、全体論的《ホリスティック》なシチズンシップの重要な側面はシチズンシップの目的をこの私的領域に適用することなのである。だが、このことは、シチズンシップが内包する諸関係は人間関係全体を形成する、ということを意味しないし、また公―私の分割をまったく不要にすることも意味しない。しかしながら、「権利と責任の相補的関係」という理念を人間関係全般に適応するというのももっともな言い分である。シチズンシップを深く意識することは、われわれには一方での人間としてのアイデンティティと他方での市民としてのアイデンティティとの間にはっきりした分割などあり得ない、ということを含意しているのである。このことは、異なる文脈においてではあるが、マルクスが彼の『ユダヤ人問題によせて』のなかで論じたまさにその核心であった。シチズンシップの権利と責任は狭い範囲の人間関係に限定される、との考えはシチズンシップの重要性を完全に削り取ってしまう危険性がある。われわれは、公開の集会で理性的に熟議したり歩み寄ったりすることができないと、家に帰って家族を相手に集会を罵《ののし》ったりするのであるが、自由主義を超えるシチズンシップはそれ以上のことを求めているのである。言い換えれば、われわれは、われわれが関係を持っているすべての人たちの権利を尊重し、彼や彼女たちに対するわれわれの責任を履行するよう求められるのである。

このような問題はより個人主義的でありかつ平等主義的な社会の発展によって必ず浮き彫りにさ

れる。そのようなものとして、シチズンシップの全体論的アプローチは自由主義の中心原理と一致するのである。女性、性的マイノリティ、それにかつて排除されたことのある他の集団が承認を求めて闘ってきたからこそ、「公」─「私」の分割が不可避的に問題化され、場合によっては、公的と私的の関係が矛盾しさえするように思われたのである。ウィークス（1998: 37）は、シチズンシップと性別についての議論のなかでそのことを非常に巧みに表現している。

したがって、性的市民は自らを公にすることによって個人的領分の範囲を越えることを求めるが、しかし、自らを公にすることは、必要であるけれど矛盾した行為なので、より包摂的な社会において私的な生活と私的な選択の可能性をまさに護っていくことになるのである。

このことが意味しているのは、われわれは「個人的なもの《パーソナル》」と「政治的なもの《ポリティカル》」との適切で変わることのない分割など想定できない、ということである。実際、そのような分割は排除を想定しており、また正当な権利要求の抑制を前提としているのである。例えば、同性愛者たちが最初にその性的特質の差別に対して行ってきた闘い、そして次に異性愛者たちとの平等を要求して行ってきた闘い、このような闘いこそ公的領域の一部である道徳が伝統的に私的な問題とみなされてきた良き実例なのである。

親密なシチズンシップと密接に関連している要点――しかも親密なシチズンシップの決定的な構

成部分——は私的領域の民主化である。二人の論者がこの問題を考察してきた。ギデンズとホフマンである。ギデンズ（1998: 93）は、「家族が民主化されていく」ことを少しも疑わないし、いくつかの点で家族の民主化が民主化一般のプロセスと密接に関連していることも疑わない。すなわち、男女間の平等が人びとの間に広がれば広がるほど、また人びとが子どもの権利により敏感に反応するようになればなるほど、熟議の原則と——きわめて重要なことであるが——「暴力からの自由」の原則とに基づいた私的・個人的な関係について再び話し合われるようになるのは避けられない、これである。こうして、権利と責任が法律によって正式に承認されようとされまいと、権利と責任の理念がこのような関係を社会全体に浸透させていくのである。ギデンズは、社会政策は家族構成員間の権利と責任のネットワークを提供することによって親密なシチズンシップを堅固にするよう努めなければならない、と考えているのである。例えば彼は、多くの夫婦が結婚せずに子どもを産み育てるとすると、必要とされるものは結婚契約とは別の、子どもたちの成長に責任を負う契約義務であることを示唆している。このような契約は、父親と母親の双方に、彼らの子どもたちの福祉に対する責任を均等に与えるだろう、と。

ギデンズはまた、シチズンシップの理念を個人的な関係に適用することによって、社会生活全般における暴力の役割について疑問が投げかけられる、と主張する。社会政策を個人と個人の間の歩み寄りを促していくよう噛み合わせることにより、すべての人間関係から暴力を取り除くべく機能する政治的枠組みが創り出されるのである。ギデンズ（1994: 119）が書いているように、自分自身の感情的な性分を十分理解している個人、また個人的な判断で他者と効果的にコミュニケーションを行うことができる個人は、シチズンシップの幅広い任務を遂行する用意が十分できているだろう。個人生活の領域内で発展していくコミュニケーション・スキルが幅広い文脈を超え出たところで一般化されるのはもっともなことである。

ギデンズは、個人的関係と公的生活との共通点をきめ細かに指摘しているにもかかわらず、それでも彼自身の理論のロジックに従おうとはしないようである。すなわち、対人間関係における暴力批判が国家批判に向かわなければならないのに、そうなっていないのである。ギデンズは、「公的なもの」と「私的なもの」という静態的な見方を超え出ようとしない二元論的ロジックに陥っているのである。彼は、一方では家族内での暴力は相互依存と民主主義を破壊する行状と見ているのに、他方では暴力に自らの権力の基礎を置いている国家のない社会は混沌《カオス》に陥るだけであろう、と主張するのである。実際のところ、ギデンズ（*ibid*.: 125）は、暴力あるいは少なくとも暴力の脅威を社会秩序のための唯一の基礎とみなしているように思える。彼はこう述べている。「国家に敵がいないのではなく、国家はただ拡散された脅威に、すなわち、現実にではなく潜在的に敵対状態にある国際環境に晒されているのだとすれば、国内的には内部崩壊の傾向が再び強まるかもしれない」、と。ギデンズはここで、民主的家族を擁護する彼の訴えとは正反対に、国家は平和を保障するために戦争を準備しなければならない、と論じているのである。

ジョン・ホフマン（1995）の思想は開拓的、革新的である。というのは、彼は――ギデンズが国家統制的な想定の故に拒んだ――国家と人間関係全般とを結びつける環《リンク》の必要性を理解しているからである。ホフマンは、シチズンシップがその（人間）解放の潜在可能性を実現するためには、シチズンシップは国家を越えて進んでいくことが必要である、と主張する。何故その必要があるのかと言えば、シチズンシップと密接に関連する民主主義の理想は、強制力の独占的権利を求める国家が暗黙裡に是認する政治的問題の暴力的解決に反対するからである。暴力の使用は、暴力の犠牲となった者から人間性を奪うだけでなく、暴力を用いた者も非人間的にしてしまうのであるから、暴力が暴力を生むという関係がつくりだされてしまうのである。ホフマン（1998: 174）はこう述べている。

暴力《ヴァイオレンス》の執行者たちは、他者に反対して暴力を使用するや、ただ単に自分たち自身を残忍な人間にしてしまうだけではないのである。……国家中心的な社会においては、他のすべてのものが役に立たないとなれば、実効力を有する物理的強制力によってすべての法律が掘り崩されてしまうことを誰でも十分自覚しているのである。だが、そうであっても、暴力の恐怖によって悪影響を受けることのないよう誰もが規範を遵守することなどとてもあり得ないことなのである。

「公的なもの」と「私的なもの」との間の緊張関係を避けることはできない、とホフマンは主張する。しかしながら、そのような緊張関係は力によってではなく民主主義に基づいて解決される、ということが重要なのである。親密なシチズンシップがその内に包み込んでいる民主主義化と、より優れた代議制的政治制度の展開と政治的参加の新たな形態、これらすべては「ポスト国家統制的シチズンシップ」に向かう同じ動きの一部なのである。

ホフマンの理論の中心は強制（force）と強要（coercion）[7]の区別である。強制は選択の否定を伴う。他方、強要は、他者の権利を尊重することを拒んだり、反社会的行為を誇示したりする個人に向けられる非暴力の社会的圧力に関係する。ホフマンの理論のこのような側面はユートピア的である、と批評家たちは論じるが、しかしながら、ホフマンの理論は少なくとも三つの論点からユートピアニズムという非難に反駁している。ホフマンの理論が国家の範囲を超えてシチズンシップを求める進歩的な未来を現実的に目指していく第一の道筋は、世界的規模でのガバナンスのシステムに向けた「弾み」を創り出すグローバリゼーションの問題に関係している。次の章で私は、シチズンシップがこれまでにないグローバルな文脈においてどのように再概念化され得るのか、を考察するであろう。

第二に、ホフマンの理論は、民主主義と国家との関係を問題にすることによって民主主義に向かう動きが「国家が強制に依存すること」を突き崩していく、とのことを示唆していることである。国家が一夜のうちに消失することはないけれども、にもかかわらず、国家は個人的な領分とグローバルな領域の双方における民主化のプロセスによってますます問題にされ、正当性を疑られることになる。第三に、ホフマンは、強制が及ばなくなると強要の必要性を受け入れることによって、すべての社会には社会的な相互作用に影響を及ぼす規範や価値、またある種類の規制を必要とする規範や価値が存在する、という事実を念頭に置いているのである。もちろん、いくつかの価値体系には保守的なものもあれば圧制的なものもある。しかしながら、公―私の分割の問題と同じように、この問題に取り組む鍵は規範を決定し、それを実行に移すメカニズムが民主的であり熟議的であることを保証することである。すべての社会が――国家によって統治されようとされまいと――構成員の活動に対し制約を要求するのはその通りである。安定した政府は社会的な強要を必要とする、とのホフマンの主張は、（束縛や拘束から解放された）個人の自由《リバティ》の冒瀆ではなく、社会的な観点から表現される（既に享有されている）自由《フリーダム》の重要な一側面なのである。ホフマンの理論と自由主義の原則との整合性については、J・S・ミル（1974）のような自由主義者たちが実際に強制の及ばない社会的圧力の役割について同じような見解を述べているという事実によって裏打ちされている。ミルは、彼の有名な論文『自由論』(8)のなかで、われわれは信念に基づいて自らの生活をどう送るかを決定するために他者の権利を尊重しなければならないのだ、と論じている。しかしながら、このことは、他者の権利それ自体を傷つけ、あるいは他者に危害を及ぼすような行動をとるかもしれない個人にわれわれが圧力を加えることを妨げはしない。それどころか、多くの場合、われわれは、逆に他者の行動が否定的な結果をもたらしかねないことを彼らに対し説得するよう事実上義務づけられるのである。近年、コミュニタリアンも「市民所得」に対する非公式《インフォーマル》な制約の重要性を強調するようになった。例えば、エツィオーニ（1997: 120）は、「健全な社会」の尺度は「社会が国家および法律を実施する国家の強制手段を頼みとするのではなく、インフォーマルな社会的メカニズムや私の言う道徳的発言権《モラル・ヴォイス》を頼みとするその範囲であり、その程度である」、と主張している。

ホフマンが用いている「強要」の理念は、概念的には、多くのフェミニストがシチズンシップを教化する方法として唱道してきた「ケアの倫理」と関連させることができる。そうできるのは、ホフマンが、「強要」を、この用語の否定的な感覚《センス》のために人びとに偏見を抱かせたり、教訓を促したりするものとしてではなく、建設的で共感を覚えるものとしてしっかり捉えているからである。それ故、彼の「強要」は、「他者の福祉を願っての強要」として肯定的に捉えられることで「ケアの理想」に接近するのである。他方、フェミニストは、ケアや思い遣りの観念を親密なシチズンシップの議論に引き入れることにより、ポストモダンの――まさに自由主義批判に関係する――理性と感情の二元論を克服しようとするのである。例えば、ブベック（1995）は次のように考察している。われわれは女性の行為を自然的なものとして見ることを避けなければならないのだが、それでも、一般に他者に依存せざるを得ない人たちを世話したりケアしたりする女性たちの経験は、男性たち以上に女性たちに、他者のニーズや関心事に敏感に反応する政治的関心と見解とを持たせるようにする、というのはその通りなのである。ブベック（*ibid.*: 27）は「ケアと政治、この二つともが他者の福祉に携わるような活動によってどうにかこうにかやり遂げられるのである」と主張するのである。同じように、ケアの倫理も、自由主義によって促進されてきた抽象的形態の自立よりもむしろ相互依存をその内に含むことになる。こうして、われわれは、ケアの価値をシチズンシップに取り入れることにより、公的領域と私的領域の双方において合意の関係を構築していくのである。もしこのことがフォーマルな社会的権利を無視することであるとするのであれば、イグナチェフ(1991)のような批評家がケアとシチズンシップとを結びつけることに関心を払うのはまったく当然であろう。にもかかわらず、イグナチェフ(*ibid*.: 34)が「福祉の目的は権利であって、ケアすることではない」と言うのであれば、彼はわれわれに間違った選択肢を提示していることになる。権利についての単純にしてフォーマルな表現は、われわれの権利と他者に対するわれわれの責任との間にはどんな関係も繋がりもないとする道具主義の抽象的ロジックにいとも容易にわれわれを引き入れてしまうのだ。親密なシチズンシップがわれわれに提示している課題は、フォーマルな観点から権利と責任についての伝統的表現の長所を活かすこと、それに公的世界と私的世界の双方におけるすべての関係を告げ知らせる思い遣りと責務の意識とを結び合わせること、これなのである。

本章で私は、シチズンシップが高められ、また個人の権利と平等といった自由主義の長所や強さが確立されていく道筋をいくつか提示してきた。それでもなお私は、共通の諸制度を維持していくことへの関心を共有している多様な個々人が連帯と相互努力の意識を築き上げられるように、権利と責任はともに改革され改善されなければならない、と考えている。また私は、ますます個人主義的になっていく自由主義社会の下にいるわれわれは現に多くのコミュニティにおいて見られる事例以上に義務の遂行を求められるようになるであろう、とのことを示唆してきた。投票の義務やコミュニティ・サービスは、シチズンシップの首尾一貫した定義にとって決定的に重要である――と私が主張する――参加の倫理を促していく実例である。例えば、「市民審査員会」のような政策立案の際の熟議による審議方法の試みは、政治的権利がより意味のあるものに、そしてより協働的になっていくための別の道筋となるであろう。しかしながら、シチズンシップの全体論的アプローチもまた、効力のある「参加の倫理」は物質的基盤によって支えられなければならない、とのことを認めなければならないのである。

伝統的な「社会的権利アプローチ」は個人の自治を確かなものにすることができなかったが、それとは違って、「市民所得」政策は、より活動的で進歩的な一般市民を励ましながら市場へのシチズンシップの依存を取り除くことによって、権利の商品化を排していくであろう。

最後に私は、シチズンシップの濃密な想像力は公的な諸関係だけでなく、われわれの個人的な諸関係をもまた再考するようわれわれに求めてくることを指摘しておく。親密なシチズンシップを発展させていくことは、社会のより一層の民主化と国家を超えたシチズンシップの概念化にとって決定的に重要なことなのである。

第6章
グローバル時代のシチズンシップ

　グローバリゼーションは、シチズンシップと同じように、「現代的なもの《モダニティ》」に関係する最近流行《はやり》の専門用語になっている。この概念の大衆化は、進歩したコミュニケーション・システムの組み合わせ、世界市場の成長それに多国籍企業の広範囲にわたる拡張とによってこれまでソーシャル・メンバーシップの範囲を画定してきた境界線が難なく乗り越えられている状況を認識し検討する論文、著書それに政治演説の激増に反映されている。では、排他的な政治的コミュニティとシチズンシップの概念とが歴史的に密接に結びついてきたことが、通気性を必要とするグローバル時代の境界線に合わなくなっているからといって、シチズンシップの概念は不要になりつつあるのだろうか。われわれは既に、シチズンシップは、明確な国民的文化によって規定される市民と（そうではない）外国人居住者《ストレンジャー》との間には心理的バリアーなど存在しないのだとすれば、適切で望ましいガバナンスに必要な市民的徳行の価値をほとんど生み出さない皮相な概念にすぎなくなる、とのことをミラー（1995）のような国籍擁護者たちが主張した理由を見てきた。要するに、グローバリゼーションはシチズンシップの現代的な適合性に挑戦しているように見えるのである。というのは、グローバリゼーションは、現代においてシチズンシップを重要で意味あるものにしてきた物質的境界線と心理的境界線の双方の境界線をぼやけさせ曖昧にしてしまうからである。

私は、本章の第一節で、グローバリゼーションがシチズンシップに及ぼしているインパクトについて分析する。グローバリゼーションの経済的、文化的な影響がしばしば誇張されたり、誤って説明されたりしているにもかかわらず、グローバリゼーションは確かに――特に地球的規模のリスクという形で――ソーシャル・メンバーシップについての伝統的な想定に一つの疑問符を記している。とりわけ、普遍的権利と（モダニティの範囲内にシチズンシップを制限している）主権（統治権）との間の緊張関係がこのようなプロセスによって強調される。また伝統的な国際関係論は、より相互依存的になっていく世界を創り出していく現代の社会的変化の本質を概念化することができないでいる。したがって、もしわれわれがグローバル時代の必要条件に直接関連するようにシチズンシップを再モデル化することができるのであれば、われわれは伝統的な「安全の概念」を超え出て進んでいかなければならないだろう。

ヤセミン・ソイサル（1994）のような何人かの論者は、グローバリゼーションの文脈においてシチズンシップは人権に取って代わられる、すなわち、この普遍的権利の擁護こそが今や個人の自治を保障する鍵となるのだと示唆する。そこで本章の後半では、ソイサルが示唆しているように、人権がシチズンシップに本当に取って代わるのかどうかという問題が扱われる。私はそこで、人権はシチズンシップに取って代わることができないこと明らかにするだろう。というのは、ガバナンスは諸権利の保護だけでなく、政治的な参加の行使と責任の履行を必要とするからである。最後に私はガバナンスとシチズンシップとの関係を吟味し、このグローバル時代においてシチズンシップには前途があるのか否かについて考察する。私は、シチズンシップを高めていくよう国家に圧力をかけることは——それはそれで重要なことであるとはいえ——国家の枠を越えて広がっていくように、自由主義シチズンシップの有する平等主義的ロジックに適《かな》ったガバナンスの複合的な立ち位置を確立する努力を伴わなければならない、とのことを主張するであろう。

1 グローバリゼーションとシチズンシップ

グローバリゼーションは、一般に、文化的、経済的および政治的な形態を取りながら展開される社会的変化のプロセスを伴う、と言われている。ウォーターズ (1995: 3) はグローバリゼーションを次のように簡潔に定義している。「グローバリゼーションは、社会的および政治的な取り決め《アレンジメント》に対する地理的制約が遠のいていく社会的プロセスであり、またその制約が遠のいていくことを人びとがますます気づくようになる社会的プロセスである」。

人工衛星、コンピュータ、ジェット機による移動それにデジタル・テレビジョンを含む情報通信技術（ＩＣＴ）の革新によって、人びとは、以前の時代よりも容易にそして瞬時に他の文化にアクセスするようになってきた。その結果が、人びとが狭い利己的な国益を超え出て移動していくグローバル文化の進展である、と大前（1995）は論じている。彼の言い分はこうである。個々人は今では――物質的な生産物の消費者としてだけでなく、文化的な象徴や兆候としても――国家の限界を予見し、ナショナル・アイデンティティに基づくよりもむしろ個人的な判断に基づいて物事を選択するのである。グローバル消費者の世界は世界貿易の成長やグローバル市場の構成によって促進されるのであるが、このような「市場の力」の主要な媒体こそ、国家との結びつきを次第に弱めていく代わりに、国益という指令にかまわずに、この地球の至る所に新たな機会を見いだそうとしている多国籍企業である。

しかしながら、多国籍企業の増強の意味については、グローバリゼーションを適切に定義されていない概念あるいは過大に評価されている概念だと考えている人たちによって反論がなされている。例えば、ハーストとトンプソン（1996）は、すぐ前で触れた経済的グローバリゼーションの理解について批判を提示している。彼らは、世界貿易と投資行動パターンは依然として主にヨーロッパ、日本それにアメリカ合衆国に集中しているし、また多国籍企業は国家によって与えられ提供されている法律、職業訓練、教育、研究それに全般的なインフラストラクチャーといった体制に大きく依存している、と説得力のある主張を展開している。

さらに彼らは、グローバリゼーションよりもむしろ分極化《ポラリゼーション》の方が世界貿易の諸局面の特徴をもっともよく説明することができる、と主張する。というのは、広域的な観点からすると、地域全体が、多かれ少なかれ、資本蓄積の利益から排除されているからである。具体的な事例をあげれば、アフリカ、ラテンアメリカおよび東ヨーロッパの国々が世界市場に占めるシェアーは近年において明確に低下しているのである。このような証拠は、地球的規模で資本主義が勝利することによってすべての人びとに利益《ベネフィット》をもたらす、と考える大前の楽観的なグローバリゼーションの説明と矛盾する。西側諸国こそ多くの分野での貿易自由化によって利益を得ている、というのが現実なのである。さらには、科学技術上の革新や著作権の管理といった——西側諸国が管理の維持を既得権であるとみなしている——商業分野においては、相変わらず厳格な規制が存続している。コーテン(1995: 180–1)は、例えば、国際特許権が種子や天然医薬のような遺伝物質にまでどうして拡大されたのか、その理由を明らかにしているが、それは、「いくつかの企業が種全体についての遺伝学的研究と、その研究から得られた有用な成果に基づく遺伝学的研究とに対して独占的な権利を効果的に手に入れてきた」とのことを意味している。したがって、このような理由からすると、グローバリゼーションは、国家の終焉《しゅうえん》の兆候であるのではなく、実際は、自由主義国家の政治的、経済的エリート集団の利益確保を目指すある特有の国家戦略を象徴しているのだとの論拠に少なからざる真理があるということになる。

グローバル文化に関して大前が提示している論点を疑わしく思う確かな理由も存在する。実際、グローバル文化についての大前の見解は個人主義、市場の力それに西側諸国の消費者嗜好という自由主義的価値の広がりを代弁している。事実、多くの文化は冷戦終焉後の自由主義の見かけ上の勝利に消極的、否定的な反応を示している。このような反発は、しばしば、大量消費型資本主義の表面的で満足感の得られない価値だと看取される物事への原理主義的な反発という形を取るのである。アフリカとアジアの一部地域でのイスラム原理主義の台頭、旧ソ連および東ヨーロッパ諸国での広範囲にわたる民族対立、それに中国における共産党政権の継続といった物事のすべてが単純なグローバル文化論を否定する証左である。

フクヤマはグローバリゼーションに自由主義的価値の勝利を見ているもう一人の評論家である。しかしながら、フクヤマにあっては、グローバリゼーションは市場原理の拡大であるだけでなく、アジア、アフリカおよび東ヨーロッパといった地域《リージョン》における民主化のプロセスでもあるのだから、自由主義的民主主義に代わる選択肢《オルタナティヴ》が破綻していく証拠として市場原理の拡大や民主化のプロセスを引き合いに出している。彼はこう論じている。

自由主義的民主主義は依然として地球上のさまざまな地域と文化に橋を架けるただ一つの首尾一貫した政治的願望である。加えて、経済学における自由主義原理――「自由市場」――が普及し、物質的繁栄の未曽有の水準を生み出すのに成功したのである。(Fukuyama 1992: xiii)

われわれが本書を通じて確認してきた自由主義に内在する緊張関係を思い起こしながら、大前やフクヤマのこのような論点を考察することは、グローバリゼーションと関連するプロセスの本性をより明確に説明することに役立つであろう。というのは、この緊張関係こそ、シチズンシップの枠組みと展開を方向づけるのに与って力があったからである。大前はグローバル時代についての彼のビジョンのなかに民主主義的シチズンシップの役割をほとんど位置づけていないのであるが、それは、彼が——他の多くの新自由主義者と同じように——民主主義の価値を大いに疑っているからであり、したがってまた、民主主義の価値ではなく市場こそ社会を統治し、諸資源を分配するもっとも確かな方法だとみなしているからである。それに対して、フクヤマは市場の価値と民主主義の価値との非常に密接した関係を理解しているし、資本主義とシチズンシップの二つの制度の組み合わせが個人的自由と安定したガバナンスにとってもっとも意を得た条件を創り出すのだと考えている。しかしながら、私は、資本主義の価値とシチズンシップの価値との間には実際に受け入れ難い大きな矛盾が存在することを既に説明した。すなわち、そこでは市場の価値が支配的であって、シチズンシップは稀薄で脆弱なステータスを得ているにすぎないのである。グローバリゼーションはこの矛盾をいくつかの点でより先鋭化させるのである。

第一に、世界経済は、現実にはその言葉の包括的な意味でグローバルだとは言えないにもかかわらず、より一層国際化されているのである（Hirst and Thompson 1996）。すなわち、最小限のガバナンス機能しか持たない国際システムの下で市場占有率を求めて国家同士が競争するのである。世界銀行（World Bank）[1]、経済協力開発機構（ＯＥＣＤ）[2]、それに国際通貨基金（ＩＭＦ）[3]といったような制度は世界経済に何らかの組織構造を与えはするが、しかし、これらの制度は圧倒的に新自由主義の主張者や擁護者によって支配されているのである。その上、その経済の内部でもっとも重要な関係者の何人かは規制を緩和することに従事しているのである。例えば、多国籍企業の事業活動はいかなる国際憲章によっても統治されないので、多国籍企業は自分たちの事業活動を抑えようとする国連（UN）のような統一組織体によるさまざまな試みに抵抗している。また例えば、かつては多国籍企業の事業活動の批判と監視を実施する中心部署であった国連多国籍企業センター（UNCTC）は――強大な影響力を有するいくつかの企業の圧力を受けて――「情報収集局」に降格させられてしまった（Horsman and Marshall 1995: 97）。このように多国籍企業の事業活動を規制する権限の欠如こそ、大きな影響力を有する多国籍企業は、貧困諸国が雇用と海外投資とを必要としている事情を大いに有効活用できる立場にあることを意味しているのである。それとの関係で言えば、ある多国籍企業を一つの地域にだけ呼び寄せることは、その多国籍企業の事業活動に対する民主的な監視の限界を誘発し、その結果、福祉の権利や労働組合メンバーシップの権利といった基本的な社会的・市民的自由の弱体化をもたらすことになるのである。こうして、国家間の競争がより激しくなっていくにつれて、国家の利益と普遍的権利との間の緊張関係と、資本主義と民主主義との間の緊張関係とがより激化していくのである。

第二に、「地球的規模の危機《グローバル・リスク》」の展開の一つの重要な要素は、シチズンシップに対する市場の優位性であり、またグローバルな変化のもっとも重要な側面でもある。このリスクのインパクトは、「グローバル」市場の利点あるいは抽象的な個人主義の価値とは違って、地球的規模で波及すると言われているが、まさにその通りである。「グローバル・リスク」と言う場合、それは、一つの国家だけでは首尾よく対処することができない諸問題に関係するということである。例えば、それらの問題には移住《ミグレーション》、伝染病、国際犯罪、核保有それに環境破壊が含まれている。すなわち、これらの問題のいずれもが、国が防御する境界線など何ら顧慮しないのである。そして現代の通信技術はむしろこれらの問題を悪化させ、これらの問題が存在する国や個人の警戒心を強めてしまうのである。また例えば、一方では輸送システムの進歩によって移動が容易になることで犯罪が助長され、他方では複雑で高度なテレビジョン・ネットワークによって最新の難民危機やテロリズム行為の画像が転送されて、普通の市民の家庭に入り込んでくるのである。こうして、グローバル・リスクの展開はシチズンシップを保証する国家の役割と国家の能力とに非常に大きな影響を及ぼすことになるのである。伝統的な国際関係論では、主権者（統治権者）という形で強制力《フォース》を集中する国家こそ、それによって秩序が維持される唯一信頼できるかもしれない手段だとみなされているのだ。国家が人びとを支配するために必要とされるもっとも重要な正当化は市民の安全を守ると約束することなのである。グローバリゼーションと結びつけられる現代の社会変化によって挑まれるものは、まさにこのホッブズ主義的ロジックである。

実在論者たちは、国家はガバナンスの唯一実行可能な制度であるのだから、個々の国家の支配権が及ばないような個人の要求に対しては、それぞれの国家が自らの市民のために重要な国家の義務を遂行することによってバランスを取るしかない、と主張してきた。要するに、実在論者たちは国際的な領域における秩序と正義（公正）との内在的な対立を仮定しているのである。しかしながら、この対立は、地球的規模のリスクが強まっていけば、もはや続かなくなるのである。

リスクと結びついた問題の多くは世界的規模で見られる国家間の非常に大きな不平等、不均等と密接に関係している。大前のような新自由主義者たちによって擁護されているのだが、経済的グローバリゼーションと関連するプロセスがこの不均等を増強しているのである。例えば、規制を撤廃したために不安定な性質を帯びるようになってしまった金融市場が、特に貧しい国々でシチズンシップの諸権利を持続させていくことに否定的な影響を及ぼしているのである。そして次には、そのことがさらなる不安定と戦争の可能性を強めるより大きな貧困に導いていく。現代の兵器開発による破壊能力の増強を考慮すると、戦争行為《ウォーフェアー》を一国内に抑えることは、あるいは一定の地理的な地域内に抑えることさえも、ますます難しくなるだろう。また地球全体にわたる本質的に重大な問題となっている環境破壊も貧困と結びついているのであって、そのことは――短期的にはあまり利益をもたらさないかもしれない――持続可能な開発方法を追求するのではなく、産業の生産性を必死になって増大させようと苦闘している発展途上諸国にしばしば見られるのである。

基本的権利や自由のこのような不平等、不均等の結果は、貧しい国々だけでなく裕福な国々にも直接的な影響をますます及ぼすようになってきている。例えば、移住や国際犯罪はこのような不平等、不均等に結びついているのだ。この世の貧しい地を去って、一段高い食卓《ハイテーブル》の地を捜し求める経済難民の姿は自由主義国家に警告を発しているのである。この問題が二十一世紀の主要な政治課題の一つになることは明らかである（Bali 1997）。世界でもより貧しい地域に留まっている人たちが麻薬のような不法物を取り引きする誘惑に駆られてしまうことは大いにあり得ることなのである。何故なら、西側諸国によって管理される貨幣（通貨）市場では大多数の適法な商品の基準価格が低いままずっと維持されてしまうからである。このような問題が意味することは、国内の事柄と国際政治との単純な二分法はますます擁護できなくなっている、ということである。にもかかわらず、その二分法を維持すべきだと実在論者は主張しているのである。ブーズは、伝統的な国際関係論を批判して、安全の利益が国家利益の観点から定義されるようになってしまった、と論じた。このようなアプローチは世界秩序の脅威となるような現実のリスク問題を覆い隠してしまうのである。例えば、核抑止力に言及して、ブーズ（1995: 335）はこう書いている。多くの国際関係論が「核戦略について仲間うちだけの専門用語を使ってきた結果、［われわれは］この主題からわれわれ自身を完全に遠ざけてしまった――文明の消滅が起こるのだ」、と。

しかしながら、リスクが、一方でますます広い範囲に及ぶようになっていき、他方でますますあからさまになっていくようなグローバリゼーションの文脈からすると、国家は、他国のコミュニティの個人一人ひとりの諸権利を自分自身の市民と同じように尊重しないのであれば、「自国のコミュニティの市民の諸権利はこれを保証する」とは自信をもって言えないであろう。ある論者たちが、人権は個人の自治のもっとも重要な保証人としてシチズンシップに取って代わる、と主張しているのはこの理由からである。

2　人権とシチズンシップ

　ヤセミン・ソイサルは、最近の現代的なもののなかでも人権の役割が高まりつつあることに気づいている人物である。彼女は、彼女の著者『シチズンシップの限界』(*Limits of Citizenship*)において、「その組織化と正当化の原理原則が『国民的帰属意識』ではなく『普遍的人間性』に基礎を置いているシチズンシップの新たなそしてより普遍的な概念は、第二次大戦後に花開いたのである」との所説を中心に置いた注目すべき論点を詳しく説明している(Soysal 1994: 1)。この変化の文脈は――ヨーロッパ連合(EU)のような制度に見られる――国際法、国連(UN)のネットワーク、グローバルな市民社会、それに地域ガバナンスを包み込んでいるグローバル・システムの展開である。

　その結果、国家がその市民に関しては主権者であり、統治者であるのだから、他の国家あるいは国際組織や団体がこの基本的な関係に干渉したり、口出ししたりする権利はないのだという考えに対して「人間の尊厳」が異議を申し立てるようになるにつれて、人権という言葉はますます世界的な諸問題を治める中心に位置するようになっていくであろう。この質的な変化についてソイサルは、西ヨーロッパ諸国でのいわゆる「出稼ぎ外国人労働者《ゲスト・ワーカーズ》」の経験に焦点を合わせた論拠を示している。彼女は次のように論じる。この「出稼ぎ外国人労働者」はシチズンシップのステータスを一度も享受することなく――しばしば数年にわたって――外国で生活し労働している人たちである。とはいえ、人権の重要性が世界に広がっていくと、シチズンシップの利益は次第に重要でなくなっていくであろう。出稼ぎ外国人労働者を代表する組織も基本的な社会的権利と市民権を拡張するための支援を結集し、動員することができるようになってくるからである。こうして、シチズンシップの重要性や意義が「市民でない人たちの諸権利が市民の諸権利とそう違わない」程度にまで小さくなってくる（*ibid*.: 119）。そうであれば、ソーシャル・メンバーシップはそういうものとして次第に国民意識の稀薄化に対応するようになり、シチズンシップよりもむしろ個人が置かれている状態に基礎を置くようになる（*ibid*.: 44）。歴史的に自由主義的な価値と緊張関係を保ちながら生活してきたイスラム教徒のような集団でさえも、礼拝の権利や文化的承認の権利といった「『現代の個人的ニーズ』を論じる」ようにして人権の言説や論説を活用するのである（*ibid*.: 116）。

ここで重要なことは、ソイサルが、シチズンシップの領域の範囲を拡大することで得られる利益の受益者として出稼ぎ外国人労働者の経験を重視すべきだとする論点を拒否していることである。すなわち、シチズンシップの範囲の拡大によって、国籍に基づく権利の基準を特別在住基準で補塡することによって市民だけでなく市民権を有する外国人居住者もその範囲のなかに含まれることになるのである。出稼ぎ外国人労働者の経験を重視すべきとする論点を拒否するソイサルは、そのような視点は「依然として国民国家モデルの範囲を超え出ていない」と強く主張するのである（Brubaker 1992, 参照）。彼女にとって、シチズンシップはそのような視点であってはならないのである。出稼ぎ外国人労働者の身に現に降りかかっていること、それは次第に「深化していくシチズンシップの制度における変化を、すなわち、シチズンシップの制度的なロジックとシチズンシップが正当化される方法との双方における変化を反映しているのであるから、そのような変化を確認するためにわれわれは国民国家を乗り越えて進まなければならないのである」(Soysal 1994: 139)。

私は、国家との結びつきをどう断ち切るかという観点から、シチズンシップを再概念化しなければならないことについてはソイサルに完全に同意する。何故なら、このような観点に立ってはじめて、個々人の「平等な価値」という自由主義的な観念と矛盾しない方法でシチズンシップの諸権利は拡大することができるからである。ソイサルは正しくも世界政治においてますます人権が重要になってくることを確証しているのである。第二次世界大戦以来この方、人権の基準となる国際法が急速にその広がりを見せてきた。一九四八年の国連総会で満場一致で採択された「国連人権宣言」が人権法の要《かなめ》となったのであるが、その時以来今日まで、拷問の禁止、女性と子どもに対する差別の禁止、それに移住労働者の権利の促進といった問題を含むその他の諸協定が広範囲にわたって国際的な支持を得てきた(Bretherton 1996: 251)。一九九三年には、ウィーンで開催された「人権に関する世界会議」に出席した一七一カ国の政府は、経済的、社会的および文化的な権利は「普遍的であり、不可分であり、また相互に依存し合い、相互に関係し合う」という趣旨の声明を支持したのである(Broadbent 1997: 6)。さらに、特にヨーロッパにおいては、国家内で起きた権利の侵害などの不正行為の訴訟事件に対して個々の国家を越えたレベルでの判決がしばしば下されるようになった。このような訴訟事件のうちもっとも顕著な実例が一九九九年九月二十七日に示された。この日、フランスのストラスブールで開かれた「ヨーロッパ人権法廷」は、イギリスの軍隊がホモセクシュアル（男性）とレズビアン（女性）の新兵補充を禁止したことに反対した四名の同性愛者（男性三名、女性一名）に有利な判決を下したのである。この法廷は、イギリス政府が私的生活を享受する基本的人権に違反した、との判決を言い渡したのである。すなわち、同性愛者であることと雇用の適格性とを関係させてはならない、という判決なのである。

かくして、国家がグローバル・リスクの問題に気づくようになってきたことを示唆する証拠と、国家による人権の誤用がどうして国家の境界線を越えて影響を及ぼすようになるのか、ということを示唆する証拠とがここに見られるのである。ターナー（1993）が述べているように、リスクは共通の利害を創り出したり、また人間の存在の脆《もろ》さを自覚したりするのに与って力があるのだ。そうすることで、リスクは「人権の必要性」についてかなりの程度同意を求める基礎を創り出してきたのである。ターナー（1993: 184）が言っているように、「脆さは人間の存在の普遍的な特徴なのである」。それ故、ターナー（*ibid.*: 187）にとってグローバリゼーションは、「アカデミックな生活と政治的な生活の双方において『人間の』権利（人権）についての議論がシチズンシップについての議論に取って代わり始めることになるかもしれない」ことを意味しているのである。だが、人権の高まる役割は――ターナーとソイサルの両者が暗示しているように――シチズンシップの目的を有用な概念として効果的に特徴づけているのだろうか。ソイサルの論拠の弱点をいくつか分析すると、彼女とターナーが提示する方法では人権はシチズンシップに取って代わることはできない、ということが例証されるのである。

「ソイサルの命題《テーゼ》」に関する第一の問題は、数多くの出稼ぎ外国人労働者は社会的権利と市民権とを次第に享受するようになってきたのに、政治的権利を取得していないことである。私がこれまで主張してきたように、われわれがシチズンシップの一つの顕著な特徴として参加に大きな重要性を置くのだとすれば、このことこそ主要な問題であろう。市民社会の文脈の下では移民集団は確かに政治的に自らを組織することができる。しかし、移民に投票する権利や官職に立候補する権利がなければ、移民は自らの社会的な受給権や市民的自由に否定的な影響を与えるかもしれない政策の提案や決定それに実施にまったく関与することができないのである。それ故、市民でない人たちは積極的で活動的な参加者ではなく、国家政策の対象者にすぎなくなるのである。

人権は、人権だけの力で共通のガバナンス制度を維持するのに必要な参加型ネットワークの発展を確かなものにすることができない。参加型ネットワークは移民集団と国家を形成している市民の支配的文化との間に橋を架けるのに決定的に重要である。その意味で、シチズンシップを国籍から引き離すよう要求することは正当なことである。それにもかかわらず、ハーバーマス（1994）の立憲的愛国主義という考えに表現されているように、シチズンシップのポストナショナル・モデルは、コミュニティのすべてのメンバーがそのガバナンス制度に参加するよう、またそのガバナンス制度への忠誠を表明するよう要求するのである。コミュニティの将来について意思決定の機会を与えられないまま、コミュニティで労働し生活している大規模な個人の集団が存在するような民主政体はまったく不健全である――国家を構成する国民のメンバーシップには権利だけでなく責任もまた伴うからである。もしある集団がコミュニティにおける自らの役割を果たさずにシチズンシップの社会的側面の恩恵に与《あずか》ろうとしていると思われるようであれば、それはただ単にマイノリティに対する敵意や反感を煽《あお》り立てるだけである。そうなれば、人権は責務の相互関係という問題に真剣に取り組もうとはしないであろう。決定的に重要なことは、シチズンシップは参加と責任を伴うのであるから、ソイサルが示唆しているように簡単には人権がシチズンシップに取って代わることはできない、ということなのである。このような理由から、「非《ノン》シチズンシップはしばしの間は許容されるかもしれないが、原理的には許容されないのである」(Joppke 1998: 29)。

いずれにしても、ソイサルは、移民が実際に社会的権利と市民権を享受するその範囲や程度についてかなり楽観的である。だが現実は、移民政策あるいは難民政策がより厳しい方向に変更されていることから、コミュニティ内における移民の立場はおそらく疑問視されたり、弱められたりしているだろう。移民を促進することへの強い反感によって、既に国内で生活しているマイノリティの人たちの安全と権利が損なわれてしまうかもしれない。そしてなおその上に、バーバーが論評しているようなことが起こるのである。すなわち、

EUメンバー諸国ではどこでも人種的、民族的な嫌がらせ《ハラスメント》や暴力行為がいつまでも続いている。

差別政策的な行為やそれと分かる（マイノリティの人口過密な居住地・スラム街など）ゲットー化がヨーロッパの大都市を特徴づけている。雇用と公共サービスの提供について広い範囲にわたって見られる人種・民族差別主義が依然としてEU諸国の深刻な公的関心問題となっているのである。実際、法律で認められているさまざまな種類の国家給付手当を合法的に受給する権利があるにもかかわらず、ヨーロッパの第三国の国民は、「先住民」の人たちが既に手に入れている完全な市民権を享受できないでいるのである。……このような証拠こそ、ヨーロッパにおける人権の促進が――ヨーロッパを図解すると必ず添付されてくる――対立を解消する万能薬であるとするソイサルの楽観主義の誤りを論証しているのである。（Bhabha 1998: 602–3）

ヨーロッパ以外の国々は、ソイサルが概略的に述べているポストナショナルのシチズンシップ・モデルにほとんど当てはまらないだろう。例えば、アメリカ合衆国においては、一九九六年に福祉関連の法律が修正されたために、移民の福祉手当の受給が事実上すべて現金給付に限定されてしまった。シュック（1998: 192）が述べているように、修正されたこの法律は「永住市民権を取得した合法的移民のステータスの価値を引き下げる一方で、アメリカ的シチズンシップの価値を大いに」高めてきたのである。シュックはまた、アメリカ合衆国にはおよそ五〇〇万人もの不法移民が存在しているが、彼らや彼女らは低賃金工場労働者や家内従業員・メイドとして重要な役割を果たしているのだと明言している。このような人たちはソイサルによって描かれたポストナショナルの秩序からほとんど何の恩恵も得ていない、と感じているであろう。

ヨーロッパにおける出稼ぎ外国人労働者の経験については、ポストナショナル・シチズンシップへの移行が広い範囲にわたることから、そう簡単に一般化することができない。ソイサルは出稼ぎ外国人労働者の経験に焦点を合わせることによって「副次的な経験を中心的な経験へ」と引き上げてしまう危険に陥っている、とジョプケ（1998: 25）は主張している。それとドイツのように出稼ぎ外国人労働者が数多くいる国々では、長期にわたって在住している出稼ぎ外国人労働者にはシチズンシップを与えない方が望ましいのではないか、との議論もなされてきたのである。これに対しドイツ社会民主党政府のシュレーダー首相（当時）は、一九九九年に、ドイツ人の血統と国籍との関係を断ち切り、そうすることで出稼ぎ外国人労働者がシチズンシップを要求することができる道を切り開く新しいシチズンシップ法を成立させている。この新法によって外国人在住者の両親の間に生まれた子どもにも自動的にシチズンシップが与えられることになったのである。このことは、ドイツのような国々では多数の出稼ぎ外国人労働者に反対する世論の強い傾向が見られるとはいえ、その世論もむしろそれらの国々に多数の「市民でない人たち」が長期間にわたって在住している事実を問題にしているのである。さらにジョプケは、市民でない人たちの大多数はそれらの国々に移住しようとしないし、また自分たちの権利を守るのに自分たち自身の国家に頼ろうともしない、と述べている。しかしながら、人権がこの地球の多くの地方に存在する国家によって侵害され蹂躙《じゅうりん》されているのであるから、安定したポストナショナル秩序体制は全世界的に権利を確約してくれるガバナンス制度の確立に真剣に取り組むよう求められるであろう。そうであれば、そして人権が主権に従属する二次的なものでないのであれば、国家の権力や権限についてより批判的な取り決めが要求されることになるだろう。ジョプケ（*ibid.*: 29）が主張しているように、「もしポストナショナル・メンバーシップが秩序の問題を解決しないのであれば、ポストナショナル・メンバーシップは依然として『国家の世界』のなかにあるユートピアかあるいは例外的なものか、いずれかであるに違いないのである」。

したがって、人権の問題はガバナンスのより広い範囲にわたる政治的な問題と切り離すことができないのである。現代世界における政治を方向づけている中心的な矛盾《パラドクス》――そしてソイサル（1994: 157）も確認している矛盾――は「一方での地域化による政治の閉鎖性と他方での脱地域化による権利の拡大」である。しかしながら、ここでの要点は、もし国家重視の観点から決して政治を定義させまいとするメカニズムが働かないとすれば、人権は当てにならない基礎や根拠に左右されるようになってしまう、ということである。実際、ソイサルは、ポストナショナル秩序体制を宣言しようとするあまり、権利を支えている社会構造と政治構造から権利を引き離す、きわめて抽象的な権利の見解を擁護してしまうのである。だが実は、シチズンシップの持続可能なポストナショナル・モデルは抽象的な人権擁護論以上のものでなければならないのである。というのは、私が論じてきたように、ガバナンスは権利だけでなく参加と責任を要求するからである。この意味で、ソイサルが確認できるのは「シチズンシップの限界」だけなのである。何故なら、彼女は非常に範囲の狭い、そして受動的な方法でこの概念を定義するからである。

3　国家を超えるシチズンシップとガバナンス

人権政策の基本方針《ドクトリン》の重要性にもかかわらず、シチズンシップはガバナンスの問題を考察する際に突出した役割を担うことになる。それには二つの理由がある。第一の理由は、たとえグローバリゼーションによって国家が統治する脈絡が変えられてしまったとしても、国家こそ経済力、軍事力それにコミュニケーション能力を相変わらずもっとも集中することのできる制度である、ということである（Faulks 1999）。それ故、国家こそ個々の市民にとってもっとも重要な脈絡を形づくるのであって、権利と責任も依然として主に国家のレベルにおいて行使され履行されるのである。多国籍企業のような国際的事業体や世界銀行それに国際通貨基金のような制度組織にしても、決して根なし草のアクターではないのであって、いくつもの国々によって決定されたルールの枠組みを必要とするのである。このことは、シチズンシップに対する多様な戦略がそれらの事業体や制度組織によって引き続き展開されることを意味するのであるから、それに対しては、シチズンシップの価値——例えば「平等」——を国家の境界線の内部で拡充させていくようシチズンシップを向上させ、その圧力をもって国家のより一層の民主化を果たしていくようにしなければならない、とのこともまた意味しているのである。私が念頭に置いているような改革の事例については既に第五章で説明しておいた。第二の理由は、シチズンシップはいかなる形態のガバナンスにとっても決定的に重要である権利、責任そして参加の関係を表現しているということであり、人権に関わる問題について言えば、人権が政治的コミュニティの理念と結びついていないこと、そして人権を実現させる有効なメカニズムが欠けているということである。権利は、ただそれだけを取ってみても、社会秩序に相応しい文脈を創り出すことはほとんどあり得ないのである。したがって、シチズンシップを人権に置き換えることを提唱しているソイサルとターナーの論拠――ソイサルの場合は人間性に基礎を置き、ターナーの場合は人間の弱さに基礎を置く――は、非常に受動的な権利モデルをわれわれにあてがっておきながら、互恵的な責任のあり方に関わる議論に向かおうとはしないものなのである。

その上、普遍的権利こそ持続可能である、あるいは望ましいものでさえある、とソイサルとターナーは提示しているが、その論拠をすべての国際政治アナリストが受け入れているわけではない。サミュエル・ハンティントン（1998）は、最近になって、人権という形態からすると、普遍的な正義（公正）の基準を追い求めるのは非生産的であり、むしろ逆効果である、と主張することによって世界秩序の「国家中心モデル」に新しい生命を吹き込んでいる。ハンティントンの新実在論《ネオリアリズム》は、人権モデルとまったく異なるシチズンシップとグローバリゼーションとの関係をわれわれがどのように理解しているのか、という問題に対するもう一つの可能な戦略を言い表している。ハンティントンは、世界が明確に異なる――したがって、お互いが不信と疑念を抱くのは避け難い――文明に分裂しているのであるから、普遍的人権の基礎の上にグローバル・ガバナンスを打ち建てることは不可能だろう、と主張する。その代わりに、「世界の安全保障がグローバルな異文化共存を受け入れるよう求める」のである（Huntington 1998: 318）。このような文化的生活の主たる擁護者こそが国家なのである。それ故、人権を促進することによって主権を掘り崩そうと試みることは、おそらくさらなる対立を助長することになるだけだろう。ハンティントンにとっては、グローバル時代の情報通信技術《コミュニケーション・テクノロジー》は文化間の差異を減少させていくよりもむしろその差異を目立たせてしまったのである。

　ハンティントンがこのように主張する動機は、原理主義という形をとって、とりわけ戦闘的イスラムという形をとって果敢に自由主義に取って代わろうとする傾向が強くなっていることを危惧してのことである。しかしながら、ハンティントンにも十分に認知できないものがある。それは、新自由主義という形をとった西側諸国の原理主義のはるかに危険な影響力《インパクト》であり、宗教的原理主義あるいは民族的原理主義の形をとって自由主義に取って代わる根本的な選択を煽《あお》ってきた「世界貿易の自由化」への執念である。確かに、西側諸国の民主的改革要求を胡散臭《うさんくさ》いと思っている国々に人権を簡単に押しつけることはできない、とハンティントンが主張するのは正しい。しかしながら、ハンティントンの人権に代わる選択肢――すなわち、西側諸国に見られるような、国内的には多文化主義を拒絶し、国際的には自国のアイデンティティを主張するといった態度――では「共通の利益」が構築されることはほとんどないであろう。その代わりそこにあるのは、ハンティントンのアプローチが――仮にいくつかの国によって採り入れられたならば――自己達成的な予言となる好都合な機会であり、彼が恐れる「競合する文明間のゼロサム対立」を急《せ》き立てるにすぎない好都合な機会である、ということになろう。

ハンティントンは、多様な文化が問題であるのではなく、国家が問題であることを理解できないでいる。このことは、一九四五年以後の世界政治における対立や紛争の多くが同じ文化を共有している——とハンティントンが言っている——諸国家間で生起している事実によって例証されている。例えば、朝鮮戦争がそうであり、あるいは一九八〇年代と一九九〇年代の二度に及ぶ湾岸戦争がそうである。対立や紛争は、国家システムに内在するというのが現実なのであって、たとえ共通の文化や民族的起源を持っている国家同士であっても、国家間の相互不信によって作り出されるのである。またハンティントンは、文化的にまったく相違する国々においてさえ、人権を擁護する人たちがどのようにして普遍的権利を支えようとしてきたかを見落としている。例えば、一九九九年にアメリカ主導の北大西洋条約機構（NATO）は、イスラム教徒（ムスリム）が圧倒的多数を占めているコソボ国民に対するセルビア軍による人権蹂躙を止めさせるために軍事的に介入したのである。もう一度言うが、ハンティントンの「文明対立」テーゼのロジックではそのような行動や措置を理解することは難しいだろう。ハンティントンの理論の中心問題は、彼の理論が文化決定論的であるということである。もちろん、多様な文化から成り立つような世界こそあるべき望ましい世界である。だが、たとえ文化の相違が平和裡に受け入れられたとしても、決定的に重要なのは、国家同士がそれを通じて相互に交流する政治的、経済的な環《リンク》の本質なのである。このことは国家内の異なる文化的集団間の関係にもまた当てはまる。自由主義国家が前進していくべき進路としての多文化的制度をハンティントンが拒否していることを考えると、例えば、西側諸国内に居住している二〇〇〇万人ものムスリムを平等な市民とみなすことができる方法を見出すことは困難であろう。この点については、ハンティントンは自由主義国家による「見せかけの人権擁護」の罪科《つみとが》を過小評価している。というのは、一方で自由主義国家は、同時に基本的諸権利を掘り崩してしまう世界貿易のより一層の規制緩和を推し進めているからである。西側諸国はまた、例えば一九八〇年代におけるサダム・フセインのイラクのような独裁主義政権にかなりの支援を与えていたのである。そうした偽善行為、またそうした行動に由来するその後の不平等は、既に疎外されているマイノリティを自由主義的価値観に反対する原理主義的な反発に追いやるだけであろう。ウォーラーステイン（1995: 161）の言葉を借りて言えば、「自由主義イデオロギーの自己矛盾がすべてなのである。すべての人間が平等な権利を有しているのであれば、……われわれは、資本主義世界経済がこれまでも常にそうであったような、また将来もずっとそうであるような不平等システムを維持することなどできないのである」。

ところで、シチズンシップについてのソイサルの消極的な見解と普遍的人権についてのハンティントンの否定的見解とに取って代わる、第三のそして潜在的により良い成果を生み出すことが可能な選択肢が存在する。私は、シチズンシップの根《ルーツ》が個々のコミュニティの内部にあること、したがってまた、権利と責任は主にこの地域的文脈において表現される、とのことを主張したいのである。

しかしながら、グローバリゼーションは、シチズンシップのルーツが他のコミュニティへの義務や責務を履行したり、またさまざまな文脈の下で権利を行使したりするために外に向って伸びていくよう迫るのである。リスター（1997：196）が論じているように、万人の平等という自由主義的な願望に恥じない行動をとろうとするシチズンシップの社会包摂的理念は、当然のこととして、国際主義的かつ多層的でなければならないのである。シチズンシップは「地域から全世界にまで広がる範囲《スペクトル》」という観点からもっともよく熟考される、とリスターは示唆しており、これこそヒーターが「複合的シチズンシップ」と呼んでいるものなのである。

「複合的シチズンシップ」という概念は国籍といった限定された文化的アイデンティティからシチズンシップを切り離すことの必要性を強調する。その上、シチズンシップについての多層的に織り込まれた考察によって要求される思考の柔軟性がまた、複合的シチズンシップを――キムリッカやヤングが唱道しているような――集団アイデンティティに基礎を置くシチズンシップと相容れないものにさせるのである。ヒーター（1990：320）が主張しているように、「個人一人ひとりが複合的な市民アイデンティティを持つことができるようになれば、複合的な義務感を知覚することもできるようになるという考えは、十分に実行可能なものとして受け入れる必要がある」。

この第三のシチズンシップ・アプローチは、デイヴィッド・ヘルド（1995）のような論者が提言している世界主義的《コスモポリタン》民主主義論《デモクラシィ》にとってきわめて重要である。コスモポリタン民主主義は、グローバル志向のシチズンシップを理論化しようと試みており、また権利の保護だけでなく、国家を超越した責任の拡充とグローバル・ガバナンス制度の展開とを伴うシチズンシップを理論立てようと試みている。多様な文化を通じて参加型グローバル・ガバナンス制度が構築されると同時に、お互いの権利を尊重しなければならないとする責任が拡充されてくることによってはじめて権利は持続可能となる、これである。何故そうなるのかと言えば、人間的統治《ヒューマン・ガバナンス》は秩序の問題と物質的資源および文化的資源の分配の問題とに大いに関係するからである。社会秩序への脅威が国家を越え出たレベルでますます生起するようになってくると、これらの問題に対応するための新しい政治制度が必要とされるようになってくるのである。同じように、グローバリゼーションによって世界の至る所で不平等のレベルが高まると、資源分配における不平等がより一層明白になってくる。ヘルド(1995: viii)が述べているように、政治理論の今日的な課題は、かつては国家と結びついていた制度や概念をこのようなグローバルな諸問題のマネジメントにどうすれば適応することができるのか、というその方法論である。シチズンシップの主要な構成要素、すなわち、権利、責任そして参加をガバナンスの地域連合組織とグローバル組織の双方に適用する方法が見出されなければならないのである。

権利は再概念化されたコスモポリタン民主主義のモデルにとって依然として決定的に重要である。権利は、人間の尊厳と自治を表明するための――われわれが持っている――最良のメカニズムである。しかしながら、自由主義的伝統が抱えている問題は、自由主義的伝統が擁護してきたまさにその権利がきわめて抽象的で現実離れしている、ということである。実際のところ、自由主義者が国家を政治の基礎単位《ユニット》として見てきたことも考慮に入れると、権利は、人間の相互依存関係であるという見方から切り離されてしまい、その結果、特権的国家における特権的個人によってのみ享受されるようになってしまうのである。もしわれわれが、権利の本質的に関係論的な本性を認識しないのであれば、またすべての権利は有意味であることを他の人たちがどのように理解するかに左右されることを認識しないのであれば、権利がグローバルな問題に対して及ぼす影響力は非常に限られてしまうだろう。

しかしながら、グローバリゼーションのプロセスは権利の本質についてわれわれの理解を変え始めている。第一に、私が論じてきたように、核廃絶あるいは環境災害のような国境を越えて現れる脅威と結びついた新たな安全保障のジレンマのために、国家は他者の権利に対してますます敏感になってきている。確かに、国家内部での不正行為や権利の侵害を易々《やすやす》と抑えることはできないかもしれないが、それでも、国家主権が人権擁護の広がりと国連の精力的な活動とによって異議を唱えられようになってきていることもまた疑いないところである。国連憲章は人道主義に基づく干渉・介入については何も言及していないが、それにもかかわらず、国連は基本的人権を守るために国家内部の事情にますます干渉・介入するようになってきている。一九九〇年代のイラク、ルワンダ、ソマリアそれにボスニアにおける国連活動の結果については賛否両論入り混じっていたとはいえ、それによって明確な人道主義の根拠に基づく干渉・介入という重要原則が確立されることになるのである。例えば、一九九四年に、ユーゴスラビアの崩壊に続いて起こったボスニア戦争での「人道に対する犯罪」の実行者を取り調べ、告訴するための法廷である「国際戦争犯罪法廷」が国連によって設置されている。この法廷は第二次世界大戦後に設置された「ニュルンベルク裁判」の前例に倣《なら》ったものである。そのニュルンベルク裁判で、民族大虐殺《ジェノサイド》という人類をぞっとさせる殺戮《さつりく》行為に責任を負わなければならいナチスは、自らの政府の命令に従ってジェノサイドを決行したことを根拠に抗弁を言い立てたが、そのような抗弁は受け入れられないことを知ったのである。

グローバリゼーションと関連する諸問題に対処するよう試みているEUのような地域連合組織もまた、個々の国家の境界を越えてシチズンシップの権利を広げている。実際のところ、EUは、例えば北アメリカ自由貿易協定[4]（NAFTA《ナフタ》）や東南アジア諸国連合[5]（ASEAN《アセアン》）とも違うユニークな地域経済連合組織であって、しかも経済的な協力機構であるだけでなく、政治的な協力機構の創設も視野に入れている地域連合組織である。特に一九九〇年代にEUは政治的連合に向けた重要な歩みを進めてきたのであるが、そのプロジェクトの中心が一九九二年のマーストリヒト条約を通じて公式に常設された「ヨーロッパ連合シチズンシップ」の創設であった。このような革新的な進展によって市民的権利とある種の政治的権利とがEUメンバー諸国のすべての個人に広げられたのである。またEUメンバー国の市民は、一九九〇年代に綿密な調査と政策立案の権限を拡大するようになった組織であるヨーロッパ議会議員を選挙することができるのである。後で議論されるように、EUにおけるシチズンシップの拡充にはなお問題があるとはいえ、シチズンシップは、とりわけ女性、パートタイム労働者それに共稼ぎ夫婦の自治を促進し、その能力を高めるために重要になってくるのである（Meehan 1993）。

権利についての抽象的見解にグローバリゼーションが挑む第二の観点は、人びとが環境構造《エコストラクチャー》に対する脅威をより自覚するようになっていること、それ故にまた、生態系の破壊によって引き起こされる被害に対して人間はあまりに脆弱であるとのことを自覚するようになっていることである。このことこそ、人間の脆《もろ》さや弱さを受け入れることによってグローバルなレベルで権利を求める存在論《オントロジィ》が与えられるのだとするターナー（1993）の論拠が大いに有用とされる理由なのである。この観念は、ホッブズやロックのような自由主義者の原子論的ロジックでは把握することができそうもない「シチズンシップの関係論的本性」を取り込んでいるのである。権利についての関係論的な見解は、国民や国家といった境界線に関係なく、すべての人びとに権利の恩恵が行きわたる方途をわれわれが見出すよう求めるだけではなく、われわれが他のコミュニティとわれわれの自然環境とに対する責任をますます強く意識するようになってはじめて、権利は持続可能になり得るのだと認識することもまた意味するのである。

ところで、グローバル・シチズンシップには権利と責任の双方が伴わなければならない。例えば、近年における環境保護政策思想の急速な広がりは、自然資源の保護・保存についても、また地球温暖化あるいは酸性雨といった現象をもたらす原因にならないようにするための持続可能な開発への移行に関しても、環境保護の問題や課題へわれわれの眼を敏感に向けさせるのに大いに役立っているのである。その点で、環境保護とシチズンシップとの関係の特徴は――私が第五章で検討した

――シチズンシップについてのいくつかのフェミニスト論に基づく説明の中心であった「ケアの倫理」を敷衍していくことによって明らかになるであろう。

第一は、環境保護に意識的な市民はますます「生命ある有機体としてこの地球で生まれ、成長してきた彼・彼女の有機的プロセスを自覚するようになる」、ということである（Van Steenbergen 1994: 150）。このようなシチズンシップの概念は、自由主義中心の、そして権利と責任の問題に対して原子論的アプローチを善《よ》しとする、男性支配的で現実離れしたシチズンシップの観点に異議を突き付けてくれるであろう。第二は、「環境保護《エコロジカル》シチズンシップ」が福祉の権利や財産の権利、それに市場取り引きといった物質的な利害関係を超越したところにまでシチズンシップについてのわれわれの理解を広げてくれる、ということである（Steward 1991: 68）。その意味で、エコロジカル・シチズンシップを考察することは、個人一人ひとりに関わるシチズンシップと地球的問題との概念上の連関を考えるのにわれわれにとって大いに有益である。個々人は、自分自身と環境との関わり方、消費の行動パターン、それに環境全般にわれわれが対応する方法に責任を負うよう注意を向けることによって、「人間の成功《ヒューマン・サクセス》」を単なる量的尺度から――われわれが呼吸する空気の質、自然の美しさ、それに新鮮で良質な食料品の生産と味わいといったような――より奥行きと厚みのある質的評価へと変え始めることができるのである（Steward 1991: 67）。このような理解を踏まえて、シチズンシップは、限られた経済的基準を「人間の業績《ヒューマン・アチーヴメント》」の主要な尺度だと強調してきた市場志向言語の記号論的な支配に対する重要な異議申し立てとなるのである。ニュービ（1996:

210）が述べているように、環境決定論は、「経済的な福利《ウェルビーング》は、それ自体では、市民としての礼儀正さ、社会的な結びつき、あるいは慎重で思慮深い利己心の意識さえも促進しはしない」、との事実をきわめて鋭く認識しているのである。

第三は、自由主義、科学革新そして経済成長と結びついた際限のない進歩という観念に対して、「現代的なもの《モダニティ》」の限度を示してくれているグローバリゼーションによる異議申し立てが明瞭にされている、ということである。エコロジカル・シチズンシップは、少なくとも自然科学と経済学における「進歩」の課題と同じように重要であると考えられている自然資源やその他の諸資源の保護・管理の課題をわれわれが取り扱うことを要求するのであるから、われわれが市民として負うべき責任は、われわれのコミュニティあるいはわれわれの地球を現在われわれと共有している人びとだけではなく、その他の種、自然環境、それに将来の市民世代に対しても向けられるのである。スミス（1998: 91）は、シチズンシップは「人間中心の価値」に対立するものとしての「（自然）環境中心の価値」によって支えられなければならない」、と主張している。たとえわれわれが、動物あるいは自然生物集団がそのようなものとして権利を持っているのだ、とのことを受け入れたくないとしても、われわれは動物や自然生物集団に対してわれわれの責任を認め、われわれの責任を履行しなければならないのである。

自然環境への多くの配慮に応えてシチズンシップを再考すること、それはシチズンシップを国民国家あるいは公―私の分割といった限定された概念と結びつけないようにグローバル・リスクがどうして要求してくるのか、その理由を知る一つの良き手本なのである。「親密なシチズンシップ」の理念が暗示しているように、エコロジカル・シチズンシップはまた、「権利と責任」について普段あまり議論されない所で、例えば家族のなかで、(われわれの消費選択による) スーパーマーケットで、そして職場や作業場において「権利と責任」の観念を真剣に受けとめてもらうことを求めるだろう。エコロジカル・シチズンシップは、古典的自由主義によって試みられたシチズンシップよりも奥行きと厚みのあるシチズンシップの概念もまた表現しているのである。このようなポスト自由主義シチズンシップと結びついた「責任」の多くは、強制可能な義務よりはむしろ自発的な責務となるであろう。しかしながら、リサイクリング、責任ある消費パターン等々から見てみると、個人の行動はグローバリゼーションによってもたらされる諸課題の一部にしか対応することができないのである。したがって、政府は、この新しいシチズンシップが教育制度や政治制度を通じて展開できるようになる枠組みを確立するだけでなく、自らの境界線を越えて自発的に責任を遂行する大いなる意志をも示さなければならない。現今の世界秩序は国家の利害を中心にしっかり構築されているので、国際法は依然として個人の活動ではなく国家の活動と関係している。それ故、シチズンシップをよりグローバルに展開するための重要な一歩は、国家が自発的にグローバルな責務を遂行し、他の国々とのより強力な連携を構築する大いなる意志を示すことである。

とりわけ西側諸国は、世界の政治システムと経済システムが地球の他の国々の利益よりも西側諸国の利益に有利に機能するように編成されていることを認識しておかなければならない。例えば、アフリカにおける貧困、負債それに政治的不安定の恐ろしいほどのレベルは、主に、奴隷貿易、植民地主義そして西側諸国の企業の非倫理的な労働慣行の遺物なのである。言うまでもないことだが、このことについて西側諸国の政治エリートと経済エリートたちがグローバル・コミュニティに対してだけでなく、西側諸国自身の市民に対しても自らの責務の履行を怠ってきたことを全面的に弁解することは許されないのである。もう一度アフリカの実例をあげれば、かつてのザイールで一九六五年から一九九七年の間腐敗した政権を支配してきたモブツ・セセ・セコのような専制独裁者がアフリカ人に大きな苦痛をもたらしたのはその通りであるけれども、しかし、西側諸国こそが、「国民でない人たち」への責務に喜んで応える「シチズンシップの責任」を広げるという観点からグローバル秩序を再構築するのに必要な経済的および政治的な影響力を持っているのである。

国家がその責務を認識することができる方法はいくつもあるだろう。西側諸国は、発展途上諸国が西側諸国に返済しなければならない負債を帳消しにすることができる。一九九九年現在、裕福な国々が援助の形態で供与した一ポンドを、貧しい国々は負債として四ポンド返済しているのである(Jubilee 2000, 1999: 2)。これらの負債の多くは、帝国主義の遺物によってもたらされる結果と――多くの発展途上国がその生産に依存している――原材料が世界市場において低価格で売買される結果なのである。このような低価格それ自体が買い手と売り手との間の「力の不均衡」を反映しているのである。例えば、発展途上世界の国々の農業はEU諸国の共通農業政策[6]のような政策によって危険に晒されている。共通農業政策は、(農産物価格を引き下げるために)EUメンバー諸国の農民に多額の補助金を支払うことで、第三世界の農民に対し不公正な競争条件を作り出しているのである。それ故、発展途上国への援助は、負債を帳消しにすることによって有意味なものになるし、したがって、持続可能な開発・発展を促すのに役立つことができるのである。この点で、一九九九年末までにいくつかの積極的な徴候が見られたのである。すなわち、アメリカのクリントン大統領は、第三世界の政府が保健・医療と教育のプログラムにもっと多くの資金を割当てるならば、負債をカットしてゼロにする用意のあることを公表した。だが、負債の取り消しにはもっと寛大な財政援助の供与が伴わなければならない。というのは、そのような援助供与こそ、発展途上国における経済活動を刺激するのに役立つだけでなく、政治的安定を維持することにも役立つからである。さらにはより公正でより厳格に規制された貿易管理制度も必要である。このことは、EUの共通農業政策のような不公正な政策が再考されること、したがってまた農業のような産業に存在する——原材料の価格抑制を確実にする——独占の解体を保証することを意味する。通貨投機に課せられる通貨税も金融市場の安定化に、したがって、価格の安定化に役立つであろう。この通貨は、国連のようなグローバル・ガバナンスの機関に資金を供給するのに使われるだろう。

ダウエンハウアー（1996）が主張しているように、裕福な国はまた、（貧しい国からの）「頭脳流出」——それによって熟練労働者が西側諸国に引き抜かれる——を増やさないようにすることで貧しい国々の開発・発展を促進することができる。その意味で、国の移民政策は、オープンかつ一貫していなければならないし、また移民志願者をただ単に国の財政的な実行可能性の観点から査定するよりもむしろ移民のニーズに基づいた基準へと変更されるべきである。しかしながら、その点で自由主義国家の記録文書は大抵の場合依然として不十分である。例えば、拗《す》ねた移民政策にピッタリの手本が思い浮かぶが、イギリス政府は、香港がイギリス植民地としての状態に終止符を打った後で、「一九九〇年国籍法」に従って香港のもっとも技倆が高く、また富裕である数千の人たちにだけイギリス市民としての資格、すなわち、シチズンシップを付与することを決めたのである(O'Leary 1998)。科学技術の先進国は、選択的な移民政策によって富裕な国々にひたすらより多くの専門的な科学技術能力を移入しようとするのではなく、自らの技術革新を発展途上諸国などと進んで共有するほどの気概がなければならない。これは今後、さらなる自由化を求める世界貿易の数少ない分野の一つである。現在のところ、多国籍企業が利用している科学技術は、秘密にして覆い隠されており、多国籍企業を受け入れているホスト国は、たとえその国の市民が多国籍企業に雇用されているとしても、そのような専門的な科学技術力を共有することができないでいる。そうだとすれば、貧しい国々は、厳格な著作権法と特許法によって発明品へのアクセスを拒否されてしまえば、ますます科学技術・知識主導的になっていく市場で競争することが望めなくなるであろう。

これまで私は、他者の権利を尊重すること、現存の責任を履行すること、そして多様なコミュニティ間に信頼を構築する責務を拡大するよう心がけることによって、国家がどのようにグローバル・シチズンシップを遂行することができるのか、についていくつか例をあげて簡潔に概観してきた。しかし、もしグローバル・シチズンシップの権利と責任が世界の諸問題を調整し、治めていく意思決定組織の民主化と連動していないのであれば、意思決定組織の存在はなお不安定なままであろう、と私には思われる。一例として人権について取り上げてみるならば、これまで論及してきた権利と責任の教養を適当に選んで使い分けるのは、人権が別のやり方で西側諸国の利益を代弁しているにすぎないと思われて、西側諸国に属さない国々の不信感を増してしまうだけであろう。ノーム・チョムスキー（1997）は、西側諸国は重要な政治的、経済的パートナーとみなしている国々での腐敗行為については見て見ぬふりをしていながら、自由主義の敵対者とおぼしき国々に対しては人権をプロパガンダの手段としてどのように利用してきたか、その実例をいくつもあげている。例えば、アメリカ合衆国は、一九九〇年のイラクによるクウェート侵略に対応して多額の資金を投入する準備をしたのに対し、イスラエルが不法に占拠しているヨルダン川西岸地区やその他の領土から撤退するよう促すいくつもの国連声明を受け入れるようイスラエルに大きな圧力をかけることをしてこなかったのである。国連、世界銀行それに国際通貨基金のようなグローバル・ガバナンスの諸制度が少数の国家グループによって左右されている限り、本章で明確にされたグローバリゼーションの諸課題に対応するためにもシチズンシップの権利と責任を支えなければならない互恵的信頼が拡大されることなどあり得ないであろう。

ハンティントンのような保守主義者たちが確認している世界秩序に対する脅威、とりわけあらゆる形態の原理主義に対する恐れは、主に——ハンティントンが示唆しているような——固定的でかつ相対立する文化の結果ではないのであって、むしろそれらは国際的な活動場裡での西側諸国の政策の排他的慣行や二重基準《ダブルスタンダード》あるいは敵対行為に対する非西側世界の当然な反応である。だがそうであっても、民主主義と人権は人びとの心を動かす理念であり、人びとを解放し自由にする理念であるのだから、東ティモール、中国それにイランのような国々において独裁的、権威主義的政府が民主主義と人権の原則を支持する民衆のデモンストレーションを鎮圧したり禁止したりすることは難しいと思えるのである。これら三つの国の各実例は、民主主義改革と基本的権利の保障とを支持して一九八〇年代から一九九〇年代にかけて行われた大衆デモンストレーションであった。このことが示唆していることは、「文明の衝突」というテーゼが結論づけているような敵意ではなく、むしろ西側諸国と建設的な関係を取り結んでいく政策こそ、シチズンシップの価値を国際レベルにまで確実に広げることになる、ということである。

しかしながら、グローバル・ガバナンスのシステムを構築しようとする場合、「世界国家」の創出を目指そうとするのは得策ではないだろう。アーレントが述べているように、「唯一つの独立世界国家の樹立は……すべてのシチズンシップの終焉となるだろう」(cit. in Bauböck 1994: 15)。コスモポリタン民主主義の擁護者たちは、グローバル・ガバナンスや権利の保障と引き換えに国家システムが引き起こす問題を認識しているように思われる。ヘルド (1995: 268) は次のように述べている。

ヴェストファーレン・モデル(8)は、実効権力の原則――すなわち、いつか必ず国際世界において正しいものと理解されるようになる原則——をあくまで遵守するのであれば、国際コミュニティのメンバー間での持続的で民主的な交渉の必要条件と齟齬を来たすことになるだろう。

より高い組織レベルの国家形態をただ単に再形成するだけでは、何よりも国家に集中する暴力が民主主義的シチズンシップに対して起こす問題に誰も取り組もうとしないであろう。

決定的に重要なことは、複合的シチズンシップこそ個々別々の政治的コミュニティを破壊するのではなく、むしろそのようなコミュニティ間の関係性を変えるよう求める、ということである。ヘルド（1995: 267–86）は、「権力の多重ネットワーク」という用語を使うことによって、現代的なもののなかにシチズンシップの限界を組み込んできた国家に権力を集中することと対照させている。コスモポリタン・シチズンシップの原則によれば、個人は数多くの文脈と政治的コミュニティとにおいて権利を行使し、責任を履行することに次第に慣れていくのである。このことは——おそらくわれわれがそうすることを求めるだろう、とヘルドは示唆するのであるが——主権（統治権）の分割を求めるのではなく——シチズンシップの深い意識が反対するに違いない——主権の概念を超越することの必要性を示唆しているのである（*ibid*.: 138)。ホフマンは、ヘルドのこの見解が実際にどう矛盾しているかを明らかにしてくれる。ホフマン（1998a: 62）が言及しているように、ヘルドの理論は基本的にポスト国家主権（統制）主義のロジックを用いているにもかかわらず、ヘルド自身は「主権と国家をなかなか切り離そうとはしない。彼は、現代国家は消滅したのではなく、むしろ『現代国家の理念は国境を越えて広がって』いけばいくほど馴染んでいくに違いない、と強調しているのである」。国家の概念を保持し続けるために国家の概念を修正することの危険性は、シチズンシップを超国家的レベルに拡大することによって政治的連合を構築しようとするEUの試みが例証している。EUプロジェクト全般に見られる多義性と、特にそれと結びついたシチズンシップの形態とは、グローバルな政治を次第に方向づけていく、広い範囲にわたる緊張関係を象徴しているのである。

既に言及されたように、EUは国家を越えてシチズンシップの諸権利を広げていこうとするための現代におけるユニークな試みの象徴でもある。これは、コスモポリタン民主主義が示唆している複合的シチズンシップ・モデルに向って正しい道を進んでいく一歩である、と私には思われる。とりわけヨーロッパ議会の権限の拡大を通してヨーロッパのシチズンシップは、国家の境界線を越えた政党、プレッシャー・グループそれに社会運動との間の緊密な協力を促している新たな形態の政治的参加の環《リンク》を成しているのである。しかしながら、そのような積極的で建設的な展開も、EUの多くの政策立案者としては、EUのシチズンシップ・プロジェクトが明確な国家主権主義的性格や排他的性格を依然として持っていることを認めることでバランスよくなされなければならないのである。このことは、第三国人問題に対するEUのアプローチが論証しているところである。

残念なことに、マーストリヒトにおいて「EUシチズンシップ」は創り出されなかった。国籍とシチズンシップとの繋《つな》がりを切断する絶好の機会を捉え損ねてしまったからである。EU法によれば、EUメンバー国は自らのコミュニティのシチズンシップを決定する権利を主張することができるが、その代わり、EUシチズンシップの適用はメンバー国の法律上正当な市民である個人に限定されてしまうのである。オリアリー（1998: 91）が洞察力に富んだ批評をもって解説しているように、「確かにEUシチズンシップの要点全体は、それが国民と国家という伝統的な文脈の範囲を超えた個人の権利（と義務）を認めることができるステータスだということだったのである」。

このようなEUの排他的側面こそ、EUのなかに「そのもっとも精緻な法形態に基づくポストナショナル・メンバーシップ」を見ているソイサル（1994: 148）の主張や論拠の弱点を明らかにするのに与って力があるし、またヘルドによって展開されたような分割主権の理念に内在する矛盾を説明してくれるのである。オリアリー（1998: 100）は、EUは、事実上、シチズンシップの拡大に法的制限だけでなく文化的制限をもけしかける排他的な（そして架空の）ヨーロッパ・アイデンティティを奨励しようと試みている、と論じている。実際、一九九七年のアムステルダム条約は、共通国境管理を強化することによって、EUが政治亡命者や移民のための国際政治機構《スーパーステート》であることを止める、とこれまで以上にはっきりと示唆したのである。

EUは、マーストリヒト条約で人権に対する支援を断言したにもかかわらず、アムステルダム条約では、ヨーロッパ（司法）裁判所[9]が「法と秩序と安全保障」の領域においていかなる裁判権（司法権）も有しないことに同意しているのである（Statewatch 1998: 13）。さらにその上、一九九七年の条約は、EUシチズンシップはナショナル・シチズンシップを補完するものであってもそれに代わるものではない、とのことを断言しているのである。

もしEUがシチズンシップと結びついた自由《フリーダム》を広げようと努力する真に民主的な連合組織として発展するのであれば、世界の貧しい地域と環境とに対しEUが掲げる「責任憲章」(Charter of Responsibilities) をもってEUシチズンシップの諸権利を補完するよう、先に見たような矛盾に真剣に取り組むことが必要となるであろう。これには、より広い範囲にわたる援助プログラム、EUの共通農業政策に見られるような保護政策の改革、それに国籍とシチズンシップとの繋がりを断ち切り、そうすることで移民政策の大いなる自由化と寛大さをもたらすシチズンシップ政策が含まれなければならないだろう。バーバー (1998: 612) が述べているように、

ヨーロッパはその領土的境界線と社会的境界線を明確にすることによってある逆説《パラドクス》を生み出している。すなわち、一方では人権の規範を堅持することを怠っていることによってEUのメンバーシップから国家が排除され、他方では権利へのアクセスからあるいはシチズンシップから排除された個々の人たちがしばしばそのプロセスにおいてきわめて重要な保護を拒否される、これである。

シチズンシップの将来は、EUのような、革新的ではあるが矛盾の多いガバナンス制度が生み出す諸問題にどう取り組むのか、その取り組み方に左右されるだろう。フォーク (1995: 140) が、

シチズンシップの将来を考察して、次のように述べたのは確かに正鵠を射ている。すなわち、われわれは短期的には「現実主義的」であると思えるものをほとんど受け入れてしまう。「現実的で多様性に富むグローバル・シチズンシップは現実主義の地平を超えるために人間の能力へのユートピア的信頼を内包しているのであるが、しかし、それは、現実主義的だと一般に受けとめられているものもまた持続可能なものではない、というきわめてプラグマティックな信念に基づいているのである」。フォークはシチズンシップに対してグローバリゼーションが提起する諸課題を的確に指摘している。グローバル・シチズンシップの擁護者たちは抽象的なユートピアンではない。彼らは現代主義のシチズンシップ・アプローチを擁護できないようにさせている現実の社会変化に基づいてシチズンシップを広げ、高めようと努力しているのである。

しかしながら、われわれは誤った楽観主義に譲歩してはならない。グローバリゼーションは、疑いなく、自由主義シチズンシップの平等主義的な特徴をその論理的限界にまで広げていく機会をもたらしてくれるが、しかし同時に、グローバリゼーションはまたかなりの危険をわれわれにもたらすのである。ラーパポート（1997: 113）は、社会包摂的な世界のシチズンシップから貿易戦争や少数民族への暴力という崩壊シナリオ、西側諸国やかつての共産主義国家を巻き込んだ大規模な政治ブロックによって支配される世界、そして排他的な西側地域の要塞都市の展開に至るまでの、将来に起こり得る四つのシナリオを考察して、最後のシナリオがもっともありそうなシナリオである、と考えた。西側諸国の特権的市民は自分たちの身近で直接的な地域を越えてもなお及ぶ諸権利を巧く手に入れることができるかもしれないが、しかし、それらの権利は世界の貧しい地域の犠牲の上に得られるのである。本章で——実際のところは、本書のすべてを通して——提起された主張や論点の核心は、そのようなシナリオは——現代の人間関係を大きく変えてしまう急速な社会変化を前提にして考えると——個人一人ひとりの権利を保障し、また中長期に安定したガバナンスを確かなものにするのにはまったく役に立たない、ということなのである。

私はグローバル時代におけるシチズンシップの概念は本質的にポストモダンでなければならない、と言わず語らずに主張してきた。どんな形態であっても安定したガバナンスであれば必ずや求めるようになる「権利の保証と責任の履行」という観点からすれば、シチズンシップと、閉鎖的で排他的な形態の政治的コミュニティたる国家《ステイト》との繋がりを維持することはもはや不可能なのである。たとえその国家が本質的に「国民的《ナショナル》」であろうと「地域的《リージョナル》」であろうと、そうなのである。

第7章 むすび

本書で述べてきた主張や論点は、私が「ポストモダンのシチズンシップ」と呼んでいるものが何であるのかを求める必要性を示唆している。私はまず、この最終章で、この結論に私を導いた論拠を再検討し、次にポストモダン・シチズンシップの特徴のいくつかを大まかに述べることにする。そしてポストモダン・シチズンシップ概念の将来について考察を加えることで筆を擱《お》くことにする。

1 シチズンシップの発展——要約

シチズンシップは、「現代的なもの《モダニティ》」が生成される以前は常に排他的なステータスであった。事例をいくつか見てみると、特に古代アテネのポリスにおけるシチズンシップは、市民が共通の統治制度に関与することを善《よ》しとし、また市民が果たすべく期待される義務や責務が広範囲に及んだという意味で、疑いなく幅広く奥深いものであった。市民たち自身が統治される者となるだけでなく、統治する者にもなることを委託されるのであるから、これにはポリスの民主的で高度に参加型のガバナンス制度が反映されているのである。しかし、前近代世界においては、シチズンシップの範囲は――シチズンシップの観点からすれば――決して広くはなかった。というのは、ポリスの住民の大部分はシチズンシップの範囲に含まれなかったからである。とりわけ女性はシチズンシップから排除されたのである。前近代社会において市民と市民でない人びととを分割することは不平等を意味した。前近代社会においては不平等は自然でありかつ不《ふ》易《えき》であるとみなされたのである。

十七世紀以降、シチズンシップの意義に深遠な進歩的変化をもたらしたのは自由主義の発展であった。ホッブズやロックのような思想家たちは個人と国家との関係に関わる議論に平等という観念を引き入れた。またロックとペインは、すべての個人は「生命、自由そして財産」に対し不可分の権利を持っている、と考えた。このような自由を保証し保護することこそ、政治的コミュニティの主たる義務なのである。

言うまでもないが、自由主義者たちによって擁護される平等の概念は本質的に抽象的である。しかし、自由主義者たちは、平等は生まれながらにしてすべての人間が共有するに値すると確認することによって、急進主義者たちが活用する概念空間を創り出した。例えば、私は社会主義をポスト自由主義理論そのものだと理解する。何故ならば、社会主義は平等、安全そして正義（公正）という自由主義の約束をあらゆる人たちのために果たさせるべく自由主義社会に挑むからである。ポスト自由主義シチズンシップ・アプローチは、シチズンシップの権利と責任が公平に割り当てられるのを妨げる政治的、経済的そして社会的なバリアーの確証をその内に含んでいる。かくして、二十世紀の社会主義者たちは公民権を拡大したり、また市場に対する政府の説明責任を求めたり奮闘してきたのである。したがって、ポスト自由主義者は自由主義者よりもシチズンシップの文脈を真剣に受けとめるのである。ポスト自由主義者は、意思決定の機構、経済的生産の構造、それに――例えば家族のような――社会制度の仕組みといったすべてがシチズンシップの内容、範囲そして深さを決める際に重要な役割を果たすことを認識しているのである。したがって、自由主義的形態でのシチズンシップの限界は、何よりもまず、この「権利と責任」の社会的文脈を自由主義が無視していることから説明されるのである。では何故、自由主義者はシチズンシップに対するさまざまなバリアーを見逃すのだろうか。

第三章で私は、自由主義的な権利擁護論が政治的コミュニティのニーズよりもむしろ合理的ではあるが自己中心的な個人の利己心に特典を与える一連の想定にどのように支えられているのかを明らかにした。自由主義者は――国家が形成される以前でさえ――われわれが自治（自律性）を有する行為者である、と想定するのであるから、自由主義的権利の論拠は形式上抽象的になるし、また――権利が決定的に重要であるとしても――権利が個々の人びとと彼らのコミュニティとの間に存在する「責任のネットワーク」にどのように根づいていくのか、その方法や仕組みを間違えたり、過小評価したりしてしまうのである。それに対して、現代の共和主義の理論やコミュニタリアニズムの理論は、社会主義と同様、ポスト自由主義的である。なぜなら、それらの理論はシチズンシップの関係論的で非階層制的な性格を強調するからである。したがって、ポスト自由主義者はシチズンシップの明確な特徴として自由よりもむしろ自治を強調する。自治は市民としての義務の必要条件を無視して専ら自己の利益を追求するライセンスではないのである。自治は根拠を与えられた自主独立なのである。ポスト自由主義シチズンシップ・アプローチは、権利と責任は――多くの自由主義理論が示唆してきたように――対立するのではなく、相互に支え合う、相補的とみなされるべきことを要求するのである。

　われわれの個人的権利は、他の人たちとお互いに責務を意識し合うことでその権利が支えられてはじめて意味を持つのである。というのは、われわれの個人的権利は、お互いに責務を意識し合うことによって、承認されるからであり、また権利の行使を可能にする社会制度を構築し維持していくようわれわれを促すからである。このことこそ、私が第三章と第五章で、われわれはわれわれの政治的コミュニティに対するわれわれの責任のレベルを高めなければならない、と主張する自由主義シチズンシップの批判者に同意した理由なのである。ポストモダン社会はきわめて多様でかつ個人主義的であるので、共通の利害を創り出したり、社会的責務を促進したりする方法を見出すことが必要となる（Beck 1997）。そこで、もし現代社会がこれ以上バラバラにならないようにし、また効率的に統治することがこれ以上難しくならないようにしていけば、シチズンシップを支える価値観についてある程度の合意が得られるようになっていくに違いないであろう。投票する責任やコミュニティ・サービスを遂行する責任（私はその双方ともを提唱してきた）といった義務を増やしていくことの目的は、それによって法的拘束力が多様な個人同士の自発的責務の意識に徐々に変わっていくかもしれない諸条件を創り出すためである。われわれもまた、責任の意識を高めることによって、シチズンシップを、受動的、消極的なステータスではなく、能動的、積極的なステータスとして承認するのである。シチズンシップの内容が民主的に同意されるのであれば、力の及ぶ限りすべての市民が参加することが必要不可欠となる。シチズンシップは、権利と責任を参加の倫理と結びつけることによって、「全体論的《ホリスティック》」理念として再概念化され得るのであって、それは自由主義の抽象的権利の擁護論に見られるシチズンシップの二元論的概念とは対照的である。

　フェミニストとエコロジストによる批判は、自由主義の抽象的個人主義擁護論の他の側面がどのようにシチズンシップの実践に否定的な影響を及ぼしてきたかを浮き彫りにした。フェミニストによるシチズンシップの説明は、自由主義シチズンシップがどうして具体的に表現されない観念であるのか、その理由を明らかにしてきた。自由主義においては、シチズンシップは契約関係、市場交換そして個人の独立（自立）に関係するとされるので、個人間の関係は原子論的な観点から捉えられてしまうのである。それとは対照的に、フェミニストたちは、われわれが市民として有する権利と責任は身体の重要性を認識することと結びつけて考えられなければならない、と強調する。リスター（1997: 70–2）が論じているように、伝統的な政治理論においては、あまりにしばしば肉体、感情それに性別が理性の適用を妨げる本質的に女性的な特性とみなされているのである。そして独り自由主義者だけが、この点こそシチズンシップの中心に置かれなければならない、と主張するのである。そうではなく、すべての個人は、そのジェンダーに関係なく、肉体的、感情的なニーズを持っていることをわれわれがひとたび明確に理解しさえすれば、われわれは相互依存とケアの価値という観点からシチズンシップを理解するようになるのである。加えて、エコロジストも、これらの価値は人間の直接的なニーズを超えて広がっていくに違いない、と主張している。とりわけ人間は環境と人間以外の他の種、それに将来の世代に対する責務を認めるのだ、と。ポストモダンのシチズンシップ・アプローチは社会主義、フェミニズムそしてエコロジズムのようなポスト自由主義理論を引き寄せるのである。

2　ポストモダン・シチズンシップとは

シチズンシップの本質は、現代においては、あるパラドクスによって決定される。本書の主たるテーマは、シチズンシップと国民国家との同一化がどのようにして自由主義の普遍性と平等主義の理想とを制限してきたのか、というものであった。私は第二章で、フランス革命が、何故に、国籍という文化的理念を市民の政治的ステータスと融合させた重要な一大事件であったのか、その理由を論証した。戦争と革命的激変の重圧は——普遍的権利の擁護に見られた——「フランス革命」のより社会包摂的な諸要素の放棄に導いてしまったし、その結果、十九世紀と二十世紀のシチズンシップは国家の建設や軍事的義務と密接に結びついてきたし、さらに国境線を固めることは市民と外国人との一大分割を意味しただけでなく、国境線の内部におけるシチズンシップの範囲に重大な影響を及ぼすことにもなったのである。バリバー（1994）とユーヴァル-デイヴィス（1997）のような論者は、国民国家がジェンダー的観点や人種的・民族的観点からどのように定義されているかを明らかにしてきた。例えば、女性は男性の擁護者によって保護され、またいつまでも「純潔」のままに保持されねばならない「国民の母」として描かれるのである。ユーゴスラヴィアのような国々では特に一九八〇年代から一九九〇年代の民族戦争での軍事手段としてレイプが広範囲に使われたが、それは、女性が男性と対等な完全な市民としてではなく、むしろ男性に匹敵する「民族国家のシンボルあるいは財産」として知覚されていた一つの実例でもあるのだ。国家は、ジェンダー化されるだけでなく、人種・民族差別化されてもしまうのである。あのもっとも共和主義的な国家、現代フランスについての――第二章でなされた――私の分析は、シチズンシップに対する表面的な中立政策が実際には移民に対する根深い人種・民族差別と病理を隠蔽するためであることを証明しているのである。

多くの伝統的なポスト自由主義理論とより現代的なポストモダン理論の弱点は、普遍的シチズンシップに対する国家の存在が生み出す問題をそれらの理論が確認せずにいることである。国家の諸制度の民主的で社会包摂的な本性を高めるためには、国家の改革は必要な動きであるとはいえ、それはシチズンシップの潜在能力《ポテンシャル》を十分に活かしていくための確たる手段とはなり得ないのである。相変わらず民族的観点やジェンダー的観点から定義されている領土的国家によって分割される世界でわれわれが生活している限り、シチズンシップの平等主義的ロジックは十分その力を発揮することができないままであろう。それ故、私はこう主張するのである。進歩的なポストモダン・シチズンシップは現代主義的な国家関係から自らを切り離さなければならない、と。

シチズンシップの主要な機能は他者の権利の尊重と、その権利を支える共通の諸制度を維持していくのに必要な役割を果たす責務の尊重という原則に基づいて社会を統治することである、とのことを想起することが重要である。というのは、何よりも国家に集中される暴力がこのシチズンシップの原則を否定してしまうからである。第五章で示唆されたように、親密なシチズンシップ――それは、権利と責務が私的領域内において抑制的な関係ではなく、合意に基づく関係を創り出す――の考察もまた、「国家の暴力」というより広い範囲にわたる問題の考察にまで及んでいかなければならないのである。したがって、すべての人間関係のために暴力が生み出す問題を認識することは、ポストモダン・シチズンシップが国家と公―私の分割との双方を問題化することを意味するのである。その点で、われわれは、一方の領域で合意に基づく関係を捜し求めることができず、他方の領域で強制力《フォース》に頼ることができないでいるのである。要するに、ポストモダン・シチズンシップが奥深いのは、それが「権利と責任」という価値意識をすべての人間関係――その人間関係が公的なものであろう私的なものであろうと――に適用するからである。

このような文脈においては、現代社会の多元性と、シチズンシップが行使される社会的、政治的な制度の近年における数の増大や型《タイプ》の多様化との双方を考慮すると、複合的シチズンシップについてのヒーター（1990）の見解こそ、シチズンシップにもっとも適した枠組みであるように思われる。さまざまな文脈においてシチズンシップを遂行するために思考の柔軟性が求められるのであるが、その思考の柔軟性がアイデンティティの唯一つの限られた側面、例えば国籍、民族意識あるいは集団メンバーシップをシチズンシップと結びつけることの危険性を際立たせるのである。また第四章で私が「差異化されたシチズンシップ」の擁護論に反対したのは、それが、等しく重んじられるべきさまざまなアイデンティティよりも、あるアイデンティティの一つの側面を上位に位置づけるよう要求することを意味するからであった。シチズンシップの魅力は、シチズンシップがわれわれにとってきわめて重要な本質を構成している要素のいずれかを選択するようわれわれを強制しない、ということである。シチズンシップは、選択を強制するのではなく、熟議したうえで制限なく他の市民との関係を築いていくようにわれわれを鼓舞するものでなければならないからだ。集団に基礎を置くシチズンシップは、おそらくお互いに疑念をもっとも引き起こし易いし、また集団内部の「基準に合わない個人」の諸権利を危険に晒すことになるかもしれないのである。私は、ポストモダン・シチズンシップは個人の権利についての自由主義的擁護論を拒否してはならず、むしろ個人の権利を自由主義的擁護論に基づいて構築すべきだと提案してきた。真の多様性は、前もって決定されている文化的アイデンティティではなく、個人の選択に基礎を置くのであるから、個人の諸権利を通じてはじめて維持されるのである。

それ故、ポストモダン・シチズンシップにとって最良の政治的コミュニティの形態は、文化的紐帯というよりはむしろ立憲的愛国主義が忠誠や責務の意識を生み出すような形態であろう(Habermas 1994)。このことは、多様な文化があるいは国籍でさえもが消失する、ということを意味している。とはいえ、現今のところは、なおシチズンシップは主に地域レベルにおいて行使され遂行されるであろう。しかしながら、ポストモダン・シチズンシップが求めているもの、それは、政治的コミュニティ間の境界線は——物質的にかそれとも文化的にか——永久に閉じることがない、ということであり、シチズンシップの権利と責任の多くは行政管理上の境界線を越えて拡大する、ということなのである。

3　シチズンシップの将来

グローバリゼーションと大いに関連する近年の社会的変化のプロセスは、ポストモダン・シチズンシップの発展のための機会を創り出しているように思える。例えば、人権は、疑いなく、その影響力という点で以前よりもずっと広い範囲にわたって浸透している。しかし、二十一世紀には、「個人の基本的権利の濫用」という国家による攻撃のために、その権利の正当性を擁護することがますます難しくなっていくだろう。事実、国際コミュニティは、イラクやコソボのような地域への「人道主義的介入」の数を増していきながら、人びとに「人権の濫用」の証拠を目撃させることで本気になって人権の濫用を取り上げ始めているのである。そして現にわれわれは、少なくとも、シチズンシップの国家主権主義モデルを越えて進む潜在能力を擁しているEUのような地域連合組織が求める大きな機能・役割を目撃しているだけでなく、国連のようなグローバル・ガバナンスの諸制度が次第に発展してきている事実もまた目撃しているのである。

ポストモダン・シチズンシップを将来においてもっとも前途有望なものにするグローバリゼーションの主要な側面は、地球上の危険要素《プラネタリィ・リスク》もたらす脅威である。ホッブズのような自由主義者によれば、シチズンシップの不変の概念が拠って立たねばならない安全と社会秩序は国家によってもっとも良く保証され得るのであるから、グローバル・リスクが、市民に安全を保障する国家の能力を衰えさせて、シチズンシップと国家との関係に異議を差し挟んでくるのである。コスモポリタン民主主義の理論家たちが主張するように、権利と責任だけでなくガバナンスの諸制度もまた、もし人間社会のまさにその基礎が自然環境災害や核の惨禍によって破壊されないのであれば、国家を超えて広がっていかなければならないのである（Held 1995）。

ショー（1994）は、グローバリゼーションは彼がポスト軍事社会と呼んでいる社会を創り出す、と論じる。私は、シチズンシップのプレモダン形態とモダン形態がどのように軍事的義務と密接に結びついてきたかに言及した。ポスト軍事社会の到来がこれに異議を唱えることになるのだが、ポスト軍国主義によって、われわれは武装対立の終焉を見たのだとはショーは主張していない。それでも、「核戦争による全滅」の危機に晒されて、第一次世界大戦あるいは第二次世界大戦のような全面戦争はありそうもないようである。その上——歴史的には福祉国家の創出に、したがってまた、シチズンシップの拡大に繋がった——二十世紀の国民徴兵制度による軍隊は必要ではなくなるだろう。専門職業的なハイテク軍隊が今や戦争《ウォーフェアー》を行っているのである。このことは、「軍事的義務、男らしさ、シチズンシップ」というあの長きにわたって既定とされてきた連鎖が根拠薄弱になってきていることを示唆している。こうして、暴力とシチズンシップとの強い関係がますます問題化されるようになるにつれて、よりケア志向のシチズンシップ・アプローチを求める機会が創り出されるのである。

さらにもっと重要なことは、グローバリゼーションはシチズンシップを行使する際に物質的不平等が引き起こす問題を際立たせる、ということである。グローバルな不平等は発展途上世界で生活している人たちの権利を絶えず脅かす。さらにその上、コミュニケーション革命と地球上の危険要素の発現とによって、地球的規模の危険状態を認識し自覚することが広く西側世界に求められているのである。

本書で私は、シチズンシップを意味あるものにするために、また個人一人ひとりに自分の権利を活用しかつ自分の責任を履行する現実的な機会を与えるために、シチズンシップは常にリソース依存型であることをわれわれは認識しなければならない、と主張してきた。したがって、私は、自由主義社会の文脈において、市場の命令とシチズンシップの必要条件との間により適切な妥協点を見いだすべく努力する、社会的権利の新しいアプローチを論じた。すなわち、権利と責任が資本主義に内在する不平等と搾取的な性向によって侵害されないよう保障するもっとも確かな政策は「市民所得保証」政策である、と私は論じたのである。しかしながら、第六章で私は、貧しい国々の物質的諸条件を改善する方法もまた見いだされなければならないことを主張した。これは正義（公正）と利己心の双方の問題なのである。グローバリゼーションの文脈においては、いかなるコミュニティのシチズンシップも、もしきわめて目に余る不平等が存続しているのを許しているのだとするならば、実現される保証などないであろう。移住、国際犯罪、地域的対立それに環境破壊はすべて不平等が原因であるのだから、先進世界と発展途上世界の双方の人びとは安全に対するこれらの新たな危険要素の結果をますます知覚するであろう。それ故、グローバル・ガバナンスの諸制度は、世界銀行や国際通貨基金といった連合組織に容易に情報を提供する、分裂を生み出す新自由主義的なエコノミック・マネジメント・アプローチを放棄しなければならない。裕福な国々は、世界経済システムが自国に有利になるように歪められていること、またそれらの国々が獲得した利益の多くは第三世界の国々の犠牲の上に確保されていることを認識すべきである。それ故にまた、EUメンバー国のような地域連合組織は発展途上諸国に対するその責任を栄誉とすることを厭《いと》わず、また至る所でシチズンシップの行使に不可欠な民主的制度を発展させるために世界中に及ぶ広範な援助を進んで提供しなければならないであろう。

本書で私はポストモダンを私のシチズンシップ・アプローチとしてきた。というのは、そのアプローチは、自由主義を拒否しようとするのではなく、むしろ自由主義が約束したことを実現させようとするものだからである。それ故、私は、自由主義の長所や強味みだと私がみなすもの――特に

「平等、個人的権利、完全主義（論）それに普遍的シチズンシップ」——を批判するポストモダンの説明や弁明を否定したのである。シチズンシップは、その構成部分——権利、責任そして政治的参加——が「人間的統治」に絶対に欠くことができないものであるからこそ、ますますグローバル化しかつポストモダン化していく時代に将来性を見いだすことができるのである。しかしながら、われわれは、シチズンシップと、例えば国家や市場といった排他的観念との間にある——現代的なものが作り出す——いくつもの環《リンク》を打ち砕くことによってはじめて、シチズンシップが擁する潜在的解放能力が満たされるのだということを認識しなければならないのである。

訳者注

第一章

（1）エンタイトルメント（entitlement）は、一般に、「法律や契約で規定された給付」を受給する権利や「特定のグループや社会の構成員に給付される社会保障費等」を受給する権利を意味する。他方、アマルティア・センは、「教育・人材養成・土地改革・信用供与などによる基本的な経済エンタイトルメント」という言葉を用いて、それを「人びとが十分な食糧などを得られる経済能力や資格」を意味するとしている（アマルティア・セン著・大石りら訳『貧困の克服』集英社新書、二〇〇二年、二〇頁）。

（2）「国連世界人権宣言」は一九四八年十二月十日に第三回国連総会において出席した四八カ国の満場一致で採択された。本書で取り上げられた第一五条は次のように記されている。「第一項：何人も、一つの国籍を持つ権利を有する。第二項：何人も、ほしいままにその国籍を奪われることなく、また、その国籍を変更する権利を否認されることはない。」なお、この「世界人権宣言」については『人権宣言集』（高木・末延・宮沢編、岩波文庫）を参照されたい。

（3）マキャヴェリのインストゥルメンタリズム（Instrumentalism）は「目的のために手段を選ばず」と一般に理解されているが、それは一面にすぎない。ジョン・デューイが主張しているように、それは「思想や観念は環境支配の道具としての有用性によって価値が決定される」という意味での「道具主義」なのである。

（4）「重装歩兵密集隊形」（phalanx）は、長槍と盾を構えた重装歩兵が密集して敵に向かっていく「長槍密集隊形」ともいわれる。紀元前八世紀以後になると平民が武具を自前で調達できるようになったことから、それまでは貴族のみの戦法であった重装歩兵戦法に平民の兵士が加わるようになり、貴族の政権独占にも動揺を与えるようになっていった。

（5）紀元前六四〇年頃―五六〇年頃のアテネの政治家にして立法家。アテネ七賢人の一人。前五九四―五九三年にソロンは全権を委任された調停者として改革を断行し、「負債帳消し」・「債務奴隷の禁止」・「財産政治」を実施したが、貴族と平民の双方から非難され引退した。なお、「財産政治」(timocracy) は財産に応じ市民を四等級に分類し、参政権と軍務を課した制度である。

(6) 紀元前四九五年頃～四二九年頃の指導者。「ペリクレス時代」はアテネの全盛期で、人をして「名は民主主義であるが、実は一人の支配」と言わしめたほど、彼は内治外交に手腕をふるった。

(7) カラカラ帝は二一二年にローマ帝国領内のすべての自由民にローマ市民権を付与した。彼が建造した有名なカラカラ大浴場は「大娯楽センター」で、市民権を所有している人たちに安く使用させた。このような大浴場は帝政期のローマ人の奢侈と浪費の典型であった。

(8) 教会の国家への従属を説いたイタリアの政治哲学者(一二九〇?—一三四三?)。

(9) ホッブズ著・水田洋訳『リヴァイアサン(一)』岩波文庫(一九七九年三月、第二〇刷)、一九九頁、を参考に和訳した。

(10) このことについては、イギリスの著名な政治学者バーナード・クリックが文学・文化評論家リチャード・ホッガードの著書を引用して述べた次の言葉が示唆を与えてくれるであろう。「足枷を外した資本主義はいつかすべての人の物質的水準を高めるであろう――それも、社会的コストの代価を払わずに、すべての人のためにより大きな社会正義を伴って――という最近の神話は、まさに次のことにすぎない。すなわち、神話、危険な神話、そして有害な神話、これである。民主主義は資本主義とともに生き長らえるかもしれないが、しかし、それは、民主主義の立場から発せられる言葉であり、条件であっても、資本から発せられるような言葉や条件ではないのである。民主主義は資本と親しくなければならない、というものではない。そうではなく、民主主義は資本に対して用心深くして慎重な関係にあるのだ」(Bernard Crick, *Citizenship Education in England*, in the Lecture held at Meiji University, 11 December 2002)。

第二章

(1) 「人権宣言」はフランス語では *Declaration des Droits de l'Homme et du Citoyen* である。本文に記されて

いるように、l'Homme は英語では Man になっている。すなわち、フランス革命の「人権宣言」は「男性の人権宣言」であったのである。水田珠枝は「女性に市民的権利があたえられなかったのは、非所有者であるという理由だけではなく、女性であるという理由によるのであった。革命は、身分や貧富の差別とはちがって、人間の力ではのりこえることのできない性の差別を、人間差別の障壁として導入し、制度化したのである」と述べている（『女性解放思想の歩み』岩波新書、一九八二年、七二頁）。フランス革命の最中に女性解放思想を主張して「女性の権利宣言」を発表したオランプ・ドゥ・グージュは処刑されてしまった。「グージュの『女性の権利宣言』の基調は、革命が男性に保証した形式的権利を、そのまま女性にも保証すべきだという主張である。前文には、『母親、娘、姉妹、すなわち国民の女性代表者たちは、国民議会の構成員になることを要求する。女性の権利の無知、忘却、軽蔑が、公共の不幸と統治の腐敗の諸原因にほかならないことを考えて、女性のゆずりわたすことのできない、神聖な自然権を、厳粛な宣言として提示する』とかかれ、さらに『第一条、女性は自由なものとして生まれ、権利において男性と平等である』、『第二条、あらゆる政治的結合の目的は、女性と男性の自然な、時効にかかることのない権利を保全することである』となっている」（同、八一―八二頁）。

（2）アメリカ独立革命（一七七五―八三年）は、一七七五年に独立側とイギリス軍との武力衝突、翌七六年に「独立宣言」を発布、そして八三年にパリ条約でアメリカ独立、という経過を辿った。

（3）「ヴァルミーの戦い」は一七九二年九月二十日にパリに迫ろうとしたプロイセン軍をフランス軍が撃退した戦闘である。それはフランス革命における革命的義勇軍の（職業的王朝軍に対する）勝利でもあった。この戦いでプロイセン軍側に従事していたゲーテは陣中記にこう記している。「この日、ここから、世界史の新しい時代が始まる」、と。

（4）急進的共和主義を恐れた国民議会（Assemblee Nationale、正式には「憲法制定国民議会」）は、憲法制定による秩序維持を急ぎ、一七九一年九月に「立憲君主制」に基づく憲法を制定し、王権を縮小した。だが、議会が可決した法案の裁可を一定の期間拒否することのできる「停止的拒否権」が王に残された。そして、市民は、政治的権利を有する「能動的市民」と、単に市民権のみを享受する「受動的市民」とに分けられた。「能動的市民」は一定の財産を有する市民である。

（5）イギリスにおける「選挙法改正」（the Reform Act）は次のようなプロセスを経ている。一八三二年の第一回選挙法改正は、フランスの七月革命（一八三〇年七月）の影響を受けて、ホイッグ党のグレイ内閣によって実現され、腐敗選挙区の廃止（新興商工業都市への議席の割り当て）と財産資格の変更（新興資本家への選挙権の付与）により、有権者数は五〇万人から八一万人に増加した。この改正は、当初、政治権力を掌握していた地主階級に対して、新興の資本家階級と労働者階級との連携によって進められてきたが、後に労働者階級を事実上締め出して、資本家階級と地主階級とが妥協したことで成立した。このため労働者階級はその後普通選挙権獲得を目指す「チャーティスト運動」を展開することになる。一八六七年に成立した第二回選挙法改正は、自由党によって推進され、ダービー保守党内閣の下で成立し、都市の成年男子労働者に選挙権が与えられ、有権者数は一三五万人から二四七万人に増加。第三回選挙法改正は一八八四年に自由党のグラッドストン内閣の下で成立し、農業・鉱山の成年男子労働者に選挙権が与えられた。有権者数は（成年男子七〇〇万人中の）四四〇万人となる。一九一八年のロイド・ジョージ挙国一致内閣による第四回選挙法改正で成年男子と三〇歳以上の女性に選挙権が拡大され、有権者数は約八〇〇万人増加した。そして一九二八年のボールドウィン保守党内閣による第五回選挙法改正で男子と同じように二一歳以上のすべての女性に選挙権が与えられ、これによって普通選挙制が完成した。

（5）広域地方政府には、例えばイギリスにおけるスコットランド議会、あるいはもっと広域のヨーロッパ連合（EU）議会などが含まれるだろう。

第三章

（1）マルクスは――「自由な人間」であることと「国家公民」であることとを同一視し、すべての人間は「国家公民」であるためには宗教を捨てなければならない、と説いたブルーノ・バウアーの『ユダヤ人問題』を批判した――『ユダヤ人問題によせて』（一八四四年）のなかで「ユダヤ人問題」を「時代の一般的問題」の枠組みに導き入れた。すなわち、マルクスは「ユダヤ人問題」を「近代国家そのもののあり方の問題、政治的解放

のあり方の問題、政治的解放と人間的解放との関係の問題」として論じた（城塚登訳『ユダヤ人問題によせて・ヘーゲル法哲学批判序説』［岩波文庫］の「訳者解説」）。城塚はさらに、「マルクスは政治的解放の限界を『国家』と『市民社会』との分裂のなかで明確化する」だけでなく、「この分裂のなかに近代国家・近代社会固有の人間の自己疎外」を見いだし、「近代国家・近代社会では、人間は政治的共同体の成員（公民・シュトワイアン）という抽象的存在として天上の生活を営むと同時に、市民社会の成員（人間・オム）という現実的存在として地上の生活を営む。市民社会に生活する現実の人間は、類的存在を国家へと抽象化され、類的共同性を喪失しているが故に、利己的な孤立した諸個人となる。この利己的個人は本来の自己である類的存在を、国家の抽象的な成員というかたちで自分から分離されているのであり、類的存在としての自己から疎外されているのである」と述べ、「それ故、マルクスは人間解放を、現実の個体的な人間が抽象的な公民を自分のうちに取り戻し、自分の『固有の力』を社会的な力として認識し組織することとして方向づけた」と解説している（同右）。換言すれば、マルクスは「現実の人間を『市民社会』のなかに生活している人間に見いだし、たとえ疎外された利己的で真ならざる存在であろうとも、この現実の人間こそ人間的解放の担い手であり主体である」と考えたのである（同右）。マルクスにとって、「近代市民社会の人間」とは近代政治革命によって生まれた「自己疎外されている現実の人間」なのであり、したがってまた、マルクスは「人間的解放の担い手であり主体である」この「社会化された人間」が創り出す体制としての「民主制」を示唆したのである。

（2）イギリスでは一九九〇年代中葉まで、長期失業者、とりわけ若年（一六～二四歳）の長期失業者や最終学校卒業後に一度も就労することなく公的給付に依存している若者たちを「下層階級」（underclass）に特有の問題として捉える傾向があった。彼らは「働く意欲の低さや福祉への依存体質が労働者階級とは区別される下層階級の特徴として攻撃された。増加するティーンエイジャーの未婚の母は攻撃の矛先となった」。しかし他方で一部の研究者は「若年者の実態調査をもとに、若者をアンダークラス（下層階級）問題として扱うことに対して反論し、社会経済構造が成人期への移行を危機に陥れていることに警鐘をならした」。一九九七年に政権についた労働党政府は「社会的排除防止局」（Social Exclusion Unit）を設置して「社会のメインストリームから隔絶された若者への取り組みを開始し」、一九九九年に Bridging the Gap と題する報告書を提出し、そのなかで「毎年一六～一八歳の若者の約九％が学校にも雇用にも職業訓練にも就いていないNEET（Young People Not in Education, Employment or Training）の状態にある」ことを明らかにした（宮本みち子「社会的排除と若年無業――イギリス・スウェーデンの対応」『日本労働研究雑誌』五三三号、二〇〇四年十二月号）。ただし、イギリスのNEETには失業者が含まれているので、失業者を含んでいない「日本のNEET」のコンセプトと相違がある。この点は重要である。前者は「就労の意志のある若者を含んでいる」のに対して、後者は含んでいないことからNEETの状態にある若者を「怠惰者」と捉える傾向が見られるからである。その意味で、「NEETの状態にある若者の主観的ニーズや志向を含める生活全体の複雑さを受け入れ、それに対応できるパースペクティヴが必要」であると論じているこの報告書を日本政府は大いに参考にすべきであろう。また労働党政府が「このような認識を踏まえて開始された近年の若年雇用施策の柱」として「一三～一九歳の若者に対する教育・雇用支援のためのコネクションズ（Connexions）」を開始し、さらに「二五歳以下の失業者の社会的排除への取り組みを狙ったニューディール・プログラム（New Deal for the Young People）」（宮本みち子、同右）を若年者の雇用政策として展開していることも日本の政府は参考にすべきである。

（3）　イギリスにおける若者の雇用政策の柱としての「雇用を通じた福祉」（ワークフェア）は、ブレア政権の社会福祉政策の重要な指針である「福祉から労働へ」（welfare to work）にも連動するだけでなく、本書――特に第三章――のシチズンシップ論とも大いに関連することから、多少長くなるが、ワークフェアに論及している宮本みち子の論文を引用しておきたい。「一九七〇年代末に始まる若年者の失業問題に対して、先進諸国はさまざまな取り組みをしてきたが、決定的に有効な解決策があったというわけではなかった。しかし、成人期への移行の時期の達成課題として職業的地位の確立は不可欠であり、若者を社会へ包摂する条件として『労働市場への統合』がもっとも重要だと認識されている。雇用を通じた福祉（ワークフェア）が雇用政策の基本となっている。このような共通認識を踏まえて、一九九七年のEUルクセンブルク雇用サミットで採択された『ヨーロッパ雇用戦略』では、若者の就業支援が指針の一つに加えられ、各国で若年者雇用に取り組むことが義務づけられた。具体的には、二〇〇二年末までにすべての若者に対して、失業状態が六カ月に至る前にニュースタートと呼ばれる教育・訓練プログラムを提供することが協定されたのである。この間、EU諸国では

『自立』と『活動』が若者を論ずる際のキータームになってきた。若者を雇用を通して活性化するワークフェア政策が導入された。これは、権利と責任の概念を用いて若者を活性化しようという積極的労働市場政策である。このような雇用政策は、伝統的シティズンシップからの転換と理解されているが、労働市場への参加を義務とする点で、構造的問題を個人化した、という批判もある。ワークフェア政策への志向は各国に共通する傾向であるが、強調点の違いが各国の雇用政策の特徴をなしている。例えば、イギリスでは『経済活動への参加』（経済的責任を果たすという意味）が強調されているのに対して、スウェーデンやデンマークでは『社会への参加を活性化する』ことが強調されている。

……このように、ワークフェアを前提としながらも、国によって異なる特徴があるが、政策理念に見られる変化には共通性がある。従来は職業訓練を施して速やかに雇用へと参入することを促す手法（雇用重視）が中心であったのに対して、（成人への）移行政策に見られる雇用政策はフレキシブルな生涯教育が成功の鍵とする『教育重視』モデルへとシフトしている。

（若者の就労）支援の方法も集団から個人へとシフトしている。若年者向けプログラムの手法は、従来の『集合的プログラム』より、若者の欲求や願望を考量して設計された『個人発達プログラム』の成功率が高いという諸研究の成果を踏まえ、個人ベースのカウンセリング手法を用いた経歴指導に力点が置かれている。職業を個人発達の一部として位置づけ、若者自身が計画を作るのを支援するというスタンスに立ち、一人ひとりの若者をホリスティック（全人的）に支援する、という手法である。

積極的労働市場政策が個人発達プログラムの手法へと転換したのは、現代の若者の状況とその社会的コンテクストによる。……（成人への）移行期における失業の危険性とそれに密接に結合している『社会的排除』はこれまで考えられていたより複雑だと指摘されてきた。しかし、非就業の若者を対象とする大部分のプログラムは社会的統合を労働市場への統合と単純化し、集合的プログラムで対応するために十分な効果を引き出せていない。この障壁を打破するためには、移行システムの構造、背景となる文化・思想、若者自身の生活歴とライフコースをおさえることが必要だと指摘されている。個々人の生活歴に焦点を当て、教育・訓練・福祉・労働市場をより協調させる政策が必要で、これを『統合された移行政策』と称している」（同右）。

宮本はさらに本書と関連する「若年雇用政策と積極的シティズンシップ政策」について次のように論及している。「若年者雇用は重要な課題であり、シティズンシップ政策と一体となって展開されている。シティズンシップ政策とは、若者の社会的統合をシティズンシップとして位置づけ、社会への参画を大胆に進めよう、という政策である。そこには、権利の主体としてのシティズンシップから参画する主体としての積極的シティズンシップ（active citizenship）への転換がある。

青少年・若者を意思決定へ参画させようという政策は、一九八五年の国連世界青年年に登場し、一九八九年に子どもの権利条約の国連採択で定式化されるが、それが具体化していくのは一九九〇年代後半に入ってからである。成人期への移行は、自立への移行を主要なダイナミクスとしており、選択の力、自己決定、参加、そのための情報提供、エンパワーメントなどがシティズンシップ政策を表現するキーワードである。（中略）

意思決定の参画を進める政策の柱と並んで、①フォーマル、インフォーマルな教育・学習によって青少年・若者の経験分野を拡大すること、②若者の自立性（autonomy）を促すこと、の二点が強調されている。……若者のシティズンシップのセンスは、フォーマルな理解より、さまざまな領域における体験によって得られている。また若者のアクション・グループは考えられているより普及している。イベントに参加することが地域社会の一部であることを感じる機会になっている。家族、学校、友人関係、地域での参加経験がよりフォーマルな学習（シティズンシップ教育）を補強している、というのである。

若者の自立性が強調されるとき、そこには近年の雇用政策と底通する若者観が存在している、と見てよかろう。雇用や生活保障、労働市場政策はむろんのこと、住宅や交通も若者の速やかな自立を促すために必要なものである。その点で、若者政策は雇用など特定分野に限定されたものではなく、若者の生活を支えるホリスティック（全人的）なアプローチでなければならない」（同右）。

（4）　マルクスは、一八四七年十二月から一八四八年一月にかけてエンゲルスと共同執筆した『共産党宣言』のなかでこう述べている。「階級と階級対立とをともなう旧ブルジョア社会に代わって、各人の自由な発展が万人の自由な発展の条件となるような一つの協同社会があらわれる（国民文庫版、一九七三年）。マルクスのこの言葉は、フォークスが言うように、「市民の相互依存的本性」を表現している、と言ってよいだろう。

なお、ここで『共産党宣言』について簡潔に言及しておこう。「一つの妖怪がヨーロッパにあらわれている――共産主義の妖怪が」と「すべてこれまでの社会の歴史は階級闘争の歴史である」という有名な言葉で書き始められ、「万国のプロレタリア団結せよ!」の言葉をもって終わる『共産党宣言』(一八四八年二月にロンドンで公刊)は「共産主義者同盟」の綱領を宣言したものである。向坂逸郎の「解説」(岩波文庫版、二〇〇八年)によると、エンゲルスは『共産党宣言』の序文のなかで、「宣言をつらぬいている根本思想」を次のように述べている。「経済的生産およびそれから必然的に生まれる社会組織は、その時期の政治的ならびに知的歴史にとって基礎をなす。したがって、(太古の土地所有が解消して以来)全歴史は階級闘争の歴史、すなわち、社会的発展のさまざまの段階における搾取される階級と搾取する階級、支配される階級と支配する階級のあいだの闘争の歴史であった。しかしいまやこの闘争は、搾取され圧迫される階級(プロレタリア階級)がかれらを搾取し圧迫する階級(ブルジョア階級)から自分を解放しうるためには、同時に全社会を永久に搾取、圧迫および階級闘争から解放しなければならない、という段階にまで達した」、と。

マルクスとエンゲルスの手によるこの『共産党宣言』は、日本にも影響を与え、一九〇四年(明治三十七年)十一月十三日付の『平民新聞』(第五三号)に初めて日本語訳が掲載された(第三章の訳は省かれていた)。訳者は堺利彦(枯川)と幸徳(伝次郎)秋水の二人である。しかし、この訳文を掲載した『平民新聞』はただちに発売を禁止され、発行兼編集人の西川光次郎、堺、幸徳の三名が起訴された。一九〇六年に堺利彦は、月刊誌『社会主義研究』を発行し、その第一号に『共産党宣言』を「研究資料」として掲載した。このときの訳は堺の手によるもので、『平民新聞』では訳出されなかった第三章も訳されて、『宣言』が完訳された。しかもこの訳は発売禁止にならなかった。しかし、一九一〇年(明治四三年)の「幸徳事件が起こってからは、ほとんどいっさいの社会主義文献は店頭に表れることを許されなかった」。『共産党宣言』も発売禁止とされてしまった(同右)。

第四章

(1) ヒスパニック(Hispanic)は、アメリカ合衆国では一般に日常的にスペイン語(やポルトガル語)を話す人たちを指す言葉であり、その多数はメキシコ、キューバそれにプエルトリコなどのラテンアメリカ諸国の出身者である。

(2) 熟議民主主義を森政稔は次のように説明している。少々長くなるが引用しておきたい。「アカデミックな世界における民主主義理論で、最近広い注目を集めている主題として、『熟議民主主義論』がある。なぜ今さら熟議なのか。たしかにそれは少しも新しくない主張である。政治には討論や熟議が必要だという主張は、まだ民主主義とは呼べない時代のイギリス議会の理念なかに旧くからあり、民主主義論もそれを継承してきた。なぜ今さら、という問には、『熟議民主主義』が民主主義についてのどのような考え方を批判してでてきたのか、が答えになるだろう。熟議民主主義の論者は、政治の主題は利益の表出に尽きるものではなく、討論による公的な意見形成を必要と考える。

つぎに批判されるのは、集計民主主義(aggregate democracy)である。電子メディアの発達によって、その場その場での『民意』なるものを短時間に効率よく集計することが可能になった。このような技術進歩を背景として、インターネットが民主主義の問題を解決できる、というような、今から見れば過剰な期待が寄せられた時期があった。このような技術的利用はもちろんあってよいことだが、それがこれまで論じてきたような民主主義の難問を解決するものとは思わない。民意なるものは絶え間なく流動しており、一時的に集計された意思を絶対化するならば、結局ポピュリズム的傾向を強めることに終わるからである。

問題は政治的意思の形成過程にあり、それを括弧に入れて結果を集計するだけでは、問題の所在が見失われる。熟議民主主義は、民主主義において人は議論を通すことによって意見を変化させる、という仮説に立ち、また人がその意見を変えるさいの過程や意味を重視する。それはごく当たり前のことなのだが、最近の政治やとくに選挙のあり様を見れば、もう当たり前ではなくなっていることに気づかされよう。政治とは勝ち負けを争ったり、観客としてゲームを消費したりするものではなく、自分も当事者としてそのなかにある、という事柄を、どのように考えるかが『熟議』において問われている」(『変貌する民主主義』ちくま新書、二〇〇八年、一八一―一八二頁)。

(3) 北アイルランドのユニオニスト(統一党)の「ナショナル・アイデンティティの意識」についてはアイルラ

ンドにおける次のような二十世紀前半以降の歴史的な説明が必要である。すなわち、一九一八年の総選挙でシン・フェイン党が圧勝し、翌一九年に独立を宣言したため、一九二一年十二月に「イギリス・アイルランド条約」によって「イギリス連邦自治領」としての「アイルランド自由国」の成立が承認された（首相は独立運動指導者のデ・ヴァレラ）。しかし、それより前にイギリス議会は、「アイルランド統治法」を制定して、北アイルランド六県についてはアイルランド議会で定める法の適用を受けないことを認め、「イギリス連合王国」(United Kingdom) に止まって独自の議会を持つことを承認した。ヴァレラはアイルランド自由国をイギリス連合王国から分離する政策を積極的に推し進め、北アイルランドに対して民族統一を要求していった。しかしながら、北アイルランドではイギリスとの関係維持を強く求めるユニオニストが総選挙では圧倒的多数を占めていた。

一九四九年にアイルランド自由国がイギリス連合王国の自治領から離脱して「アイルランド共和国」が成立した。これに対して、イギリス政府はアイルランド法案を成立させ、北アイルランドはイギリス連合王国の一部として止まることを宣言した。かくして、北アイルランドは（北アイルランド）議会の同意なくしてイギリス連合王国から離脱することができないとされ、連邦的地位が北アイルランドに与えられることになった。これによってアイルランド共和国と北アイルランドの分断が一層深まることになってしまった。この分断はまた「カトリックとプロテスタントの分断」を決定的にした。イギリス連合王国に止まることを政治的信条とするユニオニストは北アイルランドで多数（人口のおよそ三分の二）を占めていたプロテスタントの支援を得て、プロテスタントに有利な政治的決定を具体化していった。それに対し、カトリックのナショナリスト（国民党）は、アイルランド全土の統一を要求していたものの、ユニオニストに有利な選挙制度を設定されていたために、実質的に議会政治に関わることができなかった。このような状況の下で、カトリック住民には居住や雇用についても差別を受ける政策が徹底して展開されたのである。事実、ロンドンデリーやベルファストではプロテスタントとカトリックの居住区が分離され、特別警察を配置して検問やパトロールが行われたのである。

第五章

（1）アマルティア・センは協同組合運動との関連で「参加の倫理」を次のように述べている。すなわち、「協同のアプローチ」は「人間的な経済と社会にとっての中心的戦略」であり、人びとの自治と自発的参加に基づいて人びとの市民権（労働の権利、生存権、教育を受ける権利など）と政治的自由を実現していく社会構成的な機能・役割を意味する。協同組合は、民衆のために市場メカニズムを長期的かつ有効に機能させようとするのであれば、民衆にとっての社会的平等と社会的正義（公正）を創り出していく「グローバルな倫理」の基礎を広げていくよう努めなければならない。「グローバルな倫理」はグローバルな経済的、社会的な関係の規範をより強固にし、より確かなものにしていくからである。その意味で、協同組合にとって「参加の役割」は、これまで協同組合によって実践されてきた伝統的な役割を超え出たそれでなければならないのである。それ故、「協同のアプローチ」は、これまで協同組合が担ってきた経済的、社会的な機能よりもはるかに広い展望のなかで捉えられなければならないのである。またセンは、協同組合運動における「グローバルな倫理」についてこう述べている。「アフリカやアジアの女性に対する不利益な処遇を改善しようと立ち上がったイタリアのフェミニストの活動は、ある種のアイデンティティに基づいているのである。すなわち、ある国民の、他の国民の困難に対する同情ということをはるかに超えたフェミニズムのアイデンティティなのである。したがって、「グローバルな倫理」は、人びとの生活にとって決定的に重要である「多様な制度の存在」と人びとの「多元的アイデンティティ」との共存を考慮することが必要である。「ある人間は、イタリア人であり、女性であり、フェミニストであり、博士であり、協同組合人などであり得るのであって、一人の人間の多元的アイデンティティというこの豊かな概念には矛盾はないのである」（イタリア・レガコープが一九九八年十月にボローニャで開催したアマルティア・センの講演「協同の民主主義とグローバリゼーション――両者の共存は可能か」より）。

（2）完全論（perfectionism）は「人間は現世において道徳的、宗教的、社会的および政治的に完全性の域に達することが可能である」とする哲学的概念である。道徳論としての「完全論」の歴史は古く、例えばアリストテレスは――道徳あるいは倫理の究極目的・行為の基準を「幸福」に置く、という意味での――「幸福な生活」（good life: eudaimonia）の概念を論じて、政治と政治的組織構造は個々の人びとの間に「幸福な生活」を促進しなければならないのだと説いた。そして彼は、幸福な生活をより良く促進することができるのはポリスなのであるのだから、他のどんな社会的組織よりもポリスこそ採り入れられるべき社会的組織構造である、と主張したのである。

（3）ゼロサム・ゲーム（zero-sum games）は、一方の得点が他方の同数の失点になる「ゲームの理論」である。

（4）ここでのエンパワーメントは自治・自律性に基づいた公的な権限・権能や能力・資格を意味する。

（5）スティグマ（stigma）をここでは「恥辱の烙印」と訳したが、スティグマとはもともと「奴隷や罪人に押された焼印・烙印」を意味するギリシア語であるが、現代では「これに社会的な意味を付与して、望ましくないとする周囲からの烙印」を意味する言葉となっている（白波瀬佐和子『生き方の不平等——お互いさまの社会に向けて』岩波新書、二〇一〇年、四七—四八頁を参照）。

（6）マルクスは、「私有財産としての生産物」＝「商品」を、人間を疎外するものとして批判し、私的所有の下での人間の労働を「疎外された労働」と捉えた。すなわち、私的所有の下での人間労働力の支出＝生きた労働は商品価値をつくり出すのであるが、それは社会的使用価値を持つ労働生産物に対象化されたときにはじめて社会的労働となる。それ故、人間労働は、労働生産物に対象化されたときに、人間自身の労働としてではなく、物それ自体の価値として社会的意義を持つようになるのである。換言すれば、物に対象化された労働者の労働能力が価値となって労働者に対立する、あるいは人間の生きた労働それ自体が当の人間にとって無縁なものとなり、しかも人間を支配するのである。このように、マルクスは私有財産の本質としての労働を人間の活動のあり方として問い直したのである。

一般に疎外は、人間の社会的活動の所産、例えば、労働の生産物、社会的諸関係、金銭、それにイデオロギーなどがそれらをつくり出した人間自身を支配する疎遠な力として現れることを意味するのであって、そのような人間の活動それ自体が、その人間に属さない外的な、強制的なものとして現れる状態を指す。このような活動は人間自身による活動なのであるから、人間が自らの本質を取り除かれたり、他者との関係を歪められたりして自己から疎外されることになる（自己疎外）。

（7）「強要」（coercion）の概念には、一般に、二人の当事者に対応する二つの異なる側面がある。一つの側面においては、専門的技術能力を擁する行為者（coercers）が他の行為者に何かをさせるかあるいはさせないかして使うことができ、他の側面においては、被行為者（coercees）がどうして時として何かを行うのかあるいは止めてしまうのかその理由をくみ取るというものである。このような側面を持つ「強要」は、対象にされた行為者（agents）の「自由と責任」の重要性を理解しなかったり、また（程度の問題でもあるが）権利を侵害しあるいは冒瀆したりすることも含意されている。それにもかかわらず、「強要」が常に不当だとみなされるとは限らないのである。というのは、何らかのオーソライズされた「強要」を用いることなしにはいかなる社会も機能することができない、と思われているからである。また国家の正当性や主権は、時として、この「強要」を効果的に用いる能力・方法に左右されるので、その内外の競争相手に対して自己のテリトリー内での「強要」の使用を独占化するべきと考えられてもきたのである（*Stanford Encyclopedia of Philosphy*, First published Fri Feb 10, 2006を参照）。なお、「強要」概念は、長期にわたって政治的および倫理的な関心事となってはいたが、最近に至るまで「強要の本質」についてはほとんど研究の対象にならなかった。それでも、一九七〇年代以降になると、グローバリゼーションやテロリズムとの関連で、「強要の本質と機能」が哲学的議論の対象となってきたことを付け加えておく。

（8）本書では四回にわたりJ・S・ミル（一八〇六―七三年）に論及しているが、そのうち三回はミルの「自由論」について論及がなされているので、それらとの関連を考慮してここでミルの「自由論」に簡潔に触れておく。「いかなる思想たりともその無誤謬性の保証されているものはないという根拠から、言論の自由擁護の古典的論陣を張った」（『自由論』岩波文庫、早坂忠による「解説」）と言われているミルが著した『自由論』は、当時のイギリスにおける政治制度や社会制度の問題を「自由」の原理から論じたものである。この「自由」は、国家あるいは社会に対する個人の自由のことであり、この自由を抑制する権力が正当化されるのは他者に危害を及ぼす場合だけであって、それ以外の個人的自由は保障されなければならない。このように個人の自由を尊重するミルではあるが、本書でも言及されているように、ミルは、一方では「自由は『文明化した』諸国民だけに相応しいものである」と主張し、他方では「国内でシチズンシップを擁護して国外では専制政治を擁護する……『自由の特性』を反映している」、と本書の著者に言わしめさせている。また彼は「一般大衆に政治的権利（参政権）を拡大することに慎重であった」と言われているが、それは、彼が「大衆が私的領域の自由にさまざまな制限を押しつける『多数者の専制政治』の展開を恐れた」からである。ミルのこのような思考は、当時のイギリスにおける経済的、政治的および社会的な状況を反映しており、彼の「自由論」の過渡的性格を示していると言えよう。それにもかかわらず、彼の「自由論」には現代における「強制の及ばない社会的圧力」が示唆されている点もまた、われわれは正しく捉えておくべきであろう。

いずれにしても、ミルが彼自身の『自伝』で述べているように、彼にとってこの『自由論』は大いに誇るべき内容を擁するものであったのである。彼は『自伝』のなかで次のように述べている。「『自由論』は私の書いた他のどれよりも長い生命を持ちそうに思われる（事によると『論理学』は例外かもしれない）。それは妻と私の共同作業が、いわばあれを一個の真理を説いた哲学の教科書のようなものにしており、しかもその真理は、現代社会につぎつぎと起こってゆく変革につれて、いよいよ強く浮彫りのようにはっきりしてくる傾向があるからである。その真理とはつまり、性格のタイプにはいろいろな種類があって、しかも人間の性格が無数の相矛盾する方向にむかってそれぞれ完全に自由に伸びてゆけるようにしてやることが、個人にとっても社会にとっても重要なのだという一事である」（朱牟田夏雄訳『ミル自伝』岩波文庫、二二〇頁）。

第六章

（1）　世界銀行（World Bank）――正式名「国際復興開発銀行」（International Bank for Reconstruction and Development）――は、いわゆる「ブレトン・ウッズ協定」（一九四四年七月調印、一九四五年十二月発効、参加国四五カ国：固定為替相場制による金一オンス＝三五USドルに基づいて、金本位制による各国通貨交換比率が定められ、日本円は一ドル＝三六〇円とされた。しかし、ベトナム戦争の戦費の増大などによるドル・インフレーションの進行のために一九七一年の「ニクソン・ショック」によってアメリカはドルと金の交換を停止、その結果、一九七三年に変動相場制に移行したことでブレトン・ウッズ体制は崩壊した）に基づいて設置された国際機関で、国際通貨基金（ＩＭＦ）と共にブレトン・ウッズ体制を構成するものである。世界銀行は、アメリカ合衆国の世界戦略に寄与する目標を持ちながらも、第二次世界大戦後における協定加盟国である当時の先進資本主義国の経済復興と経済開発のための長期融資の達成を主要目的とした。また世界銀行の加盟国はIMFの加盟国であることが必要条件である。本部はアメリカ合衆国ワシントンDC。

世界銀行は、第二次世界大戦後の先進資本主義諸国の経済復興とが終了し、経済復興のための資金需要が減少するにつれて開発資金援助に特化していくことになる。とりわけ一九八〇年代以降、発展途上諸国でいわゆる「債務問題」がしばしば生起するようになり、また九〇年代以降には旧社会主義諸国が「計画経済システム」から「市場経済システム」へと移行するようになると、経済開発分野の金融制度の重要性が増すことになった。現在の加盟国は一八四カ国である。なお、現在、世界銀行を構成するグループとして次の五つの機関がある。(1)国際復興開発銀行、(2)国際開発協会(International Development Association:これは貧しい発展途上国に開発資金を融資する機関で、「第二世界銀行」と称されてもいる)、(3)国際金融公社(International Finance Corporation)、(4)多国間投資保証機関(Multilateral Invesutment Guarentee Agency)、(5)国際投資紛争解決センター(International Centre for Settlement of Investment Disputes)。

(2) 経済協力開発機構(Organization for Economic Co-operation and Development: OECD)は、第二次世界大戦後のヨーロッパ諸国の経済復興援助計画を当時のアメリカ合衆国のマーシャル長官が「マーシャル・プラン」として発表し、これを契機に一九四八年四月にヨーロッパ一六カ国が参加した「ヨーロッパ経済協力機構」(OEEC)が発足した(したがって、OEECはOECDの前身にあたる)。やがてOEECはヨーロッパ内の経済復興と貿易自由化とに一定の成果を収めたことを理由に、一九六一年九月にOEEC加盟国にアメリカ合衆国とカナダが加わってOECDが発足した。日本は一九六四年にOECDに加盟。現在、OECD加盟国はイギリス、ドイツ、フランス、イタリア、オランダ、ベルギーなどEU(ヨーロッパ連合)メンバー国が一六カ国と、その他日本、アメリカ合衆国、カナダ、メキシコ、オーストラリア、韓国など一一カ国の合計三〇カ国である。本部はフランス・パリ。

OECDの目的は、(1)経済成長と雇用の持続的増大とによる生活水準の向上、(2)発展途上国の経済発展への貢献、(3)多角的な貿易自由化の拡大(これらは「OECDの三大目的」と称されている)であるが、これらの目的に加えて、ＯＥＣＤは「企業が市民社会の良き一員として行動する」よう要請する「多国籍企業ガイドライン」を二〇〇〇年に改定し、各国の多国籍企業に対して各国政府が「雇用、労使関係、人権、環境、情報開示、競争、税そして科学技術などの分野における企業行動に責任を取る基準」を定めるよう求めることも実行している。例えば、ガイドラインの「雇用および労使関係」では、「児童労働の廃止」、「強制労働の排除」、「差別の禁止」、「労働者の権利」、「労働組合との建設的な交渉」など「企業活動の主要な側面」が取り上げられている。またＯＥＣＤにはその「三大目的」に即して二〇ほどの経済政策、貿易、開発援助の委員会があり、特にエネルギー問題を検討する委員会の付属機関である「国際エネルギー機関」(International Energy Agency: IEA) は有名である。

(3) 国際通貨基金 (International Monetary Fund: IMF) は「ブレントン・ウッズ協定」の議定書に世界銀行と共に付録として含まれていた機関である。その点で両者は補完的な関係にある。ＩＭＦの主要目的は、加盟国の高水準の雇用の維持と実質所得の増大・維持を図る国際貿易の均衡拡大を促進する手段として、加盟国の国際収支の一時的な不均衡を是正する資金をＩＭＦが供与し、為替レートの競争的切り下げを防止して為替の安定を促し、為替制限を排除することである。なお、ＩＭＦによる「資金供与」とは、正確に言えば、ＩＭＦから直接「融資」を受けるのではなく、自国通貨を払ってＩＭＦの「準備資産」から外貨を「買い入れる」ということである。したがって、ＩＭＦによる融資の返済は、借り手国が「準備資産」と交換にＩＭＦから自国通貨の「払い戻し」を行うことで完了することになる。現在、ＩＭＦには一八五カ国が加盟しているが、そのうち先進資本主義諸国は資金を資本市場から調達することができるので、ＩＭＦの融資を受けている国は、国際資本市場から資本を調達することが困難な発展途上国や旧社会主義国のような「計画経済システム」から「市場経済システム」への移行期にある国、それにいわゆる新興市場国である。

一九九七年から九八年にかけて生起したタイ、インドネシアそれに韓国における金融危機に対してＩＭＦは金融と経済の「安定化政策」と「構造改革」のために合計三六〇億ドル以上の融資を行っている。また二〇〇一年に深刻な経済不況と金融危機に見舞われたアルゼンチンは対外債務の不履行国となってしまったために、自国通貨ペソをＵＳドルに固定する「カレンシー・ボード」を放棄せざるを得なくなり、ＩＭＦの融資支援を受けることになった。だが、このようにＩＭＦの融資支援を受ける際には経済の安定化政策と構造改革についてＩＭＦによる次の分野にわたる「技術支援」と「トレーニング」を受けなければならない。すなわち、⑴金融政策、銀行の規制・監督・再編、為替市場の管理、決済制度、中央銀行制度など通貨と金融に関する政策、⑵租税・関税の政策と管理、予算編成、支出政策、社会保障制度政策、対外債務・国際の管理など財政政策とその管理運営、⑶統計データの作成・管理・公表とデータの質の向上。

ＩＭＦの主要財源は加盟する際に各国が払い込む出資金（クォータ）である。この出資金は各加盟国の経済規模、例えばＧＤＰ（国内総生産）や貿易総額などに応じて異なる。したがって、世界最大の経済規模を有するアメリカ合衆国はＩＭＦで最大の出資金を持っている。加盟各国は出資金の二五％を「特別引出権」（Special Drawing Rights: SDRs）あるいはＵＳドルや日本円など主要通貨で出資し、またＩＭＦは、融資のための資金が必要な場合には出資額の残額を加盟国に要求することができることになっている（その場合加盟国は自国の通貨による払い込みが可能である）。

※ ＳＤＲｓは、加盟各国が保有する外貨や金の他に、外貨を必要とする支払いの際に利用できる対外準備資産のことである。ＳＤＲｓの価値はＵＳドル、英国ポンド、日本円それにユーロの主要四通貨のバスケット方式で日々決定される。

（４） 北アメリカ自由貿易協定（North American Free Trade Agreement: NAFTA）はカナダ・アメリカ合衆国・メキシコの三国の間で取り決められたＦＴＡ（自由貿易協定）である。一九九四年発効。なお、ＦＴＡは二国間あるいは多国間で関税を撤廃する協定であり、ＧＡＴＴ二四条で法的に位置づけされている。ＮＡＦＴＡの概要は次のようである。域内ＧＤＰ＝約一一・九兆ＵＳドル（しかし、その大部分はアメリカ合衆国による）。人口＝約四億三〇〇〇万人。ＮＡＦＴＡ発効後、域内の貿易は特にアメリカ合衆国とメキシコ間の拡大が顕著であるが、アメリカ企業の製品輸出が拡大しており、メキシコ経済に大きな影響を及ぼしている。

（５） 東南アジア諸国連合（Association of South-East Asian Nations: ASEAN）は東南アジア一〇カ国の経済、社会、政治、安全保障それに文化における地域協力機構である。本部所在地はインドネシア・ジャカルタ。

ＡＳＥＡＮの歴史は、一九六一年にタイ、フィリピンおよびマラヤ連邦（マレーシア）の三カ国によって設立された東南アジア連合（ＡＳＡ）に遡るが、一九六七年にＡＳＡを発展的に解消し、インドネシアとシンガポールが加わった五カ国によってＡＳＥＡＮが設立される。これら五カ国はその当時、いわゆる冷戦期における「反共産主義」の政治的立場をとっていた国々であり、「反共軍事同盟」であった「東南アジア条約機構」（ＳＥＡＴＯ）と密接な関係にあった。事実、フィリピンやタイはアメリカを支援してヴェトナムへ派兵してヴェトナム戦争に参戦した。しかし、ヴェトナム戦争後、ＡＳＥＡＮは、シンガポールやタイが経済的な発展を見せるにつれて、経済分野での協力に比重を増していった。

ＡＳＥＡＮの拡大は、一九八四年にブルネイが加盟した後、一九九〇年代後半に四カ国が、すなわち、九五年にヴェトナム、九七年にミャンマーとラオス、そして九九年にカンボジアが加盟し、政治体制を超えた経済、社会、政治等の地域協力機構に成長した。しかし、現在、軍事政権による反民主主義的な強権統治を続けているミャンマーの民主化問題に対しては「建設的関与」を方針としているもののその実効力は弱く、ＡＳＥＡＮの影響力の限界が課題となっている。なお、ＡＳＥＡＮのオブザーバー・ステータスの国としてパプアニューギニアがある。

また近年、中国が二〇〇五年に「ＡＳＥＡＮ＋3（日・中・韓）」を、日本が〇七年に「ＡＳＥＡＮ＋6（日・中・韓・インド・オーストラリア・ニュージーランド）」を構想し、主に、アジアにおける経済協力のイニシアティヴ争いが激しくなってきている。

（6）　ＥＵの共通農業政策（Common Agricultural Policy: CAP）は、「ヨーロッパ経済共同体」（ＥＥＣ）の設立条約である「ローマ条約」（一九五八年発効）で規定された農業政策に基づいて一九六八年に確立・採用された、ＥＵ域内における農産物の自由流通および農家保護を目的とする生産・価格支持政策（特に、農産物の輸入価格と支持価格の差額分に輸入課徴金を上乗せし、また輸出については国際価格と支持価格との差額に輸出補助金を支給）などを主要な内容とする農業政策である。すなわち、ＣＡＰは「共通市場制度」と「農村開発政策」の二つの柱から構成され、(1)農業生産性の向上、(2)農家所得の増大、(3)農産物市場の安定化などを目的に確立・採用された。しかし、このような農業政策によって農産物の過剰生産がＥＵメンバー国の財政を圧迫するようになったために、一九九一年にＣＡＰ改革案（マクシャリー提案）が提出され（一九九二年承認、九三年実施)、支持価格の引き下げとそれに見合う直接所得補償、そして所得補償を受ける条件として「セットアサイド」(日本的に言えば「減反」)の導入がなされた。近年においてはまた、CAPによる支出割合が一九九二年以前は予算全体の約六一%を占めていたのを二〇一三年までにその割合を約半分の三二%に抑えることが決定され、その代わりに、一九九八年時点で共通農業政策予算全体のわずか一七%しか占めていなかった農村開発政策(地域政策)の支出割合を二〇一三年には約二倍の三六%に引き上げることが決定されている。

EUはそのCAPの目的について次のように説明している。「農家に対しては適切な生活水準を、消費者に対しては適正な価格で良質な食料を提供すること、そして農業という文化的な遺産を保護することである」。

(7) 現代の東ティモールについては十六世紀初期のポルトガルによる植民地化からの歴史を語らなければならないが、ここでは現代の歴史から始めることにする。一九四二年二月に日本軍はオランダ領であった西ティモールとポルトガル領であった東ティモールの双方に上陸し、翌四三年五月にはティモール全島を占領し、支配下に置いた。しかし、一九四五年八月の日本の無条件降伏によってティモール島は日本の支配から、東ティモールはポルトガル領へ、西ティモールはオランダ領へと復帰することになり、一九四九年にインドネシアが独立すると西ティモールはインドネシア領となった。

他方、東ティモールはポルトガル領のまま存続してきたが、一九七四年にポルトガル政府が自国の植民地を独立させる旨を発表すると、東ティモールに独立を求める「東ティモール独立革命戦線」、「ティモール民主同盟」と、インドネシアへの併合を求める「ティモール人民民主協会」といった政党が東ティモールに組織される。これらの政党のうち最大の勢力を保持していたのは「東ティモール独立革命戦線」であったことから、当時のインドネシアのスハルト政権は一九七五年八月にティモール民主同盟を扇動して武力衝突を起こさせたが、独立革命戦線が勝利し、東ティモール全土を掌握した。そして同年十一月にインドネシア軍が東ティモールに侵攻するのであるが、そのようななかで独立革命戦線は「東ティモール民主共和国」の独立を宣言する(一五カ国が承認)。他方、同時期に民主同盟の一部と人民民主協会がインドネシアとの合併を宣言すると、一九七五年十二月にインドネシア軍が東ティモールに対して全面攻撃を開始する(アメリカがインドネシア軍に大量の兵器を供与したと言われている)。

一九七六年七月にインドネシア政府は東ティモール併合を発表するが、独立革命戦線の抵抗による戦闘が繰り返され、犠牲者は多数に及んだ。一九八八年に独立革命戦線は民主同盟との連合を組織し、十年後の一九九八年には組織替えによって「ティモール民族抵抗評議会」（CNRT）を結成する。

一九九一年十一月にインドネシア軍による無差別大量虐殺の「サンタクルス虐殺事件」が世界中に報道されるや、インドネシアへの国際世論の批判が高まっていった。そしてスハルト大統領辞任後の一九九八年六月と翌九九年一月にハビバ新大統領は東ティモールの自治あるいは独立に言及する。そして九九年九月にインドネシアと東ティモールの旧宗主国のポルトガルとの間でインドネシアから提案されていた「東ティモールの自治受け入れか、あるいは拒否（独立）か」を問う住民投票の実施について合意がなされた。住民投票は九九年八月三十日に国連の監視下で実施され（投票率九八％）、開票（九月四日）の結果、拒否（独立）票が七八・五％を占め、独立への道が切り開かれた。しかしながら、インドネシア併合派の民兵とそれを支援するインドネシア軍によってしばしば騒乱が引き起こされ、混乱が続いた。国連は九九年十月に「国連東ティモール暫定行政機構」（UNTAET）を設立、東ティモール独立の実質化に向けての支援を遂行してきた。しかし、独立後も引き続き国内情勢が不安定であったために、国連は二〇〇六年から「国連東ティモール統合ミッション」（UNMIT）を実施している。それでも、東ティモールは「二〇一二年までのASEAN（東南アジア諸国連合）への加盟を目指している」ことを強調している。

(8) ウェストファリア・モデルについては、本書もD・ヘルド（Held）の *Democracy and the Global Order* (Cambridge: Polity Press) に論及しているので、ここでは田口富久治の論文「D・ヘルドのコスモポリタン民主主義論」（『立命館法学』一九九六年一号〈二四五号〉）を引用・参照して記しておくことにする。「近代諸国家の形成とそれら諸国家の国際システムの形成は共時的な出来事なのであるが、後者は一六四八年のウェストファリア条約にちなんで、『ウェストファリア・モデル』と呼ばれる」。その特徴はヘルドによって次のように整理されている。

(1) 世界は上級の権威を認めない主権諸国家から成り、またそれらによって分割されている。

(2) 法形成、紛争の解決、法執行の過程は、主として、個々の国家の手中に握られている。

(3) 国際法は共存の最低限の諸規則の確立を志向する。すなわち、諸国家と諸人民との間の永続的関係の創出をその目的の一つとしているが、そのような関係の創出が国家的政治目的の達成の妨げとはならない限りでのことである。

(4) 国境線上の不法行為の責任は、関係当事者のみにかかわる「私事」である。

(5) すべての国家は法の前に平等なものとみなされる。法的諸規則は権力の不均斉性《ふきんせいせい》を斟酌しない。

(6) 国家間の不和は最終的には力によって解決される。実行権力〔支配〕の原則が支配する。実力への訴えを妨げるような法的拘束は実質的には存在しない。国際的法準則は最小限の保護を与えるだけである。

(7) 国家の自由への制約の極小化が「集団的」優先事項である。

「要するに、この国家間システムは、各国家にそれ自身の領域内での支配権原を付与しながら、他方国家間関係においては、最終的には実効権力（支配）の原則に裏書きを与えているため、国家の『安全保障ジレンマ』が一切の諸国家を相互間の現実的・潜在的紛争過程へと封じ込めてしまう性格をもつものであった。この矛盾を解決するために、例えば大国間のバランス・オブ・パワーに立脚する『協調（コンサート）システム』が作られもしたが、それは『階層制』と『不均等制』を伴う国家間システムの基本構造を変えることはなかったのである」。

(9) ヨーロッパ（司法）裁判所（European Court of Justice）はＥＵにおける条約とその関連法の適用についての判定を下す機関である。所在地はルクセンブルク。

訳者あとがき

キース・フォークス教授の『シチズンシップ』(*Citizenship*) をイギリス・ヨーク市のある書店で入手したのは二〇〇八年の夏であった。私は、一九九〇年代の後半頃から、イギリスにおいて地域コミュニティをベースに「雇用の創出」や「コミュニティの再生」に寄与していた—現在では、消費者協同組合のCU(「協同組合連合会」)と共に新たな協同組合連合組織 Co-operativesUK を構成している——かつてのICOM(「産業共同所有運動」)所属のコミュニティ協同組合やコミュニティ・ビジネス(あるいはコミュニティ・エンタープライズ)といった非営利の協同事業組織に関心を払うようになっていたのであるが、その同じ頃から、「イギリスではどうして地域コミュニティをベースにこのような非営利の協同事業組織や企業が数多く設立され、しかも地方自治体もそれらに協力し、一定の成果をあげるようになっているのだろうか、その理由を探りたいものだ」と思うようになっていた。それはまた、経験主義的《エムピリカル》な——したがって、実証主義的な——イギリス市民のコミュニティ・アイデンティティや生活や労働に関わるイデオロギーを理解することではないのかな、と薄々私は考えるようになっていた。そして、そのようなことを思い、考えているうちにやがて私は「シチズンシップ」に出会ったのである。二〇〇二年のことである。

その当時、明治大学国際交流センターにはブリティッシュ・カウンシルと共催してシンポジウムや講演会を開催する小規模な「英国研究UK・NOW」と名づけられた委員会が設置されていた（この委員会は――数年前にブリティッシュ・カウンシルの都合で両者の関係を解消したが――現在でも、イギリスについての研究・教育に資するよう社会、経済、法律、政治、芸術、環境などさまざまな分野の大学教員、研究者、弁護士、社会活動家、芸術家等を招聘し、地味ではあるけれども重要な国際交流の役割を果たしている）。その英国研究の委員会とブリティッシュ・カウンシルが共催し、イギリス大使館が後援者となって「イギリスにおけるシチズンシップ教育」のパネルディスカッションを明治大学で開催し（私もパネリストの一人として参加）、基調講演をイギリスの著名な政治学者で、一九九七年に政権の座に就いた労働党政府の要請によりシチズンシップ教育の「独立委員会」議長を務めたバーナード・クリック（ロンドン大学バークベク・カレッジ）教授にお願いしたのである。この独立委員会は「学校におけるシチズンシップと民主主義の教育」（*The Teaching of Citizenship and Democracy in Schools*）と題する独立委員会報告書をそう時間をかけずに二〇〇〇年に提出している。

クリック教授の基調講演「イングランドにおけるシチズンシップ教育」（*Citizenship Education in England*）は「シチズンシップ教育」という言葉をほとんど耳にしたことのなかった討論者の私でもある程度理解し易い内容になっており、その時に私は「シチズンシップ」という言葉を印象深く聴き、記憶することができたのである。その「シチズンシップ」教育について独立委員会報告書は次のような「宣言」を以って書き始めている。

われわれは、全国および各地方にわたって、この国の政治文化を改革していくよう努力する。何のためにそうするのかと言えば、人びとが、自分たち自身を、社会生活に影響力を及ぼすことを厭わない、またそのような影響力を持つことのできる、そして影響力を身につけた積極的な市民だと考え、口に出し行動する前に事実を証明する論拠を比較考証する批判能力を有する市民であると考えるようになるためであり、さらには若者たちのためにこれまでのコミュニティ参加や公共サービスの伝統といったものを基礎に最善のものを築き上げ、若者たちにそれを徹底して広げていくためであり、かくして若者たち一人ひとりが彼ら自身の間で新たな形態の参加や行動を見いだすことに自信を持つことができるようにするためである。

そしてクリック教授は、この「宣言」に内包されている意味を「適切なシチズンシップ」と「積極的な市民」とを区別すること、「法律を遵守する」ことと「法律や地域の規制・規則に対し筋の通った批判を行う」こと、さらには「必要であればそれらの規制・規則を変更しようと試みる能力を身につける」こととを区別することだと強調した。まさにその通りである。ところで、本書の著者のフォークス教授は、このシチズンシップ教育は小・中学校では必修科目であり、高校では必修科目ではないが相応のレベルの教育を実施している、と記しているが、クリック教授も「公共心を重んじるボランタリィ組織は、若者に対し学校こそが民主主義を効果的にするのに必要な知識だけでなく、スキルも用意すべきだとの、また参加と責任を積極的に経験する機会を与えるべきだとのキャンペーンを行ってきた」と論じている。

独立委員会報告書によると、十一歳から十六歳の中学生たちには三つの実際的な理念に基づいた教科による「シチズンシップ教育」がなされている、とのことであった。すなわち、

第一に、生徒たちは、始めから、教室の中だけでなく教室を出て、また先生たちと議論するだけでなく生徒同士お互いに議論し合って、自信を身につけ、社会的および道徳的に責任のある行為を学ぶ。第二に、生徒たちは、コミュニティへの参加とコミュニティへの奉仕を通じて学習することを含め、自分たちのコミュニティでの生活と関心事について学ぶことにより、それらの事柄に役立つべく関係するようになる。そして第三に、生徒たちは、知識、スキルそれに価値——それらは、単に政治的知識だけを求めるのではなく、もっと幅広い関係や立場を求める「政治的な理解力」と称されるものである——を通じて、公共の生活において自分たち自身が実際に役立つようになることについて学び、また自分たち自身がどうすれば実際に役に立つようになるのか、その仕方を学ぶのである。

この中学生のシチズンシップ教育は現今の日本社会における基本的な生活態度に求められるレベル

の内容かもしれない。私としては、クリック教授が指摘したこれらの「シチズンシップ教育」に強い刺激を受けたのであるが、彼が最後に引用した（文学・文化評論家のリチャード・ホガートの）次の一文はまさに本書『シチズンシップ』の簡潔にして要を得た内容を表現していると思えるので、ここに記しておきたい。

資本主義の剥き出しの衝動をコントロールすること、その衝動を資本主義に固有の目的に向けることは、開かれた民主主義の主要な、また避けることのできない本分である。だが、足枷を外された資本主義はいつの日かすべての人の物質的水準を高めるだろう――それも、社会的コストの代価を払わずに、すべての人びとにとってより大きな社会正義（社会的公正）を伴って――という最近の神話はまさに次のことである。それは、神話、危険な神話そして有害な神話、これである。民主主義は、資本主義と共に生き長らえるかもしれないが、しかし、それは、民主主義の立場から発せられる言葉であり条件であっても、資本から発せられるような言葉や条件ではないのである。民主主義は資本と親しくなければならない、というものではない。そうではなく、民主主義は資本に対して用心深くして慎重な関係にあるのだ。

私はこうして、クリック教授が語ってくれた「シチズンシップ教育」に接する機会を得、ほんの少しであるけれどシチズンシップを考察する重要な契機を得たのである。しかし、私が協同組合や社会的企業の論究にとって「シチズンシップ考」とも言うべきものが必要ではないかと思うようになったのは、先に述べたように、イギリスで私が目撃した地域コミュニティに根差した「雇用の創出」や「コミュニティの再生」を目標に活動していた人びとや機関・組織の行動能力はどのようにして生み出され、またこれらの行動能力を人びとはどのように活かしていこうとしているのか、という私自身への問いかけであった。

私は、二〇〇八年にキース・フォークス教授の『シチズンシップ』を手にするや、どうしても翻訳したくなった。この本のなかに「私の問いかけ」の答えがあるのではないか、と思えたからである。そう思うと矢も盾もたまらず日本経済評論社の清達二氏を訪ね、本書の出版をお願いした次第である。ところが、である。いざ翻訳にかかると、なかなか進まないのである。それもその筈、シチズンシップは学問の範疇としては政治学なのであるのだから、政治学の基本が解らずに翻訳することは土台無理なことなのである。そこで遅ればせながら私は政治学の基本を勉強し、社会学にも目を向けることになった。こうしてほぼ一年の時間を翻訳のための基本勉強に費やすことになったのである。それでもこうして本書が世に出たので、私は協同組合研究や社会的企業研究などにシチズンシップを下敷きとする「新しい研究アプローチ」を構築していきたいと意気込んでいるところである。清さんには本当に迷惑をかけてしまった。心より陳謝すると同時に感謝申し上げたい。

ところで、フォークス教授の原書にはまったく注記がないので、私は「訳者注」を末尾に付しておいた。おそらく、イギリスの学生や社会人には常識の範疇に入るヨーロッパ的な「概念」や「歴史」も日本の学生や社会人にとっては常識の範疇に必ずしも入らないかもしれないと思えたので、私は最少限必要と思われた事項について言及しておいた。参考にしていただければ幸いである。

また、私は専門用語や強調したい用語に原書にはない「　」(鉤括弧)を付させてもらった。その方が読者には解り易いと考えたからである。さらに私は、原書では文章の長いパラグラフの箇所を読み易くするために——前後の内容に十分注意して——改行させてもらった。なお、文中の傍点は原書ではイタリックで書かれている部分であることも記しておく。

本書の校正中に私は、東京で「東北地方太平洋沖地震」の影響を経験し、また東北・関東を襲った大津波と福島第一原発事故をテレビ・新聞などメディアを通じて見聞した。「東日本大震災」と名づけられた、大地震と大津波による震災はまさにわれわれ日本人がかつて経験したことのない最大級の災害をもたらした。それだけに復旧の道のりも困難を極めるだろうことが予想される。加えて原発事故である。この事故は、ある意味で、日本における原発が抱える問題や危機管理の在り方を調査してきた在野の研究者や専門家の指摘を無視してきた「人災事故」であることを明白にさせた。この福島原発事故に対する世界各国の対応がそのことを語ってくれている。

大地震と大津波それに原発事故によってわれわれ日本人が経験した物的、肉体的、精神的な惨状は、日本の政治、経済それに社会の枠組みの在り様について鋭く問うている、との思いを私は一層強くしている。これからは、多くの人びとは、このことについて発言・議論することによってはじめて日本の将来の「社会‐経済的、政治的な在り様」を真剣に考え、真に進むべきより良き道を選択することの重要性を再認識することだろう。

この大地震と大津波と原発事故の被災者は、おそらく、何よりも家族や地域コミュニティを基盤とする社会的な諸関係が破壊されてしまったことを最も悔やんでいるだろう。そのような状況の下にあって私は、被災者のこの悔しい思いを胸に、「市民の自治と参加による権利と責任」について論じた本書を上梓したのである。

二〇一一年四月

非営利・協同システムの展開　中川雄一郎・柳沢敏勝・内山哲朗編著　本体３４００円

シティズンシップ論の射程　藤原孝・山田竜作編　本体４４００円

シティズンシップと多文化国家　オーストラリアから読み解く　飯笹佐代子　本体３８００円

シチズンシップと環境　アンドリュー・ドブソン　福士正博・桑田学訳　本体３８００円

ストロング・デモクラシー　新時代のための参加政治　B・R・バーバー　竹井隆人訳　本体４２００円

新版現代政治理論　W・キムリッカ　千葉眞・岡崎晴輝ほか訳　本体４５００円

完全従事社会の可能性　仕事と福祉の新構想　福士正博　本体４２００円

訳者紹介

中《なか》川《がわ》雄《ゆう》一《いち》郎《ろう》

1946年静岡県生まれ．明治大学政治経済学部教授．経済学博士．（英国）ヨーク・セント・ジョン大学より名誉学位授与，日本ロバアト・オウエン協会会長，日本協同組合学会元会長．

主著：『非営利・協同システムの展開』（中川ほか編著）日本経済評論社，2008年，『社会的企業とコミュニティの再生』（増補版）大月書店，2007年，『キリスト教社会主義と協同組合』日本経済評論社，2002年ほか．訳書に『イタリア協同組合・レガの挑戦』（P. アンミラート著，中川監訳）家の光協会，2003年，『協同組合企業とコミュニティ』（G. マクラウド著）日本経済評論社，2000年，『コープ：ピープルズ・ビジネス』（J. バーチャル著，中川・杉本訳）大月書店，1997年ほか．

シチズンシップ
自治・権利・責任・参加

2011年5月20日　第1刷発行

定価（本体3200円＋税）

著　者　キース・フォークス
訳　者　中川雄一郎
発行者　栗原哲也
発行所　株式会社日本経済評論社

〒101-0051 東京都千代田区神田神保町3-2
電話 03-3230-1661　FAX 03-3265-2993
E-mail: info8188@nikkeihyo.co.jp
振替 00130-3-157198

装丁＊静野あゆみ　印刷・製本／シナノ印刷

落丁本・乱丁本はお取替えいたします　Printed in Japan

ISBN978-4-8188-2159-0

索引

［ア行］

アーレント，H.　234
アテネ　20, 22, 25-6, 28
アフリカ　201-2, 230
アムステルダム条約（1997年）　237
アメリカ革命（アメリカ独立戦争，1776年）　31, 46-7
アリストテレス　20-1, 24
アルジェリア　73
イギリス
　市場の権利　96-97, 98-99
　ナショナル・アイデンティティ　56-7
　民主主義　94-5
イグナチェフ，M.　194
移住（移動）　205-6, 253
イスラエル　233
イスラム教徒（ムスリム）と人権　209
イスラム原理主義　202, 219
イスラムの民　154-5
「依存の文化」　93
「一市民」　1
「一般意志」　47, 50-1
一夫多妻　87
イニシアティヴ　93
異議申し立ての権利　94
移民
　――とEUの政策　236-8
　――と政治参加　212-3　⇨出稼ぎ外国人労働者を参照
　――と統合　73-4
　――の貢献　74-6
　不法――　214-5
移民・移住
　――と「頭脳流出」　229-32
　――の（入国）管理　43, 73-4, 213
　自発的移民と不本意な移民　154-5
　フランス　70-71
イラク　221, 224, 233, 250
ヴァルミーの戦い　49, 257
ヴァン・パレース，P.　184
ウェーバー，M.　23, 30
ヴェニス（ヴェネツィア）　30
ウォーターズ，M.　199
ウォーラーステイン，I.　221
ウォルドロン，J.　78, 152
ウォルビー，S.　88-9
エスピン-アンデルセン，G.　178
エチオピア　153
エンゲルス，F.　165
オウムメン，T.　44, 62-6, 79-80
大前研一　200-3
オーストラリア・投票の義務　168-70
オールドフィールド，A.　109-11, 163
オコナー，J.　98-9
オリアリー，S.　237

［カ行］

階級（階級制度）　57, 85, 127

核廃絶　224, 251
核保有　204-5
革命　18, 165
核抑止力　207
家族
　——構造の変革　162
　——とシチズンシップ　185-6, 187-8, 242-3
　——と暴力（ヴァイオレンス）　188-9
　——の民主化　187-9
　権利と責任　102-3
　伝統的な——構造への回帰　105
ガバナンス（統治）
　——とシチズンシップ　7, 18-9, 113, 198-9, 217-40
　——と自由主義　19
　——と人権　216
　——の定義
　グローバルな——・アプローチ　61
家父長制　85
　公-私の分割　89-90
カラカラ帝　28, 256
環境　2, 226-7
環境破壊（災害）　61, 204-5, 224, 226-9, 253
環境保護《エコロジカル》シチズンシップ　226-9
完全論　165, 266-7
帰化　66, 70
北アイルランド　144-5, 264-5
北大西洋条約機構（NATO）　220
ギデンズ，A.　7-8, 35, 37-8, 187-90
「規範なき」社会　103-4
義務と責務　119-20, 171-2, 243-5
キムリッカ，W.　14, 55, 124, 130-5, 142-7, 151-6
教育
　国家資金による——　91
　シチズンシップ——　170-1
　生涯——　183
境界線　77-9, 250
　⇨グローバリゼーションを参照
共産主義（共産主義社会）　2, 111, 113, 159
　⇨マルクス，マルクス主義，社会主義を参照
強制　191-3
共通農業政策（CAP）　231, 238, 273-4
強要（coercion）　191-3
共和主義　18, 21, 70-2, 76, 108-10, 113
近代シチズンシップ　20-2, 31-42
クウェート　233
クラーク，P.　14-5, 32
グリーン，T.H.　87, 110
クリントン，W.　176, 231
クロウジャー，M.　106
クロウツ，A.　48
グローバリゼーション　197-240
　——と境界線（国境）　78-9, 123, 197-9
　——と国際的な義務・責務　16-7, 60
　——と国家主権　205-6, 223-5
　——と市場の力　203-4
　——とシチズンシップ　16-7, 79-80, 191, 197-207, 218-9, 221-2
　——と自由主義　201-3
　——と人権　16-7, 208-9, 210-1, 215-6, 233, 250-1
　——と世界経済　203-4

——と通信技術　204-5, 219
——と不平等　222-3, 252-3
——と文化的差異　220-1
——と民主主義　203-4
——の危険性　239-40
——の定義　199
世界貿易　200-1
⇒環境，難民を参照
地球的規模の危機（グローバル・リスク）　204-5, 211, 228-9, 251
グローバリゼーションと遺伝学的研究　200-1
グローバル・シチズンシップ　226-33, 239-40
軍事的（兵役）義務　46, 65, 251
ケアと思い遣り　18-9, 193-4, 252
経済協力開発機構（OECD）　203, 270-1
権威主義（独裁主義）　109, 113, 221, 234
権利
——とグローバリゼーション　224, 225-6
——と個人の選択　85, 249
——の限界　82-100, 112
——の否定　155, 175-6
さまざまな種類の——の間に見る対立　114
⇒市民権，個人的（個人の）権利，市場の権利，政治的権利，社会的権利を参照
権利と責任　1-2, 5-11, 51, 81-121, 157-8, 163-4, 243-5
——と個人の解放　47
——と国家　66
——と社会的結びつき　80
——と政治的参加　119, 218
——と複合的民主主義　78
——と民主主義　164, 166
——の相互依存　118, 120
原理主義　219, 221, 233-4
公営住宅販売政策　97
公衆衛生　91
公-私の分割　86-90, 185-92
——と女性　86-9
「構造の二重性」　7-8
公的サービス　93
合理主義　100
コーテン，D.　201
ゴードン，L.　116
国際関係論　205, 207
国際戦争犯罪法廷　225
国際通貨基金（IMF）　203, 217, 233, 253
国際犯罪　205-6, 253
国際連合（国連：UN）　78, 204, 208, 224, 231,233, 251
国籍（ナショナリティ）　44
——と義務・責務　52-5
——とグローバリゼーション　60-3, 236-7, 238-9
——と国家の安全　65
——とシチズンシップ　11, 52-5, 61-4, 71-2, 79-80, 197-8, 222, 249-50
——の確認　55-7, 66-7
国防と警備　95
国民
——と国家　62, 63-5, 75-6, 79
——の概念（理念）　45, 62
——の統一　47-9
国民国家

——とグローバリゼーション　199-200
——とシチズンシップ　12, 15-6, 44-5, 52-67, 75-6, 123, 210, 246-7
——と資本主義　114-5
——と女性　57-8
——と政治的文化　55-7
——と他のコミュニティへの義務・責務　60-1
——の排他性　53, 77-8
——の民族的要素と市民的要素　52-3
——の問題　52-66
「純粋な——」　55
多文化的な国家　55, 63
ナショナル・サービス　170-1
⇨コミュニティ・サービスを参照
民族的と性差（ジェンダー）的　41-2, 44, 66-9, 246-7
⇨ナショナル・アイデンティティ　51-2, 143-4 を参照
国連世界人権宣言（国連人権宣言）　11-2, 210
互恵性（相互依存・相互関係）　6, 116, 189, 213
個人
——と国家の権威　82-3
——とコミュニティ　7-8, 81-6, 99, 103-4, 108-9, 116-7, 147-8, 159-60, 170-1
——と社会集団　134, 141-2
——と責任　5-7, 47, 100-7, 158, 161-2
——と利己心　53-4
——についての抽象的な見方　83, 125-6, 133
人間の行動・人間味のある行動　84-5, 103-4, 137-8, 146, 163-4
個人的（個人の）権利　32-3, 45-6, 82-100, 107-8, 158, 249-50
——と集団的権利　150-1, 155-6
⇨市民権，市場の権利，政治的権利，権利と責任，社会的権利を参照
コスタコポーロー，D.　74-5, 77
コスモポリタン民主主義　222-4, 234-5, 251
コソボ　220, 250
古代ギリシア
——とシチズンシップ　20-7
奴隷制　27
古代ローマのシチズンシップ　28-30
古代ローマの自然法　22
国家
国家とグローバル・ガバナンス　234-5
シチズンシップに対するバリアー（障害物）　44, 104, 112-3, 247-8
コックス，R.　176
個別化　162-3
コミュニタリアニズム（共同体主義）　2, 13, 82, 105, 111-2, 193
——と「権利と責任」　103-6, 118, 159-62
コミュニティ　6-8, 81-5, 98-9, 103-4, 107-9, 116-7, 147-8, 160-2, 171
——・サービス　170-1, 194-5, 244-5

［サ行］

差異　72-3, 124-6, 131-3, 147-56, 220-2
「差異の政治」　128, 147-8, 149-51,

162-3
⇨多様性，多元主義を参照
差異化されたシチズンシップ　130, 142, 147, 249
財産
——とシチズンシップ　96-7
——の権利　83, 86, 90, 92, 94
在住要件（在住期間）　43, 63, 77-8, 209
「差異の政治」　128, 148, 150, 162-3
債務危機　61
搾取　112-3, 127-8
差別　187
参加　6, 32, 112, 158, 195, 245
——と社会的権利　172-3, 178-9
——と人権　211-3
——と民主主義　158, 164
⇨政治的参加を参照
産業資本主義　65
シェイエス，A.　45
ジェンダー　57-8, 85
市場の権利　84, 94-9, 114
——と市民権　93-4
——と社会的権利　97-9
市場の力　89-92, 177-8
——と環境　178-9
慈善　116.
自然権　114
自然資源　226-7
自治（自律）　6, 83, 117, 179-80, 207, 243-4
シチズンシップ
概念的な概観　4-20
教育プログラム　170-1
近現代の——　43-4, 246-7, 254
——と相拮抗する要求　10-1, 14-5, 26-7
——と社会的な統制（支配）　7, 28-9
——と政治的コミュニティ　157-72
——と多様性　74-5, 124-6, 149-50, 249-50
——と平等　4-6, 22, 33-4, 39-40, 43, 45-6, 63-4, 81-2
——と民主主義　2, 157-8, 164-5
——と民族的起源　66-9, 69-71
——の解放潜在能力　81-2, 134-5, 254
——の社会的文脈（脈絡）　7-10, 21-3, 130, 157, 243
——の自由主義的概念　3-4, 9-10, 13-4, 82-100
——の将来　250-3
——の全体論的アプローチ　107-21, 185-7, 194-5, 245-6
——の動態的（ダイナミック）な特性　8-11, 60-1, 118-9
——の内容　10, 13, 16, 22, 29-30, 119, 130, 243
——の発展　241-6
——の範囲　11-3, 16-7, 22-3, 43, 59, 130, 242
——の深さ　10, 14-5, 16-7, 22, 29, 130, 243
——の普遍性　17, 45-6, 53, 124-5, 130, 134, 173
⇨排除，包摂，権利と責任，社会的権利を参照
集団に基礎を置く概念　135-7, 142, 151, 248-9
受動的・消極的と能動的・積極的・活動的　6, 50, 96-7, 160, 164, 173

-4, 195, 245
地域的文脈　221-3
二元論的概念　7-8. 84, 245
濃厚な（厚い・深い）――と稀薄な（薄い）――　14-6, 26, 84, 120
ポストモダン・アプローチ　17, 21-3, 51, 134-5, 246-51, 253-4
歴史的な概観　20-31
私的王国　86, 185-8
資本主義
――と国民国家　114-5
――とシチズンシップ　2, 40-1, 91-2, 112-3, 202-3
――と社会的義務・責務　106-7
――の発展　94
市民所得　41, 158, 177-85, 193-5
市民審査員会制度　167-8, 195
市民的徳行　102, 109, 111, 197
古代ギリシアにおける――　25-6, 117
フランス革命における――　46
市民の（ための）シチズンシップ　94, 96
市民信仰　108
市民権（公民権，「市民的」権利）　4, 86, 90-5, 166
――と市場の権利　94-5
――と社会的権利　91, 92-6, 106-7, 114-6
⇨権利を参照
市民社会　112-3, 159, 208
社会契約　87-8, 109, 119
社会周辺化（社会的排除）　127, 137
社会主義（者）　2, 18, 39, 89-90
「社会的拘束」　35-6
社会的権利　172-84
――と市民権　91-3, 95, 96, 106-7, 114, 115-6, 174-5
――の弱さ　105-6
福祉国家　37-8
労働（雇用）への従属（依存）　102, 105-6, 119, 175-8
⇨市民所得を参照
社会的包摂　5-6, 48-9, 52-3, 166
⇨社会的排除，複合的シチズンシップを参照
自由（フリーダム）　26, 192
⇨自由（リバティ）の項を参照
自由（リバティ）　89-90, 102, 171
――の権利　46, 59, 86
⇨自由（フリーダム）を参照
自由市場　14
⇨市場の力，市場の権利を参照
自由主義　18
――と権利と責任　81-100, 103, 114, 119-20, 157-8, 221-2, 242-4
――とグローバリゼーション　201-3
――と個人主義　100-3, 105-6, 147-8, 162, 194-5
――と平等　125-6, 147-8, 157, 162, 194, 242-3
――と平等主義　38-40
――と民主主義　86, 90-1
二元論的シチズンシップ・アプローチ　84, 147-8, 245
⇨モダニティを参照
シュヴァーツマンテル，J.　47
集団
集団と内面的な差異　136, 143-4
抑圧　142
集団的権利　14, 124-33

——と個人的選択　146-7, 156
——と普遍的権利　131
——と民主主義　127-9, 140-1
——と抑圧　148-50
——の正当性　137-9
——の問題　135-47
自治（自己統治）の権利　132-3, 154-5
多数民族の権利　132-3
「特定目的の代表制」　130, 132-3
シュクラー，J.　47
主権者（統治権者）　34, 147, 205, 235
シュック，P.　214
シュレーダー，G.　215
ショー，M.　251
障害者とシチズンシップ　39
ジョーダン，B.　26, 177
女性
——とシチズンシップ　87-9, 126-7, 162
——と市民所得　180-1
所得援助　91-2, 173-4
ジョプケ，C.　138, 215-6
シルヴァーマン，M.　48, 52, 68, 70-1
人権
国連（UN）の干渉・介入　224-5
——とグローバリゼーション　16-7, 208-9, 211-2, 216, 232-3, 250-1
——と国家主権　83, 99-100
——の普遍的基準　218-21
新自由主義　93-9, 219
——と市場の力　41, 175-6
——と責任　98-100
——と不平等　105-6
人種・民族差別　57, 67-8, 85-6, 214-5, 247
「親密なシチズンシップ」　158, 185-95, 248
「頭脳流失」　231-2
スミス，A.　52-3, 64-5
聖アウグスティヌス　30
政治
——と資源の分配　90
——（活動）の定義　7-8
不要とされる——　51
政治的権利　90-1, 116, 166-8, 175, 195
政治的権利と責任　102-3, 174-6
出稼ぎ外国人労働者　212
⇨市民審査員会，政治的参加，権利を参照
政治的参加　90, 106, 160-1, 166-9, 191
アメリカ合衆国（USA）　166-7
古代ギリシア　20
——と移民　212-3
——と「権利と責任」　112, 119, 217-8
——と雇用　182
——と市民所得　183
——とヨーロッパ連合（EU）　236
（古代）ローマ帝国　28-9
⇨参加を参照
政治亡命者（保護）　12, 237
制度化された人種・民族差別　85-6
性の解放　104, 162
世界銀行　203, 217, 233, 253, 269-70
責任
——と義務と責務　25, 119-20, 171
——と社会的権利　118-9
⇨権利と責任を参照
積極的なシチズンシップ　24, 164

セルボーン，D.　102, 118, 120
戦争（戦争行為）　10, 23
ソイサル，Y.　198, 208－16, 218, 221, 237
ソーシャル・メンバーシップ
——とグローバリゼーション　197-8
フランス　45, 48, 66-7, 69-70, 77-9
相互依存　78, 111-2, 116-8, 179, 246
疎外（疎外感，疎遠，労働疎外）　72, 161, 166, 183
「疎外された政治」　110

［タ行］

対立　10, 253
ターナー，B.　5, 39, 162, 211, 218
ダール，R.　139
ダウエンハウワー，B.　170-1, 231
ダガー，R.　117
多元主義（プルーラリズム）　14, 123-4, 129, 131, 139-40
⇨差異，多様性を参照
多国籍企業　197, 200, 204, 217, 232
多文化シチズンシップ　131, 138
タム，H.　54
多様性　74-5, 124-6, 149-51, 248-9
⇨差異，多元主義を参照
タリアン，J.L.　48
地球温暖化　226
チャリティ組織のエイジ・コンサーン（現在はエイジ UK）　167
中国　202, 234
朝鮮戦争　220
チョムスキー，N.　233
ツワイン，F.　116-7
ティリー，C.　15
出稼ぎ外国人労働者　67－8, 208－10, 212, 215
政治的権利　212-3
⇨移民・移住者，移民・移住を参照
デブレイ，R.　70
ドイツ
外国人出稼ぎ労働者　215
国籍　66-69
ドイツにおけるトルコ人出稼ぎ労働者　67
同性愛
——と軍隊　211
道徳の概念　26, 102-4, 175-6
投票の義務　168-70, 194-5, 244-5
トマス，P.　110-1
トンプソン，G.　200

［ナ行］

ナショナリズム（民族主義）　39, 52-3, 56, 61-2, 69
ナチス　225
難民　11, 43, 68
難民政策　213
ニールウィンデンの戦い（1793年）　50
二級市民　43-4
ニコレット，C.　28-9
ニヒリズム　104
ニュービ，H.　228
ニュルンベルク裁判　225
「人間および市民の権利の宣言」（「人権宣言」）　45-6
ノージック，R.　91

［ハ行］

パーカー，J.　178-9

バーク，E.　46-7
ハースト，P.　179, 200
バーバー，J.　213-4
ハーバーマス，J.　46-7, 62, 76, 79, 212
バーバレット，J.　38, 173-5, 177-9, 181
バーリバー，E.　49, 72, 247
ハイエク，F.　91
排除（社会的）　61-3, 127-8, 254
⇨シチズンシップ，シチズンシップの範囲；人種・民族差別を参照
ヴィクトリア時代　59-60
古代ギリシア　24-8, 241-2
女性の排除　48-4
中世イタリア　30-1
排除と共和主義　70-1
フランス　72-3
文化的排除　43-4
パスクワ法　70
「弾みの概念」　4
犯罪
国際――　204-7, 253
――の増加　161
反社会的行為　161, 191
ハンティントン，S.　218-21, 233-4
ハント，L.　49
ヒーター，D.　17, 29, 51, 78, 222, 249
東ティモール　234, 274-5
東ヨーロッパ　201
ピクスリー，P.　181-3
ヒメルファーブ，C.　102-3
平等
――と共産主義　111-2
――と差異　147-56
――とシチズンシップ　4-7, 22, 33-4, 39-40, 43-6, 63-4, 81-2, 256-7
――と自由主義　88-9, 242-3
フランス革命　46
貧困　3, 26, 206-7
グローバル　61
――と社会的権利　96-9
ファイアールベク，K.　146, 151-2
フィンキールクラウ，A.　70
フィリップス，A.　139, 141, 159
フィレンツェ（フローレンス）　21, 30-1
ブーズ，K.　207
フェイヴェル，A.　73
フェミニズム　73, 87, 96, 185-86, 193
――とシチズンシップ　2-3, 13, 18-9, 147-8, 226-7, 245
フォーク，R.　239
フォード方式　40-1, 182
「部外者」　43-4
複合的シチズンシップ　17, 78, 222, 235, 248-9
福祉国家　37-8, 40-1, 57-8, 92, 103-4
フクヤマ，F.　202-3
負債の取り消し　230-1
「不十分な子育て」　103
フセイン，S.　221
不平等　84-9, 104-6, 125-7, 134
ブベック，D.　15, 193
普遍的諸権利　48-9
プラーント，R.　95
プラマー，K.　185
フランス　45-52
移民　69-71
国籍　51, 66-8
シチズンシップ　70-6, 78-9, 246-7
人種・民族差別　69-70, 247

フランス革命（1789年） 21, 44, 45-52
外国人の政治的権利 48
共和主義的要素 46-7
公安委員会・大恐怖政治・迫害 50-1
国民国家 12, 42, 62-5
市民軍 30-1
——と国籍 48-51, 246
——と国の境界線 48-9
——と社会包摂的シチズンシップ 48-50
——の遺産 51-2, 78-9
ブルーベイカー，R. 48, 66-8
ブレア，T. 176, 260
フレイザー，N. 116
プロテスタンティズム 36-7
文化 131-3, 141-6
文化拡張主義政策 127
文化的排除 43-4
⇨社会的排除を参照
文化的本質主義 76, 146
分離主義運動 141, 155
ペイトマン，C. 88, 147-8
ペイン，T. 48, 83, 87
ベヴァリッジ，サー・ウィリアム 58
ヘーゲル，G.W.F. 5, 36, 110, 138
ベク，U. 162
ヘッドスカーフ問題 69-70
ペリクレス 28, 256
ベル，D. 101, 103-4
ヘルド，D. 21, 223, 234-7
ベルンシュタイン，J. 112
ボーダン，J. 36
ホール，C. 59-60
保守主義者 102-7, 119-20
ポストモダニズム 17, 51, 134-5, 162, 164-5, 240, 241, 244
ボスニア 224
ホッブズ，T. 31-4, 36-7, 109, 226, 242, 251
ホフマン，J. 4, 140, 188, 190-3, 235
ポリス（古代ギリシア） 20-6, 83-4, 117-8, 241-2

［マ行］

マーシャル，T.H. 40, 87, 91, 92, 106, 172-4, 177
マーストリヒト条約（1992年） 225, 236-7
マイノリティ
「コミュニティの指導者」による圧迫 153-4
シチズンシップ 66-8, 72-6, 129-31
少数民族（エスニック・マイノリティ） 39, 98-9, 132-3
性・性的—— 39, 162, 187
特別な権利 14, 63-4, 130-3, 150-1
——と政治的参加 212-3
——と国家 146
⇨女性を参照
マキャヴェリ，N. 21
マクレナン，G. 139
マッカーシィ，J. 142
マリク，K. 150
マルクス，K. 36-7, 47, 89-90, 110-4, 138, 186
マルクス主義 13, 159, 165
マルシリオダ・パドヴァ 31
マン，M. 29, 35-6, 38
マンヴィル，P. 22, 25
ミード，L. 102, 105

ミーンズ・テスト　173-4
ミラー，D.　44, 53-64, 69, 76, 141, 143, 197
ミル，J.S.　59, 90-1, 97, 192
民主主義　2, 16, 77, 157-8, 164-6
――とグローバリゼーション　202-4
――と個人主義　101
――と国家　190-2
――と自由主義　86, 90-2
――と多元主義　128-30
――と民衆のデモンストレーション　233-4
「民族学」　73
「民族自決権」　155
民族大虐殺（ジェノサイド）　225
民族的優越　73
名誉シチズンシップ　48
メドウズ，D.　184
モダニティ　4, 31-2, 43, 45, 79, 247-8, 254
⇨自由主義を参照
モブツ・セセ・セコ　230
モンターニュ派（山岳党）　50

[ヤ行]

ヤング，I.　14, 124-33, 134-43, 146-51, 156
友愛　46-9
ユートピアニズム　191, 239
ヨーロッパ人権法廷　211
ヨーロッパ連合（EU）
責任　238
――とシチズンシップ　16-7, 225-6, 235-6, 250-1
――と人権　236-8
――と政治的参加　236
抑圧　127, 128-30, 136-9, 140-2, 148-50

[ラ行]

ラーパポート，A.　239
ラテンアメリカ　201
リーゼンバーグ，P.　21, 23, 38
離婚　103
リスター，R.　89, 181, 222, 245
立憲的愛国主義　76-8, 212-3, 249-50
ルソー，J.J.　47, 50, 108-9
ルペン，J.-M.　70
ルワンダ　224
レーガン，R.　98-9
労働市場　93-4, 105-6, 181-3
ローレンス，S.　84-6
ロック，J.
個人的（個人の）権利　34-6, 83, 86, 96, 226, 242
財産所有権　86, 96
社会契約　109
ロベスピエール，M.　50

[ワ]

ワークフェアー　102-3, 259-62
ワイラー，G.　32-3
湾岸戦争　220

[欧文]

natio（古代ローマの言葉）　62
NHS（国民保健・医療サービス）と市民審査員会　167-8

参考文献

Arblaster, A. (1994) *Democracy* (2nd edn). Buckingham: Open University Press.

Aristotle (1992) *The Politics*. London: Penguin.

Bali, S. (1997) 'Migration and refugees', in B. White, R. Little and M. Smith (eds) *Issues in World Politics*. Basingstoke: Macmillan, pp.200-21.

Balibar, E. (1991) 'Es gibt keinen Statt: Racism and politics in Europe today', *New Left Review* 186, pp.5-19.

Balibar, E. (1994) *Masses, Classes, Ideas*. London: Routledge.

Barbalet, J. (1988) *Citizenship*. Milton Keynes: Open University Press.

Barber, B. (1984) *Strong Democracy: Participatory Politics for a New Age*. Berkeley, CA: University of California Press.

Baubock, R. (1994) *Transnational Citizenship*. Aldershot: Edward Elgar.

Beck, U. (1997) *The Reinvention of Politics*. Cambridge: Polity Press.

Bell, D. (1976) *The Cultural Contradictions of Capitalism*. London: Basic Books.

Bellamy, R. (1992) *Liberalism and Modern Society*. Cambridge: Polity Press.

Bendix, R. (1996) *Nation-Building and Citizenship* (revised edn). New Brunswick: Transaction Publishers.

Bernstein, J. (1991) 'Right, revolution and community: Marx's "On the Jewish Question"', in P. Osborne (ed.) *Socialism and the Limits of Liberalism*. London: Verso, pp.91-120.

Bhabha, J. (1998) '"Get Back to where you once belonged": Identity, citizenship, and exclusion in Europe', *Human Rights Quarterly* 20, pp.592-627.

Booth, K. (1995) 'Dare not to know: International relations theory

versus the future' in K. Booth and S. Smith (eds) *International Relations Theory Today*. Cambridge: Polity Press, pp.328-50.

Bretherton, C. (1996) 'Universal human rights: Bringing people into global politics?', in C. Bretherton and G. Ponton, *Global Politics*. Oxford: Blackwell, pp.247-73.

Broadbent, E. (1997) *The Rise and Fall of Economic and Social Rights*. London: Canadian High Commission.

Brubaker, R. (1992) *Citizenship and Nationhood in France and Germany*. Cambridge: Cambridge University Press.

Bubeck, D. (1995) *A Feminist Approach to Citizenship*. Florence: European University Institute.

Bull, H. (1977) *The Anarchical Society*. London: Macmillan.

Burke, E. (1968) *Reflections on the Revolution in France*. London: Penguin.

Calhoun, G. (1997) *Nationalism*. Buckingham: Open University Press.

Chomsky, N. (1997) *World Orders, Old and New* (revised edn). London: Verso.

Clarke, P. (1994) (ed.) *Citizenship: A Reader*. London: Pluto Press.

Clarke, P. (1996) *Deep Citizenship*. London: Pluto Press.

Coole, D. (1993) *Women in Political Theory*. Hemel Hempstead: Harvester Wheatsheaf.

Cox, R. (1998) 'The consequences of welfare reforms: How conceptions of social rights are changing', *Journal of Social Policy* 27 (1), pp.1-16.

Crozier, M. (1975) 'Western Europe', in M. Crozier, S. Huntington and J. Watanuki, *The Crisis of Democracy*. New York: New York University Press, pp.11-57.

Dagger, R. (1997) *Civic Virtues*. Oxford: Oxford University Press.

Dahl, R. (1961) *Who Governs? Democracy and Power in an American City*. New Haven: Yale University Press.

Dalton, R. (1996) *Citizen Politics* (2nd edn). New Jersey: Chatham House.

Dauenhauer, B. (1996) *Citizenship in a Fragile World*. Maryland:

Rowan and Littlefield.
Esping-Andersen, G. (1990) *The Three Worlds of Welfare Capitalism*. Cambridge: Polity Press.
Etzioni, A. (1995) *The Spirit of Community*. London: Fontana Press.
Etzioni, A. (1997) *The New Golden Rule*. London: Profile Books.
Falk, R. (1995) *On Human Governance*. Cambridge: Polity Press.
Faulks, K. (1998) *Citizenship in Modern Britain*. Edinburgh: Edinburgh University Press.
Faulks, K. (1999) *Political Sociology*. New York: New York University Press.
Favell, A. (1997) *Philosophies of Integration: Immigration and the Idea of Citizenship in France and Britain*. Basingstoke: Macmillan.
Fierlbeck, K. (1998) *Globalizing Democracy*. Manchester: Manchester University Press.
Forsyth, M. (1987) *Reason and Revolution: The Political Thought of Abbê Sieyès*. Leicester: Leicester University Press.
Frazer, N. and Gordon, L. (1994) 'Civil citizenship against social citizenship' in B. Van Steenbergen (ed.) *The Condition of Citizenship*. London: Sage, pp.90-107.
Fukuyama, F. (1992) *The End of History and the Last Man*. London: Hamilton.
Giddens, A. (1984) *The Constitution of Society*. Cambridge: Polity Press.
Giddens, A. (1985) *The Nation-State and Violence*. Cambridge: Polity Press.
Giddens, A. (1994) *Beyond Left and Right*. Cambridge: Polity Press.
Giddens, A. (1998) *The Third Way*. Cambridge: Polity Press.（佐和隆光訳『第三の道―効率と公正の新たな同盟』日本経済新聞社，1999年）
Green, T.H. (1986) *Lectures on the Principles of Political Obligation*. Cambridge: Cambridge University Press.
Habermas, J. (1974) *Theory and Practice*. London: Heinemann.
Habermas, J. (1994) 'Citizenship and national identity' in B. Van Steenbergen (ed.) *The Condition of Citizenship*. London: Sage, pp.20-35.
Hall, C. (1994) 'Rethinking imperial histories: The Reform Act of 1867',

New Left Review 208, pp.3-29.

Hayek, F. (1944) *The Road to Serfdom*. London: Routledge. (西山千明訳『隷従への道―全体主義と自由』(ハイエク全集別巻) 春秋社, 2008年)

Heater, D. (1990) *Citizenship*. London: Longman.

Held, D. (1995) *Democracy and the Global Order*. Cambridge: Polity Press.

Held, D. (1996) *Models of Democracy* (2nd edn). Cambridge: Polity Press.

Himmelfarb, G. (1995) *The De-Moralization of Society*. London: IEA Health and Welfare Unit.

Hirst, P. (1994) *Associative Democracy*. Cambridge: Polity Press.

Hirst, P. and Thompson, G. (1996) *Globalization in Question*. Cambridge: Polity Press.

Hobbes, T. (1973) *Leviathan*. London: Dent. (水田洋訳『リヴァイアサン』(1-4) 岩波文庫, 2008年)

Hoffman, J. (1995) *Beyond the State*. Cambridge: Polity Press.

Hoffman, J. (1997) 'Citizenship and the state'. Paper presented at the conference Citizenship for the Twenty-first Century at the University of Central Lancashire, October.

Hoffman, J. (1998) 'Is there a case for a feminist critique of the state?', *Contemporary Politics* 4 (2), pp.161-76.

Hoffman J. (1998a) *Sovereignty*. Buckingham: Open University Press.

Horsman, M. and Marshall, A. (1995) *After the Nation-State*. London: HarperCollins.

Hunt, L. (1992) 'Afterword', in R. Waldinger, P. Dawson and I. Woloch (eds) *The French Revolution and the Meaning of Citizenship*. London: Greenwood Press, pp.211-13.

Huntington, S. (1998) *The Clash of Civilisations and the Remaking of the World Order*. London: Touchstone.

Ignatieff, M. (1991) 'Citizenship and moral narcissism', in G. Andrews (ed.) *Citizenship*. London: Lawrence and Wishart, pp.26-36.

Ivory, M. (1998) 'The Fife users' panel', *Community Care* 16-22 April,

p.13.

Johnston, P., Steele, J. and Jones, G. (1999) 'We must change as a nation', *Electronic Telegraph*, 25 February (www.telegraph.co.uk).

Joppke, C. (1998) 'Immigration challenges the nation-state' in C. Joppke (ed.) *Challenges to the Nation-State: Immigration in Western Europe and the United States*. Oxford: Oxford University Press, pp.5-46.

Jordan, B. (1989) *The Common Good*. Oxford: Blackwell.

Jubilee 2000 (1999) *The Jubilee 2000 Campaign*. Jubilee2000.future. easyspace.ac.uk, pp.1-6.

Korten, D. (1995) *When Corporations Rule the World*. Connecticut: Kumarian.

Kostakopoulou, D. (1998) 'Is there an alternative to "Schengenland"?', *Political Studies* XLVI, pp.886-902.

Kymlicka, W. (1990) *Liberalism, Community, and Culture*. Oxford: Oxford University Press.

Kymlicka, W. (1995) *Multicultural Citizenship*. Oxford: Oxford University Press.

Lister, R. (1997) *Citizenship: Feminist Perspectives*. Basingstoke: Macmillan.

Locke, J. (1924) *Two Treatises of Government*. London: Dent.

Lowe, R. (1993) *The Welfare State in Britain Since 1945*. London: Macmillan.

Malik, K. (1996) *The Meaning of Race*. Basingstoke: Macmillan.

Mann, M. (1993) *The Sources of Social Power*, vol.2. Cambridge: Cambridge University Press.

Mann, M. (1996) 'Ruling class strategies and citizenship', in M. Bulmer and A. Rees (eds) *Citizenship Today*. London: UCL, pp.125-44.

Manville, P. (1994) 'Towards a new paradigm of Athenian citizenship', in A. Boegehold and A. Scafuro (eds) *Athenian Identity and Civic Ideology*. Baltimore, MD: Johns Hopkins University Press, pp.21-33.

Marshall, T.H. (1981) *The Right to Welfare and Other Essays*. London: Heinemann.

Marshall, T.H. (1992) 'Citizenship and social class', in T.H. Marshall and T. Bottomore, *Citizenship and Social Class*. London: Pluto Press, pp.1–51.

Marx, K. (1994) 'On the Jewish Question', in K. Marx, *Early Political Writings*. Cambridge: Cambridge University Press, pp.28–56.

Marx, K. and Engels, F. (1962) *Selected Works*, vol. 1. Moscow: Foreign Languages Publishing House.

McLennan, G. (1995) *Pluralism*. Buckingham: Open University Press.

Mead, L. (1986) *Beyond Entitlement*. New York: Free Press.

Meehan, E. (1993) *Citizenship and the European Community*. London: Sage.

Migration News (1998) 'Germany: Dual citizenship, asylum, enforcement', *Migration News* 5 (1), pp.1–2.

Mill, J.S. (1974) *On Liberty*. London: Penguin. (塩尻公明・木村健康訳『自由論』岩波文庫，2007年，山岡洋一訳『自由論』光文社，2006年)

Miller, D. (1995) *On Nationality*. Oxford: Oxford University Press.

Miller, D. (1995a) 'Citizenship and pluralism', *Political Studies* XLIII, pp.432–50.

Newby, H. (1996) 'Citizenship in a green world: Global commons and human stewardship', in M. Bulmer and A. Rees (eds) *Citizenship Today*. London: UCL Press, pp.209–22.

Nicolet, C. (1980) *The World of the Citizen in Republican Rome*. London: Batsford.

Nozick, R. (1974) *Anarchy, State and Utopia*. Oxford: Blackwell.

O'Connor, J. (1998) 'US social welfare policy: The Reagan record and legacy', *Journal of Social Policy* 27 (1), pp.37–61.

Ohmae, K. (1995) *The End of the Nation-State*. New York: Free Press.

Oldfield, A. (1990) *Citizenship and Community*. London: Routledge.

O'Leary, S. (1998) 'The options for the reform of European Union citizenship', in S. O'Leary and T. Tiilikainen (eds) *Citizenship and Nationality Status in the New Europe*. London: IPPR, pp.81–116.

Oommen, T. (1997) *Citizenship, Nationality and Ethnicity*. Cambridge: Polity Press.

Paine, T. (1995) *Rights of Man, Common Sense and Other Political Writings*. Oxford: Oxford University Press.

Parker, H. (ed.) (1993) *Citizen's Income and Women*. London: Citizen's Income Study Centre.

Parker, J. (1998) *Citizenship, Work, and Welfare*. Basingstoke: Macmillan.

Pateman, C. (1988) *The Sexual Contract*. Cambridge: Polity Press.

Pateman, C. (1992) 'Equality, difference, subordination: The politics of motherhood and women's citizenship', in G. Bock and S. James (eds) *Beyond Equality and Difference*. London: Routledge, pp.17-31.

Pettit, P. (1997) *Republicanism*. Oxford: Oxford University Press.

Phillips, A. (1993) *Democracy and Difference*. Cambridge: Polity Press.

Pierson, C. (1998) 'Contemporary challenges to welfare state development', *Political Studies* XLVI, pp.777-94.

Pixley, P. (1993) *Citizenship and Employment*. Cambridge: Cambridge University Press.

Plant, R. (1992) 'Citizenship, rights and welfare', in A. Coote (ed.) *The Welfare of Citizens*. London: IPPR, pp. 15-29.

Plummer, K. (1999) 'Inventing intimate citizenship'. Paper presented at the conference Rethinking Citizenship, University of Leeds, June.

Rapoport, A. (1997) 'The dual role of the nation state in the evolution of world citizenship', in J. Rotblat (ed.) *World Citizenship*. Basingstoke: Macmillan, pp.91-125.

Rees, A. (1995) 'The other T.H. Marshall', *Journal of Social Policy* 24 (3), pp.341-62.

Riesenberg, P. (1992) *Citizenship in the Western Tradition*. Chapel Hill, NC: University of North Carolina Press.

Rousseau, J.J. (1968) *The Social Contract*. London: Penguin. (桑原武夫・前川貞次郎訳『社会契約論』岩波文庫，2006年)

Schuck, P. (1998) 'The re-evaluation of American citizenship', in C. Joppke (ed.) *Challenges to the Nation-State: Immigration in Western Europe and the United States*. Oxford: Oxford University Press, pp.191-230.

Schwarzmantel, J. (1998) *The Age of Ideology*. Basingstoke: Macmillan.

Selbourne, D. (1994) *The Principle of Duty*. London: Sinclair-Stevenson.

Shaw, M. (1994) *Global Society and International Relations*. Cambridge: Polity Press.

Shklar, J. (1991) *American Citizenship: The Quest for Inclusion*. Harvard: Harvard University Press.

Silverman, M. (1992) *Deconstructing the Nation: Immigration, Racism and Citizenship in Modern France*. London: Routledge.

Skinner, Q. (1978) *The Foundations of Modern Political Thought*, vol. 1. Cambridge: Cambridge University Press.

Skinner, Q. (1978a) *The Foundations of Modern Political Thought*, vol. 2. Cambridge: Cambridge University Press.

Smith, A. (1995) *Nations and Nationalism in a Clobal Era*. Cambridge: Polity Press.

Smith, M. (1998) *Ecologism*. Buckingham: Open University Press.

Soysal, Y. (1994) *Limits of Citizenship*. Chicago, IL: University of Chicago Press.

Statewatch (1998) 'Schengen and EU agree to extend fortress Europe', *Statewatch* 8 (1), pp.1-3

Steward, F. (1991) 'Citizens of Planet Earth', in G. Andrews (ed.) *Citizenship*. London: Lawrence and Wishart, pp.65-75.

Tam, H. (1998) *Communitarianism*. London: Macmillan.

Thomas, P. (1984) 'Alien politics: A Marxian perspective on citizenship and democracy' in T. Ball and J. Farr (eds) *After Marx*. Cambridge: Cambridge University Press, pp.124-40.

Tilly, C. (1995) 'The emergence of citizenship in France and elsewhere', *International Review of Social History* 40 supplement 3, pp. 223-36.

Turner, B. (1986) *Citizenship and Capitalism*. London: Allen and Unwin.

Turner, B. (1993) 'Outline of a theory of human rights' in B. Turner (ed.) *Citizenship and Social Theory*. London: Sage, pp. 162-90.

Turner, B. (1994) 'Postmodern culture/modern citizens', in B. Van

Steenbergen (ed.) *The Condition of Citizenship*. London: Sage, pp.153-68.

Twine, F. (1994) *Social Rights and Citizenship*. London: Sage.

Van Parijs, P. (1995) *Real Freedom For All*. Oxford: Oxford University Press.

Van Steenbergen, B. (1994) 'Towards a global ecological citizen', in B. Van Steenbergen (ed.) *The Condition of Citizenship*. London: Sage, pp.141-52.

Walby, S. (1990) *Theorising Patriarchy*. Oxford: Basil Blackwell.

Waldron, J. (1987) (ed.) *Nonsense Upon Stilts*. London: Methuen.

Waldron, J. (1992) 'Minority cultures and the cosmopolitan alternative', *University of Michigan Journal of Law Reform* 25 (3-4), pp.751-93.

Wallerstein, I. (1995) *After Liberalism*. New York: New Press.

Waters, M. (1995) *Globalization*. London: Routledge.

Weber, M. (1958) *The City*. New York: Free Press.

Weeks, J. (1998) 'The sexual citizen', *Theory, Culture and Society* 15 (3-4) pp.35-52.

Weiler, G. (1997) 'Logos against Leviathan: The Hobbesian origins of modern antipolitics', in A. Schedler (ed.) *The End of Politics?* Basingstoke: Macmillan, pp.40-56.

Williams, R. (1997) *Hegel's Ethics of Recognition*. California: University of California Press.

Young, I. (1989) 'Polity and group difference: A critique of the ideal of universal citizenship', *Ethics* 99, pp.250-74.

Young, I. (1990) *Justice and the Politics of Difference*. Princeton, NJ: Princeton University Press.

Yuval-Davis, A. (1997) *Gender and Nation*. London: Sage.